Denkwürdigkeiten der Glückel von Hameln

Jud und Jüdin.

Denkwürdigkeiten der Glückel von Hameln

Aus dem Jüdisch-Deutschen übersetzt,
mit Erläuterungen versehen und herausgegeben

von Alfred Feilchenfeld

PHILO

Philo Verlagsgesellschaft mbH, Bodenheim bei Mainz 1999
Nachdruck der vierten Auflage Berlin, 1923
Druck und Bindung: Nexus Druck, Frankfurt/M.
ISBN 3-8257-0073-9

Inhalt

GEDANKEN ZUR NEUAUFLAGE DER „DENKWÜRDIGKEITEN DER GLÜCKEL VON HAMELN"

Zufällig schreibe ich diese Zeilen an dem Tag, an dem Anne Frank fünfzig Jahre alt geworden wäre und Zufall mag es sein, daß am Anfang und am Ende deutsch-jüdischer Literatur zwei Frauen standen.

Kein Zufall ist es, Parallelen und Ähnlichkeiten zwischen Glückel von Hameln und der allzu jung dahingerafften Anne Frank auf-zuzeigen. Diese zwei recht verschiedenen Frauengestalten beginnen und beenden drei Jahrhunderte deutsch-jüdischen Zusammenlebens und literarischer Aktivität deutsch-schreibender Juden, die zum Teil auch außerhalb der deutschen Grenzen z.B. wie Kafka und Brod in Prag oder wie Freud, Schnitzler und Stefan Zweig in Wien wirkten. Dennoch, die Symbolik dieser zwei Frauen, Glückel wurde 1645 geboren und Anne starb genau drei Jahrhunderte danach, 1945, ist zu gewaltig und zu eindringlich, als daß man sie als Zufall hinwegwischen könnte.

Die Frau, die fast achtzig Jahre alt wurde*, schenkte mindestens 12 Kindern das Leben und fand dennoch Zeit, ihre Memoiren zu schreiben. (Der Titel des Originals ist „Sichronoth", was einfach Erinnerungen bedeutet, und man darf fragen, warum Dr. Alfred Feilchenfeld für die bescheidenen Aufzeichnungen einer einfachen Frau das pompöse Wort „Denkwürdigkeiten" gewählt hat).

Beide Bücher, das Tagebuch des 1929 in Frankfurt/M. geborenen Mädchens, das nicht mehr deutsch schrieb sondern holländisch, die Sprache des Landes, das der jüdischen Familie Frank Asyl und Versteck gewährte, und die noch nicht hochdeutsch geschriebenen Erinnerungen der Glückel, die sieben Büchlein (die ersten fünf ca. 1690, die letzten zwei 1715 – 1719) in kum-

---

* Die Angaben über ihre Lebensdauer variieren: Feilchenfeld meint, daß sie von 1646 – 1724 lebte, das Nachschlagwerk Encyclopedia Judaica gibt 1645 – 1724 an, und die „Mitteilungen für jüdische Volkskunde" (1901) sprachen wohl irrtümlich von 1645 – 1719.

mervollen Nächten niederschrieb, waren beide nicht für ein Leserpublikum gedacht: das Tagebuch der Anne Frank wohl für niemanden als sich selbst und die Erinnerungen der Kaufmannsfrau nur für Kinder und Kindeskinder.

Wie Anne Franks Tagebuch bewahrt und publiziert wurde ist bekannt und auch, daß seine zarte Botschaft des Glaubens an das Gute im Menschen in einer Vielzahl von Übersetzungen die Herzen meist junger Menschen in allen Ländern der Welt erreicht und bewegt hat. Glückel von Hameln — Vorläufer deutsch-jüdischer Literatur in der Tat: Moses Mendelssohn (1729 — 1786) hatte noch nicht das Licht der Welt erblickt, als die alte Dame ihre Augen für immer schloß — wurde nie zu dem Welterfolgs-Autor wie Anne: aber der Widerhall ihrer einfachen und unpathetischen Erinnerungen war doch erstaunlich und verdient: in deutscher Übertragung — das Original wurde in hebräischen Schriftzeichen und in deutsch-jüdischer Sprache, die dem Jiddischen verwandt, jedoch keineswegs mit ihm identisch ist, abgefaßt — erschienen mindestens vier verschiedene Ausgaben (David Kaufmann (1896), Bertha Pappenheim (1910), Alfred Feilchenfeld (1913) und Erich Toeplitz (1929). In den ,,Denkwürdigkeiten" sind keine Sensationen oder literarischen Finessen verborgen, die derartige Bucherfolge erklären würden). Der Vollständigkeit halber sind noch die Ausgaben in London (1962) und die 30 Jahre frühere New Yorker Edition mit Marvin Lowenthals enthusiastischer Einleitung, sowie die hebräische, die in Tel Aviv erschien, erwähnt. Dem Kulturhistoriker gibt das Buch viele Aufschlüsse, für die ansonsten zeitgenössische Quellen fehlen. Aber darüber hinaus ist es ein sehr menschliches mütterliches Erinnerungsbuch, das, von unbestreitbarem geschichtlichem Wert abgesehen, heute noch oder heute wieder Leser ansprechen dürfte.

In den ,,Mitteilungen für jüdische Volkskunde" hat sich vor acht Jahrzehnten L. Ysaye nicht unkritisch mit den Memoiren befaßt, jedoch treffend und gerecht registriert, daß Glückel, die in einer Zeit lebte, welche für die christliche Umwelt ,,toll, erregt und genußfroh" war, Tugend als schönes Erbkleinod bewahrte und daß sie zwar nichts als ,,eine einfache Judenfrau" blieb, dennoch von ,,Streben, Energie, köstlicher Schaffenslust und freudiger Tapferkeit" gekennzeichnet war. Er meinte, daß die

„Heldin", die weder Heldin war noch sein wollte, „nicht gelehrt, nicht vortrefflich" gewesen sein mag, aber doch „so modern, so lebendig, so liebenswert".

Was der Kritiker um die Jahrhundertwende feststellte, scheint uns wahr geblieben zu sein. Glückel hat weder Staub angesetzt noch Patina. Wir müssen sie nicht mit Ehrfurcht lesen aber wir dürfen ihren Humor und die Tapferkeit ihres Herzens genießen, und wenn wir dabei sogar noch etwas an Kenntnissen und Erfahrungen gewinnen sollten, dann hat die verdienstvolle Neuausgabe ihren Zweck doppelt erfüllt.

HANS LAMM

München 12. Juni 1979

Vorrede zur ersten Auflage

Nicht erst seit kurzem habe ich mich mit Glückel von Hameln und ihrem Werke zu beschäftigen begonnen. Meine Studien zur älteren Geschichte der deutschen Juden in Hamburg führten mich schon bald nach Erscheinen des von Kaufmann herausgegebenen Originals zur Durcharbeitung und Benutzung dieser wichtigen Quellenschrift. In einem Briefwechsel mit Kaufmann, der mich zu einer Besprechung seiner Glückel-Ausgabe aufforderte, wurde auch die Frage einer Verdeutschung des einzigartigen Werkes erwähnt. K. selbst hat deren Notwendigkeit anerkannt und ihr Erscheinen für wünschenswert erklärt, sobald die Original-Ausgabe sich ein wenig eingebürgert habe. Nach seinem frühen Tode hat dann seine Gattin, Frau Irma Kaufmann, geb. Gomperz, die ihn leider auch nicht lange überleben sollte, ihr besonderes Interesse für das Zustandekommen einer Uebersetzung kundgegeben und mich zur Verdolmetschung des Werkes ermutigt. Durch berufliche Beschäftigung ist die Arbeit selbst verzögert worden und nach ihrer Fertigstellung hat dann die Herausgabe, die ursprünglich von einem Hamburger Verlag übernommen war, durch widrige Umstände einen längeren Aufschub erfahren. Hoffentlich kommt die Uebertragung aber auch jetzt nicht zu spät, um Glückel und ihr Werk vielen, denen das Original verschlossen ist, nahe zu bringen und wert zu machen.

Fürth 1913.   A. F.

Einleitung.

Helden der Tat und des Geistes, auch Männer und Frauen der großen Welt haben oft schon am Ende eines reichen und wechselvollen Lebens das Verlangen empfunden, das, was sie selbst gewirkt oder von ihrer hohen Warte aus erschaut haben, der Nachwelt zu überliefern. Aber die Vorgänge, die in ihren Sphären sich abspielen, und die Umgebung, aus der sie ihre Beobachtungen schöpfen, stehen ohnehin schon im Vordergrunde des Interesses und geben auch sonst mannigfachen Anlaß zur Erforschung und Aufzeichnung. Seltener kommt es vor, daß aus einfachen Lebensverhältnissen auch einmal eine Stimme aus der Vergangenheit zu uns dringt und uns von Menschenschicksalen erzählt, die sich fern vom großen Weltgetriebe vollzogen haben. Eine solche Stimme ist es, die aus den Lebenserinnerungen der G l ü c k e l H a m e l n, einer schlichten Hamburger Jüdin des 17. Jahrhunderts, uns entgegentönt.

Zu den am wenigsten geachteten Ständen und Menschenklassen im Heiligen Römischen Reich deutscher Nation gehörten noch im 17. Jahrhundert unzweifelhaft d i e J u d e n. Mochten auch sonst die Anschauungen des Mittelalters durch das Wiederaufleben der Wissenschaften und durch die Reformation etwas zurückgedrängt worden sein, mochte auch durch die großen Entdeckungen und Erfindungen der Gesichtskreis der Menschen sich im allgemeinen erweitert haben, so hatte doch den Juden gegenüber auch in jener Zeit allgemeinen geistigen Aufschwunges das Mittelalter noch nicht aufgehört. Das Jahrhundert des großen Krieges aber, durch den der materielle Wohlstand unseres Vaterlandes gebrochen und die Gemüter aufs äußerste verroht wurden, war gewiß nicht dazu angetan eine mildere, menschenwürdigere Behandlung der im Reiche verstreuten Juden herbeizuführen. Noch waren die barbarischen Ausweisungen, die in vielen Teilen des Reiches über die Juden verhängt worden waren, nicht zurückgenommen, und wo die Unglücklichen geduldet wurden, da war ihre Existenz auch meist nur von den Launen absoluter Herrscher und ihrer Ratgeber, von der Willkür weiser und manchmal auch gar unweiser Stadtobrigkeiten abhängig. Die großen reichsunmittelbaren Handelsstädte des deutschen Nordens hatten den Juden am längsten ihre Tore verschlossen und wußten ihnen nach ihrer Aufnahme durch kleinliche Schikanen am meisten das Leben zu verleiden. In H a m b u r g , der Vaterstadt Glückels, war es hauptsächlich die damals zu großer Macht gelangte „erbgesessene Bürgerschaft", die im Gegensatz zu dem weitblickenderen Rate den Nutzen der jüdischen Einwanderung für die Entwicklung des städtischen Gemeinwesens nicht einsehen wollte und den dort ansässigen Juden portugiesischer und deutscher Nation die Existenz nach Möglichkeit zu erschweren und zu verkümmern suchte.

Glückel ist im Jahre 1646 in Hamburg als Tochter eines der ersten deutschen Juden, die dort die „Stättigkeit", d. i. die Erlaubnis zur Niederlassung, erhalten haben, geboren und hat mehr als fünfzig Jahre ihres Lebens daselbst zugebracht. Ihren Namen Hameln verdankt sie

2

der sagenumwobenen Heimat ihres Gatten Chajim Hameln, mit dem sie fast dreißig Jahre in glücklichster Ehe verbunden war. Der Drang ihre Erlebnisse aufzuzeichnen erwachte in ihr nach dem Tode ihres Gatten, der sie als 43 jährige Witwe mit einer großen Zahl unmündiger Kinder zurückließ (1689). Tagsüber nahm die Sorge für das weitverzweigte Geschäft, dem sie von nun an allein vorstand, und für die Erziehung ihrer Kinder ihre angestrengteste Aufmerksamkeit in Anspruch. In schlaflosen, tränenvollen Nächten aber fühlte sie oft das Verlangen sich von den melancholischen Gedanken loszuringen, die ihr Herz bewegten, und ihr Leid und ihre Klagen in verschwiegene Blätter auszuströmen, die nur ihrer Kinder Augen dereinst erblicken sollten. Mehr und mehr gestaltet sich in ihr ein fester schriftstellerischer Plan. „So viel mir bewußt ist und so viel es sich tun läßt, will ich beschreiben von meiner Jugend an, was mir noch eingedenk ist, was passiert ist." Sie nimmt sich vor dieses Programm „in sieben kleinen Büchlein" durchzuführen und sie hat diesen Plan auch verwirklicht, freilich in etwas anderer Art, als sie am Anfang gedacht hatte. Denn die zwei letzten Bücher der uns vorliegenden „Memoiren" sind in einer viel späteren Periode ihres Lebens (1715—19) hinzugefügt, als sie längst ihrer Vaterstadt Hamburg den Rücken gekehrt und ein zweiter zu Metz geschlossener Ehebund einen traurigen Abschluß gefunden hatte. In Metz, wohin sie (1700) in der Aussicht auf ein glänzendes Los gekommen war, mußte sie die schwersten Enttäuschungen und Bitternisse erleben. Ihr zweiter Gatte, der hochgeachtete Bankier Cerf Levy, verlor nicht lange nach seiner Vermählung mit ihr sein

3

ganzes Vermögen und ließ sie wenige Jahre nachher in Armut und Unselbständigkeit zurück. Im Hause ihrer verheirateten Tochter in Metz verlebte sie dann noch eine ruhige, sorgenfreie Zeit, bis sie im Jahre 1724 als Greisin von beinahe 80 Jahren ins Grab sank.

Die Lebensgeschichte, die sie uns hinterlassen hat, läßt in ihrer einfachen, treuherzigen Schilderung das ehrliche Bestreben erkennen die Resultate eigener Wahrnehmungen oder zuverlässiger Mitteilungen anderer genau wiederzugeben. Es kann wohl vorkommen, daß sie in Einzelheiten und namentlich in Zahlen (die man ja immer als die schwache Seite der Frauen betrachtet) kleine Irrtümer begeht. Aber jede Schönfärberei ist ihr fremd und sie ist weit davon entfernt durch Ineinanderweben von Dichtung und Wahrheit ihre Erlebnisse interessanter zu gestalten oder auch nur ihre Darstellung abgerundeter zu machen. Sie verschweigt sogar manchmal um sich von übler Nachrede fernzuhalten schonend die Namen derer, die ihr oder ihrem Gatten unrecht getan haben. Aber bei aller Zurückhaltung, die sie sich auferlegt, wirkt sie doch gerade durch die Schlichtheit ihrer Erzählung fesselnd und sie zeigt ein klares, sicheres Urteil über Personen und Zustände ihrer engeren und weiteren Umgebung.

Sei es, daß sie über Familienangelegenheiten oder über Vorgänge des geschäftlichen Lebens berichtet, sei es, daß sie die Verhältnisse ihrer Heimatgemeinde oder gar die hohe Politik in den Kreis ihrer Betrachtungen zieht: überall erweist sie sich als eine kundige Beobachterin des Lebens, zeigt sie reges Interesse und tiefes Verständnis für alles, was die Herzen der Menschen im

4

großen wie im kleinen bewegt. Wie klug und treffend urteilt sie z. B. über das Verhältnis der beiden Großmächte Schweden und Dänemark, die zwar 1658 Frieden miteinander geschlossen haben, aber doch noch immer einer auf den andern „picken"! (S. 20.) Wie klar erkennt sie den tieferen Grund der Verfolgungen und Schikanen, denen die deutschen Juden in Hamburg zu ihrer Zeit ausgesetzt waren, in dem zu großen Einfluß der erbgesessenen Bürgerschaft! (S. 18.)

Glückels Buch enthält eine reiche Fülle tatsächlichen Materials, das unsere Kenntnis der äußeren Geschichte der deutschen Juden und ihres Kulturzustandes in der zweiten Hälfte des 17. Jahrhunderts außerordentlich erweitert. Namentlich wird das Bild von dem damaligen Leben der Juden in Hamburg und Altona durch Glückels Darstellung in mannigfacher Beziehung bereichert und vervollständigt. So gibt sie uns z. B. Kunde von den ersten Einwanderungen mitteldeutscher Juden nach Altona, das damals noch unter der Herrschaft der Grafen von Schaumburg stand, von dem heimlichen Vordringen einzelner dieser Altonaer Juden nach Hamburg und den mannigfachen Fährnissen, die sie dort durchzumachen hatten. (S. 14 ff., 24 ff.) Auch verdanken wir ihr interessante Aufschlüsse über einen sonst nur andeutungsweise bekannten Mordprozeß, der im Jahre 1687 in Altona gegen einen Hamburger Judenmörder eingeleitet wurde und zur Hinrichtung des Mörders führte. (S. 210—225.) Der bei weitem größte Teil dessen, was Glückels Lebenserinnerungen uns schildern, spielt sich auf dem Boden ihrer Vaterstadt Hamburg ab, für die sie trotz des Druckes, unter dem die Juden damals dort zu leiden hatten, eine rührende Liebe und Anhänglichkeit zeigt. Aber auch mit vielen anderen jüdischen Gemeinden Deutschlands hat sie durch geschäftliche Beziehungen und durch Verheiratung ihrer zahlreichen Kinder Verbindungen angeknüpft und sie weiß uns von diesen Orten manches Neue und Wissenswertes zu berichten. Spezielle Nachrichten gibt sie uns noch in den letzten Partien ihres Buches von der altehrwürdigen jüdischen Gemeinde Metz, in der sie die letzten zwei Jahrzehnte ihres Lebens verbrachte und deren Gemeindeverhältnisse und führende Persönlichkeiten ihr lebhaftes Interesse erregten.

Manchem Leser dieser Lebenserinnerungen könnte es auffällig erscheinen, welch großes Gewicht die Verfasserin auf sogenannte „gute" Heiratspartien und überhaupt auf den Besitz von Geld und Gut legt. Die weitläufige und umständliche Behandlung dieser Dinge wird jedoch erklärlich, wenn man den ausgeprägten Familiensinn der Juden und ihre Sorge für die Zukunft ihrer Kinder in Betracht zieht. Der materielle Besitz mußte aber notwendig bei den damaligen Juden eine große Rolle spielen, da das Recht zu leben und zu atmen und der Schutz für ihre Habe und ihren Erwerb ihnen nicht als etwas Selbstverständliches vom Staate gewährt wurde, sondern stets durch große Opfer erkauft werden mußte. Alle die vielen Schikanen und Beschwerden, denen die deutschen Juden jener Zeit ausgesetzt waren, konnten nur durch einen vollen Geldbeutel einigermaßen erträglich gemacht werden. Auch in dieser Beziehung gibt Glückel die Zustände, unter denen ihre Glaubensgenossen lebten, einfach und getreu wieder. Nur selten und nur da, wo ihr gar zu schlimme Wirkungen der

Rechtlosigkeit der Juden begegnen, läßt sie sich eine Aeußerung der Klage und des Mißvergnügens entschlüpfen. Von einer hohen Schätzung der materiellen Güter an sich aber ist sie so weit entfernt, daß sie wiederholentlich ihren Kindern zu Gemüte führt, wie wenig der Besitz von Geld und Gut ohne die richtige Erfüllung der Pflichten gegen Gott und die Nebenmenschen zu bedeuten hat.

Das Verdienst, die Aufzeichnungen Glückels der Vergessenheit entrissen zu haben, gebührt dem gelehrten Forscher und hervorragenden Kenner jüdischen Schrifttums, P r o f e s s o r D r. D. K a u f m a n n in Budapest (gest. 1899), der das Original 1896 unter dem Titel „Die Memoiren der Glückel von Hameln" (Frankfurt a. M., Verlag von J. Kauffmann) herausgegeben hat. Die Edition beruht hauptsächlich auf einer Handschrift der früheren — neuerdings der Frankfurter Stadtbibliothek einverleibten — Merzbacherschen Bibliothek in München, neben der eine zweite, minder vollständige, im Privatbesitz zu Frankfurt a. M. befindliche Handschrift zu Rate gezogen wurde. Die erstere ist, wie auf dem Titelblatt vermerkt, von dem Sohne Glückels. Moses Hameln, damaligem Rabbiner in Baiersdorf, Wort für Wort von der ihm vorliegenden eigenhändigen Handschrift der Verfasserin abgeschrieben. (Siehe Vorwort zu Kaufmanns Ausgabe, S. VII ff.) Statt der in jüdisch-deutschen Werken üblichen Kurrentschrift der Vorlage sind in der Ausgabe Kaufmanns die Buchstaben der bekannteren hebräischen Quadratschrift verwendet. Infolge der ungenauen Wiedergabe mancher deutscher Vokale und Konsonanten in der hebräischen Schrift war es für den Herausgeber nicht immer leicht den genauen Wortlaut zu entziffern und kleine Irrtümer haben sich auch hin und wieder eingeschlichen*). Aber im ganzen erfüllt die Ausgabe aufs beste den Zweck die Worte der Verfasserin möglichst getreu wiederzugeben und ihr Werk in seinem ursprünglichen Reize zu erhalten. Charakteristisch für ihre Sprache sind nicht nur die mannigfach eingestreuten Zitate aus der Bibel und den nachbiblischen Schriften des Judentums sondern auch viele einzelne hebräische Worte, Wendungen und Sätze, durch die die jüdisch-deutsche Darstellung unterbrochen wird. Hauptsächlich mit Rücksicht auf diese Eigentümlichkeit des Werkes hat sich Professor Kaufmann nicht zu einer Veröffentlichung der Memoiren in deutscher Sprache entschließen können und es vorgezogen, Glückels Lebenserinnerungen in ihrer ganzen eigenartigen Form der Nachwelt zu überliefern.

Aber nachdem diese Forderung der Wissenschaft Genüge geleistet war, galt es durch Verdeutschung des Originals die neu gewonnene Quelle auch der Benützung vieler zugänglich zu machen.

Die Uebertragung, die hier dargeboten wird, schließt sich dem Wortlaut des Originals nach Möglichkeit an. Doch ist nicht darauf Gewicht gelegt worden. Eigentümlichkeiten des Satzbaues und des Ausdruckes, die unserm deutschen Sprachgefühl störend erscheinen, mit herüberzunehmen. An einzelnen Stellen sind zur Erzielung

---

*) Zur Berichtigung solcher Irrtümer hat A. Landau in seinem Aufsatze: Die Sprache der Memoiren Glückels von Hameln (Mitteilungen der Gesellschaft für jüdische Volkskunde, Jahrg. 1901, S. 20—47) und dem dazu gehörigen Glossar (S. 47—66) vielfach beigetragen.

Le SON du COR au PREMIER JOUR de L'AN

eines besseren Zusammenhanges kleine Verschiebungen und Zusammenziehungen vorgenommen worden. Abgesehen von solchen formalen Aenderungen sind die geschichtlichen und biographischen Partien des Originalwerkes hier vollständig wiedergegeben und, soweit es nötig erschien, durch erläuternde Anmerkungen dem Verständnis näher gebracht*). Die längeren erbaulichen Erzählungen, die sich im Original vielfach eingestreut finden, sind, um die biographische Darstellung nicht zu unterbrechen, auch um den Umfang des Buches nicht zu sehr anschwellen zu lassen, im Einverständnis mit dem Verlage hier fortgeblieben. Einige Proben aus diesen Märchen und Erzählungen, die uns von dem damals in jüdischen Kreisen beliebten deutschen Lesestoff eine Vorstellung geben, sind im Anhang beigefügt.

Für die Zwecke wissenschaftlicher Spezialforschung, namentlich für die Betrachtung der Darstellungsform, wird natürlich immer auf die Kaufmannsche Originalausgabe zurückgegangen werden müssen. Dem Historiker aber, der das reiche geschichtliche Material in Glückels Lebenserinnerungen kennen lernen und verwerten will, und jedem gebildeten Leser, dem daran liegt, in ein interessantes Kapitel der Kulturgeschichte des 17. Jahrhunderts Einblick zu gewinnen, hofft der Uebersetzer eine wichtige Quellenschrift, die bisher den meisten verschlossen war, zugänglich gemacht und ihr Verständnis erleichtert zu haben. Insbesondere der Frauenwelt kann dieses Bild einer selbständigen, tatkräftig ins Leben eingreifenden

---

*) Die historischen Erläuterungen zu den ersten Kapiteln gründen sich zumeist auf eigene Forschungen des Uebersetzers zur Geschichte der Juden in Hamburg.

Frau aus einer Zeit, in der an den Kampf für Frauen-
rechte noch nicht gedacht wurde, reichlichen Stoff zur
Betrachtung und Vergleichung darbieten.

Nach Vollendung der vorliegenden Uebertragung erhielt ich durch die Güte des Herrn Dr. Wilhelm Pappenheim in Wien Einblick in die 1910 in Wien erschienene
Uebersetzung von Bertha Pappenheim in Frankfurt a. M.,
die den Inhalt des Kaufmannschen Originals ohne jede
Kürzung in getreuem Anschluß an die Worte der Verfasserin wiedergibt. Die Ausgabe ist ein zunächst für
die Mitglieder eines bestimmten Familienkreises „als Ma-
nuskript hergestellter Privatdruck" und erklärt ausdrücklich, sich der gelehrten Kritik nicht aussetzen zu wollen.
Der sorgfältigen Uebersetzung, aus der ich bei der letzten
Durchsicht meines Manuskriptes noch manche Anregung
gewonnen habe, sind wertvolle genealogische Tabellen
vorausgeschickt, die den Zusammenhang der Familie
Hameln mit einigen anderen angesehenen Familien, insbesondere mit den Vorfahren der Uebersetzerin, ersicht-
lich machen. Daß die beiden Uebertragungen in der
Auffassung vieler Stellen der Memoiren voneinander ab-
weichen, ist selbstverständlich; die Verschiedenheiten be-
dürfen im einzelnen, schon mit Rücksicht auf die erwähnte Erklärung der Frankfurter Uebersetzerin, keiner
näheren Erörterung.

Denkwürdigkeiten der Glückel Hameln

(1646—1719).

I. Buch.

Glückels Kindheit und Elternhaus, äußere
Lage und Gemeindeverhältnisse der deutschen Juden in Hamburg und Altona.

Im Jahre 5451 nach Erschaffung der Welt (= 1690/91
n. Chr.) beginne ich dies in meinen großen Nöten
und in meinem schweren Herzeleid zu schreiben — Gott
möge uns erfreuen und bald unsern Erlöser senden! . . .
Meine lieben Kinder, ich habe dieses Buch zu schreiben
angefangen nach dem Tode eures frommen Vaters um
meine Seele ein wenig zu beruhigen, wenn mir die melancholischen Gedanken kamen und schwere Sorgen mich
bedrückten, da wir unsern treuen Hirten verloren haben.
So habe ich manche Nacht schlaflos zugebracht, dann bin
ich oft aufgestanden, um mir die schlaflosen Stunden
damit zu verkürzen. Meine lieben Kinder, ich bin nicht
darauf aus euch ein belehrendes Buch zu schreiben, ich
bin auch nicht kapabel dazu, unsere Weisen haben gar
viele Bücher zur Belehrung geschrieben und wir haben
unsere heilige Thora, aus der wir alles sehen und begreifen
können, was uns nützlich ist und was uns von dieser
Welt zur künftigen Welt führt — — — Da ist ein Haupt-

11

punkt: Liebe deinen Nächsten wie dich selbst! Aber wir finden es in unserer Zeit sehr selten und gar wenig, daß ein Mensch den andern von Herzen liebt — umgekehrt, wenn einer den andern von Grund auf verderben kann, so geschieht es gern. — — — Es gibt nichts Besseres für euch, liebe Kinder: dient Gott mit eurem ganzen Herzen, ohne alle Falschheit und Heuchelei, daß ihr euch nicht etwa nur vor Leuten so stellet und — Gott behüte — in eurem Herzen anders denkt. Euer Gebet sollt ihr mit Andacht und Gottesfurcht verrichten und nicht zur Zeit des Gebetes stehen und über andre Dinge sprechen. Haltet solches für eine Hauptsünde, mitten drin, während man zu dem großen Weltschöpfer betet, mit einem Menschen über eine ganz andre Sache zu reden. Soll denn der liebe Gott so lange auf ihn warten, bis er mit jenem fertig ist? Danach muß man regelmäßig ein Stück aus der Thora lernen, so gut man es weiß und kann, und alsdann fleißig auf seine Nahrung bedacht sein, daß man Weib und Kinder ehrlich ernährt, was auch ein wichtiges Gottesgebot ist, und besonders, daß man sein Geschäft ehrlich treibt, sowohl mit Juden wie mit Nichtjuden, daß nicht — Gott behüte — eine Entweihung des göttlichen Namens vorkommt. Hat man Geld oder Waren von anderen Leuten in Händen, so muß man mehr Sorge dafür haben als für das Eigene, damit man keinem ⊢ Gott behüte — ein Unrecht tut. Denn das ist die erste Frage in der künftigen Welt, ob man auch treu im Handel und Wandel war. Wenn man sich auch in dieser Welt viel bemüht und — Gott behüte — viel Geld auf unehrliche Weise gesammelt hat und davon seinen Kindern große Mitgiften gibt und ihnen nach seinem Tode große

Erbschaften hinterläßt — wehe und abermals wehe den Frevlern, die um des Reichtums ihrer Kinder willen die künftige Welt verlieren und . . . das Zeitliche für das Ewige verkaufen[1]) . . .

Ich schreibe euch dieses nicht zur Belehrung, sondern, wie schon erwähnt, um mir in den langen Nächten die melancholischen Gedanken damit zu vertreiben. So viel mir bewußt ist und so viel es sich tun läßt, will ich beschreiben von meiner Jugend an, was mir noch eingedenk ist, was passiert ist. Nicht etwa, daß ich mich überheben oder mich als fromm hinstellen wollte. Nein, ich bin eine Sünderin, die alle Tage, alle Stunden, alle Augenblicke voll Sünde ist, und bin leider von wenig Sünden ausgeschlossen. Gebe Gott nur, daß ich für meine Sünden rechte Buße tun könnte! Aber die Sorge um meine verwaisten Kinder, mit denen ich allein zurückgeblieben bin, und das weltliche Wesen lassen mich nicht zu einem solchen Stande kommen, wie ich gern wollte. -- — —

Ich habe die Absicht euch meine Lebenserinnerungen in sieben kleinen Büchelchen zu hinterlassen, wenn mich Gott am Leben läßt. Es wird sich wohl am besten schicken, wenn ich mit meiner Geburt anfange. Es war — meine ich — im Jahre 5407 (= 1646/47) in der Gemeinde Hamburg, daß mich meine fromme Mutter zur Welt gebracht hat. Wenn auch unsre Weisen sagen: „Es wäre besser, wenn man nicht erschaffen wäre", weil der Mensch auf dieser sündigen Welt so viel ausstehen muß, so danke ich doch meinem Schöpfer und lobe ihn, daß er mich nach seinem Willen und Wohlgefallen geschaffen

---

[1]) Die Verfasserin will offenbar umgekehrt sagen: für das Zeitliche das Ewige verkaufen.

hat[1a]), und bitte ihn, mich in seinen heiligen Schutz zu nehmen und mich vor den — — —

— — —[2]) [Wer] hungrig in sein Haus hineingegangen ist, ist satt wieder herausgekommen. Er hat seine Kinder, sowohl Söhne als Töchter, in göttlichen und in weltlichen Dingen unterweisen lassen. Als ich noch keine drei Jahre alt war, wurden alle Juden von Hamburg ausgetrieben und mußten nach Altona ziehen, das dem König von Dänemark gehört, von dem die Juden gute Schutzbriefe haben[3]).

[1a]) In den Segenssprüchen des Morgengebetes dankt die jüdische Frau ihrem Schöpfer, daß er sie nach seinem Willen, d. h. als Weib, geschaffen hat.

[2]) Hier fehlt ein Blatt aus der Merzbacherschen Handschrift; in der anderen Handschrift fängt die Lücke schon früher an und erstreckt sich noch weiter. Glückel redet an dieser Stelle von ihrem Vater Loeb Pinkerle.

[3]) Die hier erwähnte Austreibung bezieht sich auf die sogenannten „hochdeutschen Juden", die aus dem inneren Deutschland nach Altona und Hamburg gekommen waren. Im Gegensatz zu den portugiesischen Juden, die seit 1612 vertragsmäßiges Niederlassungsrecht in Hamburg hatten, waren vereinzelte deutsche Juden ohne Erlaubnis der Behörden dort ansässig. Die älteste urkundliche Erwähnung der deutschen Juden in Hamburg findet sich in einem Schutzbrief vom 1. August 1641, in welchem der Dänenkönig Christian IV. nach Uebergang der Grafschaft Pinneberg an Dänemark die den dortigen Juden früher verliehenen Rechte bestätigte. (Archiv der hochdeutschen Israelitengemeinde zu Altona.) Hier heißt es, daß auch „diejenigen, so in Hamburg wohnen", dasselbe Schutzgeld wie die Altonaer Juden bezahlen sollen. Durch Beschluß der Hamburger „Bürgerschaft" vom 16. August 1648 wird bestimmt, daß „die hochdeutschen Juden sofort aufgekündigt und zu Ostern 1649 alle ausgeschafft werden" sollen. (Akten des Hamburger Staatsarchivs.) Diese Vertreibung ist, wie auch aus der Hamburger Chronik des Janibal hervorgeht, wirklich zu diesem Zeitpunkt (Ostern 1649) erfolgt. Siehe A. Feilchenfeld, Zur ältesten Geschichte der

14

Dieses Altona ist kaum eine Viertelstunde von Hamburg entfernt. In Altona waren damals schon ungefähr 25 jüdische Haushaltungen; dort hatten wir auch unsre Synagoge und unsern Friedhof[4]). So haben wir eine Zeitlang in Altona gewohnt und endlich in Hamburg durch große Bemühung erreicht, daß man den Juden in Altona Pässe gegeben hat, so daß sie in die Stadt (Hamburg) gehen und dort Geschäfte treiben durften. Ein jeder Paß hat für vier Wochen gegolten; man hat ihn von dem regierenden Oberhaupt des Rates (= regierenden Bürgermeister) in Hamburg gekommen; er hat einen Dukaten gekostet, und wenn der Paß abgelaufen war, hat man wieder einen neuen nehmen müssen. Aber aus den vier Wochen sind oft acht Wochen geworden, wenn Leute Bekanntschaft mit dem Bürgermeister oder mit Beamten hatten. Die Leute hatten es leider Gottes sehr schwer, denn sie haben ihr ganzes Geschäft in der Stadt suchen müssen und so haben manche arme und bedürftige Leute oft gewagt sich ohne Paß in die Stadt hineinzuschleichen. Wenn sie dann von Beamten ertappt wurden, hat man sie ins Gefängnis gesteckt; das hat alles viel Geld gekostet und man hat Not gehabt, sie wieder frei zu bekommen. Des Morgens in aller Frühe, sobald sie aus dem Bethaus gekommen sind, sind sie in die Stadt gegangen und gegen

---

deutschen Juden in Hamburg. Monatsschrift für Geschichte und Wissenschaft des Judentums, 1899, S. 277 ff. Glückels Angabe über ihr Geburtsjahr (5407 = 1646/47) läßt sich also ganz gut damit vereinbaren, daß sie bei der Vertreibung aus Hamburg (1649) noch nicht 3 Jahre alt war.

4) Der seit 1621 benutzte Friedhof in der Königsstraße zu Altona wurde erst im Dezember 1872 endgültig geschlossen.

Abend, wenn man das Tor hat zumachen wollen, sind sie wieder nach Altona zurückgekehrt. Wenn die armen Menschen herausgegangen sind, sind sie oft ihres Lebens nicht sicher gewesen wegen des Judenhasses, der bei Bootsleuten, Soldaten und anderm geringen Volk herrschte, so daß eine jede Frau Gott gedankt hat, wenn sie ihren Mann wieder glücklich bei sich hatte. Zu jener Zeit waren kaum 40 Haushaltungen dort, mit denen, die von Hamburg nach Altona gekommen waren. Es sind unter ihnen damals keine besonders reichen Leute gewesen, doch jeder hat sich ehrlich ernährt. Die reichsten in jener Zeit waren: Chaim Fürst mit einem Vermögen von 10 000 Reichstalern, mein seliger Vater mit 8000, andere mit 6000, einige auch mit 2000. Aber sie haben in großer Liebe und Anhänglichkeit miteinander gelebt und haben im allgemeinen ein besseres Leben geführt als in jetziger Zeit die Reichsten; wer auch nur 500 Reichstaler im Vermögen gehabt hat, hat sich's ganz wohl sein lassen und jeder hat sich mit seinem Anteil viel mehr gefreut als in jetziger Zeit, wo die Reichen nicht zu ersättigen sind. Von ihnen heißt es: Kein Mensch stirbt, der auch nur die Hälfte seiner Wünsche erfüllt gesehen hätte. Von meinem Vater erinnere ich mich, daß er ein Mann von Gottvertrauen gewesen ist, der nicht seinesgleichen hatte, und wenn er nicht so sehr mit dem Zipperlein behaftet gewesen wäre, hätte er es noch weiter bringen können. Aber auch so hat er seine Kinder ganz gut und ehrlich ausgestattet.

Als ich ungefähr zehn Jahre alt war, hat der Schwede mit dem König von Dänemark — Gott erhöhe seinen

Le *CHIPUR* ou le *JOUR* du *PARDON* tel qu'il se célèbre chez les *JUIFS ALLEMANDS*.

Ruhm — Krieg geführt[5]). Ich kann nicht viel Neues darüber schreiben, weil solches in meiner Kindheit geschehen ist, als ich noch im Cheder[6]) habe sitzen müssen. In jener Zeit sind wir in Altona in großen Sorgen gewesen; denn es war ein sehr kalter Winter, wie er in 50 Jahren nicht vorgekommen ist; man hat ihn den „schwedischen Winter" geheißen. Der Schwede hat damals überall hinüberkommen können, weil es so hart gefroren war. Mit einem Mal, an einem Sabbat, ertönt das Wehgeschrei: Der Schwede kommt! Es war noch früh am Morgen, alle lagen noch im Bett, da sind wir alle aus den Betten gesprungen und nackt und bloß nach der Stadt (Hamburg) gelaufen und haben uns teils bei Portugiesen teils bei Bürgern behelfen müssen. So haben wir uns kurze Zeit so (= ohne Erlaubnis) dort aufgehalten, bis endlich mein seliger Vater es erreicht (d. h. das Wohnrecht erlangt) hat, und er ist der erste (deutsche) Jude gewesen, der sich wieder in Hamburg niedergelassen hat. Danach hat man allmählich erreicht, daß noch mehr Juden in die Stadt zogen. So ließen sich fast alle jüdischen Hausväter in Hamburg nieder, außer denen, die vor der Austreibung

---

[5]) Der kriegsgewaltige König Karl X. Gustav von Schweden zog 1657 nach der Besiegung Polens gegen Dänemark, das sich seinen Feinden angeschlossen hatte. Er nahm seinen Weg über Hamburg und Schleswig-Holstein nach Jütland. In dem furchtbar strengen Winter 1657/58 zog er über das Eis des festgefrorenen kleinen Belts nach Fünen und von da über den großen Belt nach Seeland. Der Einzug der Schweden in Altona war wohl schon vor Beginn der strengen Kälte; aber Glückel hat doch den „schwedischen Winter" noch in richtiger Erinnerung.

[6]) Cheder ist die Kinderschule, in der die Kleinen hauptsächlich in den heiligen Schriften der jüdischen Religion unterwiesen wurden.

17

in Altona gewohnt hatten; die blieben in Altona wohnen. Zu jener Zeit hat man sehr wenig Steuern an die Regierung gezahlt; ein jeder hat für sich selbst mit denen, die dazu eingesetzt waren, akkordiert[7]). Aber wir hatten keine Synagoge in Hamburg und auch keine Aufenthaltsrechte; wir wohnten dort nur durch die Gnade des Rates. Die Juden sind aber doch zusammengekommen und haben Gebetsversammlungen in Zimmern abgehalten, so gut sie konnten. Wenn der Rat auch etwas davon gewußt hat, so hat er ihnen doch gern durch die Finger gesehen. Aber wenn Geistliche es gewahr wurden, haben sie es nicht leiden wollen und haben uns verjagt; wie schüchterne Schafe mußten wir dann nach Altona ins Bethaus gehen. Das hat eine Zeitlang gedauert; dann sind wir wieder in unsere Schülchen gekrochen. Also haben wir zuzeiten Ruhe gehabt, zuzeiten sind wir wieder verjagt worden — so geschieht es bis auf diesen Tag, und ich fürchte, daß solches immer dauern wird, so lange wir in Hamburg sind und so lange die Bürgerei in Hamburg regiert[8]). Gott möge sich in seiner Gnade bald über uns

---

[7]) Die Vereinbarung wurde mit den Kämmereibürgern getroffen, die seit 1563 die Kämmereikasse verwalteten. Vgl. Wohlwill, Aus drei Jahrhunderten Hamburgischer Geschichte, S. 16.

[8]) Glückel erkennt hier mit Recht den Grund für alle solche Verfolgungen und Plackereien darin, daß der Einfluß der von Demagogen aufgehetzten und fanatisierten „erbgesessenen Bürgerschaft" den des toleranten Senats überwog. Siehe Monatsschrift, a. a. O. S. 277/78.

Die Verfasserin hat selbst noch stärkere Proben dieser Unduldsamkeit mit erlebt. 1697 wurde in den „Revidierten Articuli" den portugiesischen sowie den hochdeutschen Juden das Halten von Synagogen verboten und nur Zusammenkünfte

erbarmen und uns seinen Messias senden, daß wir ihm
mit frommem Herzen dienen und unsre Gebete wieder
in unserm Heiligtum in Jerusalem verrichten können.
Amen!

Sie wohnten also in Hamburg und mein Vater machte
Geschäfte mit Edelsteinen und andern Sachen, wie ein
Jude, der von allem etwas nascht. Der Krieg zwischen
Dänemark und Schweden wurde immer heftiger und der
König von Schweden hatte großes Glück, so daß er dem
Dänenkönig alles wegnahm und vor dessen Hauptstadt
zog und sie belagerte, und es fehlte nicht viel, daß er
sie genommen hätte, wenn nicht der Dänenkönig so ge-
treue Räte und Untertanen gehabt hätte, die ihm mit
Gut und Blut beistanden, daß er alles behalten hat. Dies
geschah wirklich nur durch Gottes besonderen Beistand;
denn er war ein gerechter, frommer König, bei dem wir
Juden es sehr gut gehabt haben. — Obwohl wir in Hamburg wohnten, hat doch jeder nur seine 6 Reichstaler
Steuern an Dänemark zahlen müssen und weiter nichts.
Nachher haben die Holländer dem König beigestanden
und sind mit ihren Schiffen durch den Sund gekommen
und haben ein Loch in den Krieg gemacht, daß Friede

---

in kleinen Privathäusern unter großen Beschränkungen gestattet. 1698 findet noch in Hamburg ein umfangreiches Zeugen-
verhör „wegen der Juden und dero Gottesdienstes Konti-
nuierung" statt, wobei über „der Juden Geplärr in ihrer Synagoge auf dem Dreckwall", über das unberechtigte Halten
einer Synagoge am Schelengang, über laute hebräische Gesänge
in einzelnen Häusern der Neustadt, über das bei den Juden
beobachtete Brennen von Lampen am Freitag abend u. a. m.
detaillierte Aussagen, meist von Theologie-Studierenden und
Predigtamtskandidaten, gemacht werden. (Akten des Hamburger Stadtarchivs.)

geworden ist[9]). Aber Dänemark und Schweden sind sich nimmer gut; wenn sie auch Freunde sind und sich miteinander verschwägern, so picken sie doch allezeit einer auf den andern.

In dieser Zeit war meine selige Schwester Hendele mit dem Sohn des gelehrten Rabbi Gumpel von Cleve[10]) verlobt. Sie bekam 1800 Reichstaler als Mitgift; das war zu jener Zeit gar viel und es hatte bis dahin in Hamburg noch keiner so viel mitgegeben. Dafür ist es auch die prinzipalste Heiratspartie in ganz Deutschland gewesen und alle Welt hat sich über die große Mitgift und die gute Partie gewundert. Aber mein sel. Vater hatte sein gutes Geschäft und baute darauf, daß Gott ihn nicht verlassen und ihm helfen würde seine anderen Kinder auch mit

---

[9]) Gl. spricht hier von dem zweiten Teil des schwedisch-dänischen Krieges, der unmittelbar nach dem Frieden von Roeskilde 1658 wieder ausgebrochen war. Karl Gustav landete damals mit einer Flotte in Seeland und belagerte Kopenhagen, das jedoch von der Bürgerschaft tapfer verteidigt wurde. Einer holländischen Flotte gelang es, sich die Durchfahrt durch den Sund zu erkämpfen und Kopenhagen zu beschützen. Auch der Sturm zu Lande, den Karl X. alsdann auf die dänische Hauptstadt unternahm, wurde mit Hilfe holländischer Geschütze und Schiffsmannschaften abgeschlagen. Erst nach dem Tode des Königs, 1660, kam zwischen Schweden und Dänemark ein endgültiger Friede zustande.

[10]) Rabbi Mordechai Gumpel, amtlich Marcus Gumperts genannt, war der bekannte Landesrabbiner und Vorsteher der Gemeinden des Herzogtums Cleve, der Stammvater der Familie Gompertz. Er hatte zuerst seinen Sitz in Emmerich, später in Cleve, wo er 1664 starb. Er hat sich als Lieferant der brandenburgischen Regierung in Cleve besonders gut bewährt und bei dem großen Kurfürsten und seinen Räten hohe Anerkennung gefunden. Siehe Kaufmann - Freudenthal, Die Familie Gompertz, S. 6 ff.

Ehren zu verheiraten. Er hat in seinem Hause größere Gastfreundschaft geübt als jetzt die Reichen, die 30 000 Taler und mehr in Besitz haben.

Nun soll ich von der Hochzeit meiner sel. Schwester und von den wackeren, angesehenen Leuten schreiben, die mit Rabbi Gumpel gekommen sind. Was der für ein heiliger Mann gewesen ist, kann ich nicht genug rühmen. Er war mit keinem von jetzt zu vergleichen, wie ehrlich er geliefert hat[11]). Es ist nicht zu beschreiben, wie magnifique es auf der Hochzeit zugegangen ist und hauptsächlich, wie er Arme und Dürftige erfreut hat.

Mein Vater war nicht so sehr reich; aber, wie schon erwähnt, er hatte großes Gottvertrauen; er ist keinem etwas schuldig geblieben und hat sich's gar sauer werden lassen sich und seine Familie ehrlich zu ernähren. Er hatte schon viel Schweres durchgemacht und war damals schon bejahrt; darum hat er sich auch sehr beeilt seine Kinder zu verheiraten[11a]). Als er meine Mutter nahm, war er schon Witwer; er war schon 15 Jahre oder mehr mit einer wackeren und sehr vornehmen Frau namens Reize verheiratet gewesen, die ein großes und feines Haus geführt haben soll. Mein Vater hat von ihr keine Kinder gehabt. Sie hatte aber aus ihrer früheren Ehe eine einzige Tochter, die an Schönheit und Tugend nicht ihresgleichen hatte. Französisch konnte sie wie Wasser[12]), was

---

[11]) Siehe die vorige Anmerkung.

[11a]) Der folgende Abschnitt, der von Glückels Stiefschwester handelt, steht im Original einige Seiten später, ist aber des besseren Zusammenhanges wegen hier eingeschoben worden.

[12]) Daß die Kenntnis fremder Sprachen in jüdischen Familien damals nicht überall so außerordentlich selten war, zeigt uns eine Stelle im Kab hajaschar des Hirsch Kaidenower

meinem sel. Vater auch einmal zu nutze gekommen ist. Mein Vater hatte nämlich ein Pfand von einem Vornehmen für ein Darlehen von 500 Reichstalern. Nach einiger Zeit kommt der Herr mit noch zwei anderen Vornehmen und will das Pfand auslösen. Mein sel. Vater hat kein Arg dabei gehabt; er geht hinauf und holt das Pfand; seine Stieftochter steht bei dem Clavicymbel und spielt darauf, damit den vornehmen Herren die Zeit nicht zu lang werde. Die Herren stehen unterdessen bei ihr und bereden sich miteinander; Wenn der Jude mit unserm Pfand kommen wird, wollen wir es nehmen ohne Geld [zu bezahlen] und davongehen. Das haben sie auf französisch gesagt und nicht gedacht, daß das junge Mädchen es versteht. Als nun mein sel. Vater mit dem Pfande kam, fing sie laut auf hebräisch an zu singen: „Um Himmels willen, nicht das Pfand — heute hier, morgen ist er entflohen." In der Hast konnte die Aermste nichts andres herausbringen. Mein sel. Vater sagt nun zu dem vornehmen Mann: „Mein Herr, wo ist das Geld?" Dieser sagt darauf: „Gebt mir das Pfand!" Mein sel. Vater sagt: „Ich gebe kein Pfand, ich muß erst das Geld haben." Da beginnt der eine Vornehme zu den andern: „Brüder, wir sind verraten, die Dirn' muß Französisch können" und laufen mit Drohworten zum Hause hinaus. Den andern Tag kommt der vornehme Mann allein, gibt meinem sel. Vater sein Kapital und die Zinsen für das Pfand und

---

(Frankfurt 1705), wo gegen die Unsitte geeifert wird, die Kinder Französisch, Italienisch u. a. fremde Sprachen lernen zu lassen. bevor sie noch recht beten können. Siehe Güdemann, Quellenschriften zur Geschichte des Unterrichts und der Erziehung bei den deutschen Juden, S. 179 ff.

sagt: „Ihr habt es sehr zu genießen gehabt und Euer Geld gut angelegt, daß Ihr Eure Tochter habt Französisch lernen lassen." Damit geht er seines Weges.

Mein sel. Vater hat diese Stieftochter bei sich gehabt und sie ebenso wie sein leibliches Kind gehalten; er hat sie auch verheiratet. Sie hat eine sehr gute Partie gemacht; sie bekam den Sohn von Kalman Aurich, aber sie ist im ersten Kindbett gestorben. Einige Zeit danach hat man sie (die Leiche) beraubt und ihr ihre Leichengewänder ausgezogen. Da ist sie (jemandem) im Traum erschienen und hat es enthüllt; man hat sie ausgegraben und hat solches gefunden. Da sind die Weiber flugs gegangen und haben ihr andre Gewänder genäht[13]). Wie sie beim Nähen sitzen, kommt die Magd in die Stube gelaufen und sagt :„Um Gottes willen, eilt euch mit euerm Nähen! Seht ihr nicht, daß die Tote zwischen euch sitzt?" Aber die Weiber haben nichts gesehen. Wie sie fertig gewesen sind, haben sie der Leiche ihre Gewänder gegeben. So ist sie auch ihr Lebtag nicht wiedergekommen und in ihrer Ruhe geblieben.

Nach dem Tode seiner ersten Frau hat mein Vater meine Mutter geheiratet, die eine verlassene Waise war. Meine liebe, fromme Mutter — sie soll leben — hat mir oft erzählt, wie sie als Waise mit ihrer frommen sel. Mutter Mate in Not gelebt hat. Ich habe meine sel. Großmutter auch noch gekannt und es hat keine frommere und klügere Frau gegeben als sie. Mein Aeltervater Nathan

---

13) Nach alter jüdischer Sitte nähten die Frauen der Gemeinde die bei arm und reich gleichmäßig zur Verwendung kommenden weißen Sterbekleider unmittelbar vor der Beerdigung.

Melrich hatte früher in Detmold gelebt und war ein sehr reicher, wackerer und vornehmer Mann. Er wurde aber von dort ausgetrieben und zog mit Frau und Kindern nach Altona. Zu jener Zeit wohnten dort kaum zehn Familien und diese hatten erst angefangen sich dort niederzulassen. Altona gehörte damals noch nicht zum Königreich Dänemark, sondern zur Grafschaft Pinneberg, die dem Grafen von Schaumburg zu eigen war. Aber nachher ist der erwähnte Graf ohne Nachkommen gestorben, da fiel das Gebiet an das Königreich Dänemark. Nathan Spanier war der erste, der bewirkt hat, daß Juden in Altona wohnen durften[14]). Sie haben sich aber damals nur vereinzelt hier niedergelassen. Nathan Spanier hat seinen Schwiegersohn Loeb auch in Altona eingesetzt. Der ist ein Hildesheimer gewesen. Er war zwar kein reicher Mann, hat aber doch seine Kinder gut verheiratet, wie es in jener Zeit üblich war. Seine Frau Esther war eine sehr wackere, fromme, ehrliche Frau, die das Geschäft gut verstanden hat. Sie hat wirklich die ganze Familie ernährt und ist immer mit Waren zum Kieler Umschlag[15]) gereist. Sie brauchte freilich nicht viel Waren mitzunehmen; denn die Leute haben sich in jener Zeit (mit wenigem) begnügt. Sie verstand gut zu reden; Gott hat ihr Gunst gegeben in den Augen

---

[14]) Nathan Moses Spanier aus Stadthagen starb als Vorsteher der Gemeinde Altona im Jahre 1647 (Grabstein Nr. 854 in Altona). Als Gründer der Gemeinde Altona wird allerdings Samuel ben Juda, gestorben 1621, auf dem Grabstein Nr. 846 bezeichnet.

[15]) Die unter dem Namen „Kieler Umschlag" bekannte Messe wird noch heute im Januar abgehalten und namentlich von schleswig-holsteinischen Gutsbesitzern viel besucht.

aller, die sie sahen; adlige Damen in Holstein haben sie sehr gern gemocht. Loeb Hildesheim und seine Frau haben ihren Kindern nur 3—400 Reichstaler mitgegeben und doch Eidame gehabt, die sehr reiche Leute waren, so den Elia Ballin, der ein Mann von 30 000 Reichstalern war, den Moses Goldzieher u. a. m. Ihr Sohn Moses war bis an sein Ende ein sehr reicher und wackerer Mann, ihr Sohn Lipmann war zwar nicht so reich, hat sich aber doch hübsch ehrlich ernährt und ebenso ihre andern Kindern. Das schreibe ich um zu zeigen, daß es (= das Vorwärtskommen) nicht immer an den großen Mitgiften gelegen ist, wie es denn in jenen Zeiten vorgekommen ist, daß Leute ihren Kindern nur wenig mitgegeben haben und diese doch sehr reich geworden sind.

Um wieder zu unserm Zweck zu kommen — als mein Aeltervater Nathan Melrich ausgetrieben worden war, hat er sich in das Haus Loeb Hildesheims, des Schwiegersohns von Nathan Spanier, begeben und hat große Reichtümer mitgebracht. Esther, die Frau des Loeb, hat mir wunderbare Dinge von diesem Reichtum erzählt: er hätte ganze Kisten voll goldener Ketten und andere Schmucksachen und ganz große Beutel mit Perlen mitgebracht, so daß es in jener Zeit auf 100 Meilen keinen so reichen Mann gegeben hätte. Aber leider hat das nicht lange gewährt; da ist — Gott bewahre uns — die Pest ausgebrochen, mein Großvater und etliche seiner Kinder sind daran gestorben. Meine sel. Großmutter hat noch zwei ledige Töchter übrig behalten und ist mit ihnen, von allen Mitteln entblößt, aus dem Hause gegangen. Sie hat mir oft erzählt, die Aermste, wie sie sich hat quälen müssen. Sie hatte kein Bett mehr und mußte ihr Nachtlager auf Holz und Stein haben. Obschon sie eine Tochter verheiratet hatte, konnte diese ihr doch nicht zu Hilfe kommen. Sie hatte auch einen verheirateten Sohn Mordechai gehabt, dem es sehr gut gegangen war, aber derselbe ist auch in jener Zeit mit Frau und Kind leider Gottes an der Pest gestorben[16]). So hat meine liebe Großmutter mit ihren beiden Waisen sehr große Not ausgestanden und wirklich von Haus zu Haus kriechen müssen, „bis der (göttliche) Zorn vorüber war"[16a]). Als die Pest schon einigermaßen aufgehört hatte, wollte sie ihr Haus wieder bewohnen und ihre Sachen auslüften lassen. Aber da hat sie wenig gefunden, ihre besten Sachen waren weg; Nachbarn hatten die Bretter aus dem Boden aufgehoben und alles aufgebrochen; sie hatten das meiste von dem Ihrigen weggenommen und gar wenig für sie und ihre Waisen übrig gelassen. Was sollten sie nun tun? Meine fromme Großmutter hatte noch einige Pfänder; damit hat sie sich und ihre Waisen ernährt[17]). Die beiden Waisen waren meine Tante Ulk (= Ulrike) und meine Mutter Bela — sie soll leben! Endlich hat die gute Frau, meine sel. Großmutter, so viel zusammengeschrappt[18]) und ge-

---

[16]) Mordechai, Sohn des Nathan, und seine Frau Hanna sind, wie aus den nebeneinander stehenden Grabsteinen (Nr. 1019 und 20) auf dem Friedhof zu Altona hervorgeht, gegen Ende des Jahres 1638 daselbst an der Pest gestorben.

[16a]) Zitat aus Jesaias 26, 20.

[17]) Die alte Frau hat, wie es scheint, den Erlös der früher erhaltenen Pfänder dazu benutzt, kleine Geldverleihgeschäfte zu machen.

[18]) schrappen, niederdeutsch = sparen, kratzen, scharren, Heyne, Deutsches Wörterbuch III, 467.

spart, daß sie ihre Tochter Ulk verheiraten konnte. Der Vater des Bräutigams war Rabbi David Hanau, ein hervorragender Mann in seiner Zeit; er hat den Titel Morenu gehabt und war, wie ich glaube, Landrabbiner in Friesland gewesen. Danach ist er nach Altona gekommen und sie haben ihn dort als Rabbiner aufgenommen[19]). Der Bräutigam hieß Elias Cohen. Sein Vater hat ihm 500 Reichstaler als Mitgift gegeben; er ist aber in kurzer Zeit zu großem Reichtum gekommen und hat viel Glück in seinen Unternehmungen gehabt. Aber er ist leider jung gestorben, ist noch nicht einmal 40 Jahre alt gewesen. Wenn Gott ihn hätte leben lassen, so wäre ein großer Mann aus ihm geworden; denn Gott hat ihm Glück gegeben. Wenn er — mit Verlaub — Kot in die Hand genommen hat, ist gewiß Gold daraus geworden. Aber die Schicksalswendung ist gar zu geschwind gekommen. Zu jener Zeit ist Streit um die Vorsteherämter gewesen. Mein sel. Vater war viele Jahre lang Vorsteher. Der Elias Cohen aber war ein junger Mann, dessen Reichtum täglich größer wurde, dabei auch ein kluger Mann und von sehr guter Familie. So hat er sich eingeredet und sich auch oftmals verlauten lassen: „Warum soll ich nicht ebenso gut Vorsteher sein wie mein Schwager Loeb[19a])? Bin ich nicht so klug, wie mein Schwager Loeb ist? Bin ich nicht so reich, wie er ist? Bin ich nicht von ebenso guter Herkunft, wie er ist?" Aber Gott, der seine

---

[19]) Bei E. Duckesz, Iwoh lemoschaw, enthaltend Biographien und Grabsteininschriften der Rabbiner der Drei-Gemeinden Hamburg, Altona, Wandsbek, wird Rabbi David Cohen aus Hanau als ältester Rabbiner von Altona angeführt.

[19a]) Glückels Vater.

Zeit und sein Ziel so bestimmt hat, hat ihn damals hinweggerafft[20]).

Zu seinen Lebzeiten ist die Gemeinde in Streitigkeiten gekommen und, wie es so in der Welt geht, da hat der eine diese, der andere jene Partei gehalten. So ist es leider damals in unserer Gemeinde gar übel zugegangen. Zuerst starb der Vorsteher Feibelmann. Danach ist Chaim Fürst gestorben, der der reichste Mann in der Gemeinde und auch Vorsteher war. Danach hat sich der Synagogendiener Abraham niedergelegt und ist gestorben; bevor er seinen letzten Atemzug aushauchte, sagte er: „Man hat mich vor das himmlische Gericht geladen, daß ich als Zeuge aussage." Chaim Fürst hat einen Sohn Salomon gehabt, der Synagogenvorsteher war; der ist auch damals gestorben; er war ein vortrefflicher Mann und ein großer Talmudkenner[21]). Auch noch andere Gemeindemitglieder, die ich vergessen habe [sind damals gestorben]. So hat Gott den Streit unter den Vorstehern beendet[22]).

Um wieder zu meiner sel. Großmutter Mate zu kommen — als sie meine Tante Ulk verheiratet und aus-

---

[20]) Elias Cohen ist doch noch, wenn auch nur für kurze Zeit, Vorsteher geworden, wie sein Grabstein (Nr. 618) auf dem alten Friedhof zu Altona aufweist, auf dem er als Parnos bezeichnet wird.

[21]) Feibelmann (= Philipp) Heilbutt, Vorsteher, gestorben 1653 (Grabstein Nr. 655); Chaim Fürst, Vorsteher, gestorben 1653 (Nr. 855); Salomon, Sohn des Chaim Fürst, gestorben 1653 (Nr. 856).

[22]) Gl. will offenbar die hier berichteten Todesfälle, die so schnell aufeinander folgten, als eine göttliche Strafe für die in der Gemeinde vorgekommenen schweren Streitigkeiten aufgefaßt wissen.

gestattet hatte, blieb ihr selbst nichts übrig. Sie hatte nur noch meine Mutter, die damals ein junges Mädchen von elf Jahren war. Mit ihr ging sie nun in das Haus ihrer Tochter Glück, die mit Jakob Ree verheiratet war. Nun war der Jakob Ree zwar nicht sehr reich, aber doch ein ehrlicher (= rechtschaffener) Mann, der seinen Kindern Mitgiften von 4—500 Reichstalern gegeben hat. Aber er hat ganz ausbündige Heiratspartien mit seinen Kindern gemacht und lauter feine junge Leute aus guten Familien zu Schwiegersöhnen bekommen. Als nun meine Großmutter einige Zeit bei ihnen gewesen war — sie hatte auch einige verwaiste Enkelchen, die vielleicht zeitweise etwas zu viel zu ihr kamen, oder vielleicht ist auch sonst etwas Widriges vorgefallen, wie es wohl bei Eltern und Kindern vorzukommen pflegt — da ist sie mit ihrer Tochter zu meiner Tante Ulk gegangen und sie haben sich allein ernährt. Meine Mutter hat nämlich gut verstanden Gold- und Silberspitzen zu klöppeln. So hat Gott ihr Gnade erwiesen, daß Kaufleute in Hamburg ihr Gold und Silber zu klöppeln gegeben haben, und Jakob Ree sel. hat das erste Mal Bürgschaft für sie geleistet. Danach haben die Kaufleute gesehen, daß sie [ihre Verpflichtungen] ehrlich hält und ihnen das Ihrige zu rechter Zeit wieder liefert; da haben sie ihr allein (= ohne Bürgschaft) getraut. Meine Mutter hat auch eine Anzahl Mädchen bei sich gehabt, die für sie geklöppelt haben, und meine Mutter ist ihre Lehrmeisterin gewesen. Sie kam schließlich so weit, daß sie sich und ihre Mutter davon ernährt hat und sich auch hübsch und reinlich davon hat kleiden können. Aber sie haben nicht viel übrig gehabt, so daß meine liebe Mutter sich oft den ganzen Tag mit einem Stück Brot beholfen hat. Sie hat mit allem vorlieb genommen und ihr Vertrauen auf Gott gesetzt, der sie bis hierher nicht verlassen hat. Dasselbe Gottvertrauen hat sie bis auf den heutigen Tag behalten. Ich wünsche mir, daß ich auch eine solche Natur annehmen könnte. Aber Gott gibt nicht jedem Menschen das Gleiche.

Sobald mein sel. Vater mit meiner Mutter Hochzeit gemacht hat, hat er sofort meine Großmutter Mate sel. A. zu sich genommen und sie oben an seinen Tisch gesetzt; er hat sie alle ihre Lebenstage bei sich behalten und ihr alle Ehre in der Welt angetan, als wenn es seine eigene Mutter gewesen wäre. Die Hemden, die meine Großmutter meiner Mutter mitgegeben hatte, hat ihr meine Mutter alle wieder zurückgegeben und zwar mit Wissen meines Vaters — kurz, sie ist so gut gehalten worden, als wenn sie in ihrem eignen Haus gewesen wäre. Sie ist mehr als 17 Jahre bei ihm gewesen. Der Allgütige soll sein Verdienst uns und unsere Kinder genießen lassen!

Zu jener Zeit ist es geschehen, daß die Wilnaer aus Polen auswandern mußten[23]). Viele von ihnen kamen

---

[23]) Der furchtbare Aufstand der Kosaken unter Bogdan Chmelnicki gegen den polnischen Adel (1648) traf zuerst mit seiner ganzen Wucht die Juden, die als Pächter der polnischen Gutsherren an der Ausbeutung der Kosaken teilgenommen hatten. In wilder Wut stürzten sich die zuchtlosen Scharen auf die blühenden jüdischen Gemeinden der Ukraine, Wolhyniens und Podoliens und richteten daselbst ein schreckliches Gemetzel an. Schon damals flüchteten viele Tausende, die nur eben das nackte Leben retten konnten, außer Landes, insbesondere nach Deutschland. Nachdem ein kurzer Stillstand in den Verfolgungen eingetreten war, verbanden sich 1654 die

auch nach Hamburg und hatten ansteckende Krankheiten
an sich. Man hatte aber damals noch kein (jüdisches)
Spital oder sonstige Häuser, in die man kranke Leute
hätte hineinlegen können. Daher hatten wir wohl zehn
kranke Leute auf unserem Boden liegen, für die mein
sel. Vater gesorgt hat; einige von ihnen sind gesund
geworden, einige sind gestorben. Ich und meine Schwester
Elkele — sie soll leben — lagen dazumal auch krank.
Meine fromme Großmutter ist zu allen diesen Kranken
gegangen und hat gesehen, daß keiner Mangel litt. Wenn
auch mein Vater und meine Mutter es nicht gerne leiden
wollten, so hat sie sich's doch nicht nehmen lassen und
ist alle Tage drei- oder viermal zu den Kranken auf den
Boden gegangen. Endlich ist sie auch krank geworden
und hat zehn Tage gelegen, danach ist sie in schönem
Greisenalter gestorben und hat einen guten Namen hinterlassen. Sie ist 74 Jahre alt geworden, aber sie war noch

---

Kosaken mit den Russen zu einem neuen Kriege gegen Polen.
Jetzt wurden die westlichen Provinzen Polens und Lithauens
von den Kosakenschwärmen verwüstet. Unter anderen großen
Gemeinden wurde auch Wilna durch ein furchtbares Gemetzel
heimgesucht und die vom Schwerte Verschonten retteten sich
durch schleunige Flucht. (Vgl. Graetz, Geschichte der Juden,
Band X, S. 70 ff.)

In dem ältesten Protokollbuch der Hamburger Portugiesengemeinde, von dem neuerdings J. Cassuto im Jahrbuch der
Jüdisch-literarischen Gesellschaft von 1909 ein großes Stück
veröffentlicht hat, findet sich (p. 59) zum Jahre 1656 die Angabe, daß 130 Glaubensgenossen aus Polen in sehr elendem
Zustande in Lübeck angekommen seien und am folgenden Tage
in Hamburg erwartet würden. Später wird erwähnt, daß für
die in Hamburg eingetroffenen Vertriebenen in den portugiesischen Synagogen Sammlungen veranstaltet worden seien. Aus
Glückels Erzählung entnehmen wir, daß viele dieser unglücklichen Wilnaer krank in Hamburg liegen blieben.

so frisch wie eine Frau von 40. Es ist nicht zu beschreiben, was sie alles noch auf ihrem Sterbebette gesagt und gebetet hat, und wie sie meinen sel. Vater gelobt und ihm Dank ausgesprochen hat. Mein Vater und meine Mutter hatten ihr alle Woche einmal 1/2 Reichstaler und einmal 2 Mark[24]) gegeben, damit sie sich etwas dafür zugute tun und nach ihrem Belieben etwas kaufen solle; auch ist mein sel. Vater in keine Messe gereist oder wieder heimgekommen, ohne daß er ihr etwas mitgebracht hat. Das, was sie bekommen hat, hat sie alles zusammengespart und auf kleine Pfänder verliehen. Als sie nun hat sterben sollen, hat sie zu meinem sel. Vater gesagt: „Mein Sohn, ich gehe jetzunder den Weg aller Menschen[25]); ich bin so lange in Euerm Haus gewesen und Ihr habt mich gehalten, als wenn ich Eure leibliche Mutter wäre; nicht allein, daß Ihr mir das beste Essen und Trinken gegeben und mich in Ehren gekleidet habt, Ihr habt mir noch Geld dazu gegeben. Was habe ich mit dem Geld getan? Das habe ich mir so zusammengehalten und gespart, daß ich nichts davon genommen, und habe alles nach und nach auf kleine Pfänder verliehen, so daß ich ungefähr 200 Reichstaler beisammen haben werde. Nun, wem sollte das billiger gehören als meinem lieben Eidam? Denn es ist alles von dem Seinigen. Aber wenn mein lieber Eidam darauf verzichten und es meinen zwei armen Enkelchen, den Waisen meines Sohnes Mordechai, überlassen wollte — ich stelle es in sein Belieben, wie

<hr />

[24]) So die Uebersetzung der hebräischen Münzbezeichnung Schuk bei Landau, Glossar, S. 61. Kaufmann: Schock Heller.

[25]) Worte des sterbenden Königs David im 1. Buch der Könige 2, 2.

L'EXAMEN du LEVAIN &c.

A L'endroit où se met la mesure, qui met du PONTISE, en divers endroits, afin que ses Mies, qui sont tout le reste de...

er will." Juda und Anschel und alle Kinder und
Schwiegersöhne der Sterbenden mußten dabei sein. Da
antwortete ihr mein sel. Vater: „Meine liebe Schwiegermutter, seid ruhig, Gott wird geben, daß ihr noch lange
bei uns bleiben werdet und daß Ihr das Geld selber aus-
teilen möget, an wen Ihr wollt; ich verzichte von Herzen
gern darauf, und wenn Euch der Allgütige wieder auf-
hilft, will ich Euch noch 100 Reichstaler dazu schenken,
damit Ihr mehr Zinsen davon bekommt und dann damit
machen könnt, was Euch beliebt." Als meine Großmutter
dies von meinem Vater gehört, ist die Aermste voller
Freude gewesen und hat angefangen ihn und meine
Mutter — sie soll leben !— und alle seine Kinder mit allen
Segnungen der Welt zu segnen und vor allen Leuten ihr
Lob erzählt. Am andern Tag ist sie ruhig und sanft eingeschlafen und mit großer Ehre zu Grabe gekommen,
wie sie es verdient hat. Ihr Verdienst sollen wir und
unsere Kinder und Kindeskinder genießen[26])!

Zur Zeit, als mein Vater Vorsteher war, ist es der
Gemeinde gut gegangen, so daß wirklich „jeder unter
seinem Weinstock und unter seinem Feigenbaume" saß[27]).
Die Gemeinde hat keinen Pfennig Schulden gehabt. Ich
erinnere mich aber aus meiner Jugendzeit, daß gegen
meinen Vater und seine Genossen große Bösewichter
aufgestanden sind, die der Gemeinde viel Böses antun

---

[26]) Die Inschrift auf ihrem Grabstein (Nr. 1089 in Altona)
lautet: Hier ruht die vornehme und fromme Frau Mate, Tochter
des Jakob, Frau des verstorbenen Vorstehers Nathan Melrich,
gestorben am 14. Tamus 5416 (= 1656).

[27]) Zitat aus Micha, K. 4, V. 4: Beschreibung des Messi-
anischen Zeitalters.

wollten. Zwei von ihnen schafften sich Schreiben von
der Regierung, daß sie Vorsteher sein sollten, das heißt
königliche Vorsteher. Nachdem sie jetzt tot sind und ihr
Recht vor dem Höchsten über sich ergehen lassen müssen,
so will ich sie auch nicht nennen. Es ist bekannt genug
in unserer Gemeinde, wer sie waren. Aber Gott hat den
Plan der Frevler zerstört. Die Vorsteher und Leiter der
Gemeinde haben alles Gottlob gedämpft und sind zum
Könige nach Kopenhagen gereist und haben ihm alles
berichtet. Der König war sehr fromm und gerechtigkeits-
liebend, so daß alles Gottlob zu gutem Ende kam und
die Frevler erniedrigt wurden. Es hat sogar nicht viel
Geld gekostet; denn sie haben ihre Gemeinde und ihre
Mitglieder geschont wie ihren Augapfel, daß sie nicht
in Schulden gekommen sind. Haben sie einige hundert
Reichstaler nötig gehabt, so hat der Vorsteher das Geld
ausgelegt und es einzeln wiederbekommen, damit es der
Gemeinde nicht beschwerlich fiele. Mein Gott, wenn ich
es recht bedenke, so ist damals so ein glückseliges Leben
gewesen im Vergleich zu dem jetzigen Zustand, obschon
die Leutchen damals nicht die Hälfte von dem hatten,
was die Leute — Gott gönne es ihnen — jetzt haben.
Gott soll es ihnen mehren und nicht mindern! „In ihren
und in unseren Tagen möge Israel erlöst werden!"

Zweites Buch.

Heirat mit Chajim Hameln. Eltern und Geschwister des Mannes. Junges Eheglück.

Ich bin noch ein Mädchen von kaum zwölf Jahren gewesen, da hat mich mein Vater schon verlobt und ich bin ungefähr zwei Jahre verlobt geblieben[1]). Meine Hochzeit war in Hameln. Meine Eltern fuhren mit mir und einer Hochzeitsgesellschaft von etwa zwanzig Personen dorthin. Damals gab es noch keine Postwagen [auf dieser Strecke]; so mußten wir uns von Bauern Wagen mieten[1a]) bis gen Hannover. Sobald wir nach Hannover kamen, schrieben wir nach Hameln, sie sollten

---

[1]) Eine Verlobung fand damals in jüdischen Kreisen in der Weise statt, daß die beiderseitigen Väter oder sonstige nahe Anverwandte zusammenkamen und den zukünftigen Ehebund sowie die von beiden Teilen zu zahlenden Mitgiften verabredeten. Für den Fall, daß eine von beiden Familien von der Partie zurücktrete, wurde ein Strafgeld festgesetzt, das mit dem talmudischen Ausdruck „Knaß" bezeichnet wurde. Dieses Strafgeld tritt bei der ganzen Angelegenheit so sehr in den Vordergrund, daß für „verlobt" der Ausdruck „verknaßt" gang und gäbe war. Vgl. Güdemann, Geschichte des Erziehungswesens bei den Juden in Deutschland, S. 119. So gebraucht auch Glückel diesen Ausdruck: „Mein Vater hat mich verknaßt und ich bin 2 Jahre lang im Knaß geblieben."

[1a]) Gl. gebraucht hier den niederdeutschen Ausdruck „heuern".

uns Wagen nach Hannover schicken. Meine Mutter meinte, daß man in Hameln Kutschen haben könnte wie in Hamburg. Wenigstens dachte sie, daß mein Schwiegervater eine Kutsche schicken würde, damit die Braut und ihre Leute darin fahren könnten. Aber am dritten Tage kamen drei oder vier Bauernwagen an; die hatten Pferde, denen es nötig gewesen wäre, daß man sie selbst auf den Wagen gelegt hätte. Obwohl nun meine Mutter darüber ein wenig erzürnt war, konnte sie es doch nicht ändern. So setzten wir uns denn in Gottes Namen auf die Bauernwägelchen und kamen nach Hameln. Abends hatten wir ein richtiges Festmahl. Mein wackerer Schwiegervater Joseph Hameln seligen Angedenkens, der wenige seinesgleichen hatte, nahm ein großes Glas Wein und trank meiner Mutter zu. Meine Mutter hatte noch immer einen kleinen Groll darüber, daß man uns keine Kutschen entgegengeschickt hatte. Mein sel. Schwiegervater merkte ihren Groll, und wie er überhaupt ein sehr liebenswürdiger Mann und ein großer Witzling war, sagte er zu meiner Mutter: „Ich bitt' Euch, seid nit böse, Hameln ist nit Hamburg, wir haben hier keine Kutschen, wir sind schlichte Landleute. Ich will Euch erzählen, wie es mir ergangen ist, als ich Bräutigam war und zu meiner Hochzeit gereist bin. Mein Vater Samuel Stuttgart war Vorsteher der jüdischen Gemeinden in ganz Hessen[2]) und

---

[2]) In Kurhessen gab es seit 1622 sogenannte Medinoh-Parnossim, d. i. Vorsteher der hessischen Judenschaft, die von den „Judenlandtagen" gewählt wurden. Vgl. „Im Deutschen Reich", Septemberheft 1903 (Aufsatz von L. Horwitz). Samuel Stuttgart, der Vater Joseph Hamelns, wohnte in der kurhessischen Stadt Witzenhausen.

mein Freudchen war Nathan Spaniers Tochter. Als Mitgift
habe ich 2000 Reichstaler bekommen und mein sel. Vater
hat mir 1500 Reichstaler versprochen, das war damals
eine große Mitgift. Wie es nun zur Hochzeit ging, hat
mein sel. Vater einen Boten gedungen, den man den
,Fisch' genannt hat. Diesem hat er meine Mitgift auf
den Buckel geladen, um sie nach Stadthagen zu tragen,
wo mein sel. Schwiegervater wohnte. Ich und mein Bote
Fisch haben uns nun auf die Füße gemacht und sind
nach Stadthagen gegangen. Damals war Loeb Hildesheim, den ich in meinem ersten Buche erwähnt habe, in
Stadthagen, da er auch ein Schwiegersohn meines Schwiegervaters Nathan Spanier war. Als ich nun nicht weit
von Stadthagen war, ist ein Geschrei gekommen, daß der
Bräutigam nicht weit wäre. Da ist Loeb Hildesheim mit
seiner Gesellschaft dem Bräutigam entgegengeritten — er
ist von Hildesheim gewesen, von Leuten, die sich allezeit
gar prächtig gehalten haben. Wie er mich nun mit meinem
Boten, dem Fisch, zu Fuß antrifft, reitet er schnell wieder
in die Stadt hinein und bringt meiner Braut die Botschaft[3]),
ihr Bräutigam komme auf einem Fisch zu reiten. Da ich
jetzt wohl auf guten Pferden reiten kann, so bitte
ich Euch, darüber nicht ungeduldig zu sein." So hat sich
diese Verstimmung in eitel Gelächter und Freundschaft
aufgelöst und die Hochzeit wurde in Lust und Freude
gefeiert. Nach meiner Hochzeit reisten meine Eltern

---

[3]) Gl. gebraucht hier den Ausdruck: „Botenbrot", der
in jüdisch-deutschen Bibelübersetzungen, wie z. B. in der
Psalmenübersetzung des Elia Levita, häufig im Sinne von
„Botschaft" angewendet wird. Siehe Grünbaum, Jüdisch-
deutsche Chrestomathie, S. 99 ff.

wieder heim und ließen mich — ich war damals noch ein Kind von kaum 14 Jahren — in einem fremden Lande bei fremden Leuten allein. Aber das ist mir alles nicht schwer geworden, da ich eine so große Herzensfreude von meinen frommen Schwiegereltern hatte. Sie sind beide so hochachtbare, fromme Leute gewesen und haben mich sehr gut gehalten, mehr als ich es wert gewesen bin. Was für ein wackerer Mann ist mein Schwiegervater gewesen, wie ein Engel Gottes! Es ist jedermann bekannt, was Hameln gegen Hamburg ist. Ich war damals ein junges Kind, das in aller Lust auferzogen war, und mußte nun in meinem jungen Alter von Eltern, Freunden, allen Bekannten, von einer Stadt wie Hamburg fort in eine Kleinstadt, wo nur zwei jüdische Familien wohnten. Und Hameln ist an sich ein lumpiger, unlustiger Ort. Aber das alles habe ich für nichts geachtet gegen die Herzensfreude, die ich von der Frömmigkeit meines sel. Schwiegervaters hatte. Wenn er des Morgens um drei Uhr aufgestanden ist und dicht an meiner Schlafkammer in seinem Schulrock gesessen und gebrummt hat[4]), dann habe ich ganz Hamburg vergessen. Was das für ein heiliger Mann gewesen ist! Sein Verdienst sollen wir alle genießen und der liebe Gott soll uns ihm zuliebe weiter keine Leiden zuschicken und uns nicht zu Schande und Sünde kommen lassen!

Seine Vortrefflichkeit ist auch an seinen braven, frommen Kindern zu sehen gewesen. Sein ältester Sohn

---

[4]) Gemeint ist der Rock, den er beim Beten anhatte. Mit „Brummen" bezeichnet Gl. hier den eigentümlichen, etwas singenden Tonfall, in dem nach alter Sitte der Talmud vorgetragen wird.

Moses, ein sehr wackerer, junger Mann, ist als Bräutigam mit dem gelehrten Rabbi Moscheh und einem Diener, der der „geschossene Jakob" hieß, zu seiner Hochzeit gereist und hatte seine Mitgift bei sich. Als sie nahe bei Bremervörde waren, wurden sie von Räubern überfallen, beraubt und alle drei tödlich verwundet. Man brachte sie in den Ort hinein und ließ sofort Doktoren und Balbierer (= Heilgehilfen, Wundärzte) holen. Die Aerzte meinten, der Bräutigam und Rabbi Moscheh würden am Leben bleiben, und den geschossenen Jakob hielten sie für todgefährlich. Aber nach zwei Tagen starben die beiden und der Jakob kam davon. Daher hat er auch seinen Beinamen „der geschossene Jakob" bekommen. Den Schmerz und Jammer der betrübten Eltern kann man sich denken. Obwohl man sich nun an vielen Plätzen sehr bemüht hat eine Sühne für den Mord zu erlangen, so war doch alles umsonst und der Mord blieb ungesühnt. Gott möge ihr Blut rächen!

Den zweiten Sohn (Abraham Hameln) habe ich gekannt; er war voll von Thora-Kenntnis „wie ein aufgebrochener Granatapfel"[5]. Mein Schwiegervater hat ihn als Talmudjünger nach Polen geschickt[6]. Dort hat er sich durch seine talmudischen Kenntnisse einen großen Namen gemacht und sich in Posen mit der Tochter eines angesehenen Mannes, des Chaim Boas, vermählt. Nach

---

[5]) Zitat aus Hohelied 4, 3.

[6]) Das Talmudstudium stand damals in Polen in höchster Blüte und es war namentlich in den wohlhabenderen jüdischen Familien in Deutschland Sitte, begabte Söhne für einige Zeit auf eine der polnischen Talmudhochschulen zu schicken. Vgl. das Zitat aus שארית ישראל, c. 32, f. 124 b bei Kaufmann, S. 62, Anm 2.

seiner Hochzeit hat er sehr fleißig Talmud gelernt und ist immer tüchtiger geworden und in der Gemeinde Posen zu großem Ansehen gekommen. Aber nach einigen Jahren, als die Gemeinden von ganz Polen durch den Krieg mit Chmel[7]) in großer Not waren, kam er, von allen Mitteln entblößt, mit seiner Frau und einer Tochter in das Haus meines Schwiegervaters. Mit der Geburt dieser Tochter war es wirklich wunderbar zugegangen. Er war nämlich schon 17 Jahre mit seiner Frau verheiratet gewesen und hatte keine Kinder mit ihr. Da wurde seine Schwiegermutter sterbenskrank und ließ ihre Tochter, die Frau meines Schwagers Abraham, zu sich kommen. Sie sagte zu ihr: „Meine liebe Tochter, ich stehe in Gottes Hand und werde bald sterben; wenn ich ein Verdienst vor Gott habe, so werde ich mir ausbitten, daß du Kinder haben sollst." Bald danach starb die fromme Frau. Gleich nach ihrem Tode wurde meine Schwägerin Sulka guter Hoffnung und bekam zur rechten Zeit eine Tochter, die sie nach ihrer Mutter Sara nannte. Sieben Jahre danach bekam sie einen Sohn, der Samuel hieß. Es wäre viel von dem Mann (Abraham Hameln) zu schreiben. Mein Schwiegervater hat ihn nach Hannover gesetzt und er hat dort sehr gut gesessen. Aber er ist später von Hannover weggenarrt [und veranlaßt] worden in Hameln zu wohnen, wovon sein und seiner Kinder Verderben leider gekommen ist. Man hat ihm dort viel versprochen

---

[7]) Es ist der oben (S. 30) erwähnte Krieg, den der Kosakenhauptmann Bogdan Chmelnicki mit seinen wilden Scharen gegen die Polen und Juden führte und der unter anderen auch die Posener Gemeinde aufs schwerste heimgesucht und entvölkert hat. S. Perles, Geschichte der Juden in Posen, p. 58.

und ein Kompagnie-Geschäft mit ihm gemacht, aber es
ist nichts gehalten worden. Gott soll es denen verzeihen
[die so getan haben]! Mein Schwager Rabbi Abraham
sel. A. ist ein großer Talmudgelehrter und ein außerordentlich kluger Mann gewesen. Er hat wenig geredet,
aber wenn er geredet hat, ist der Hauch, der aus seinem
Munde kam, lauter Weisheit gewesen; da hat jeder gerne
zuhören mögen.

Danach hatte mein Schwiegervater eine Tochter Jente.
Er verlobte sie in früher Jugend mit dem Sohne des
Sußmann Gans in Minden an der Weser. Damals hatte
Sußmann Gans den Namen, daß er 100 000 Taler besäße.
Mein Schwiegervater hatte mit ihm zusammen gezecht
und beim Wein die Heiratspartie mit ihm verabredet.
Als Sußmann Gans am andern Tage wieder nüchtern
war, bereute er diese Verabredung. Aber mein Schwiegervater war ein so wackerer Mann[8]) und das Geschehene
war nicht mehr zu ändern; also blieb es dabei. Bräutigam
und Braut waren beide noch sehr jung; darum schickte
Sußmann Gans seinen Sohn (den Bräutigam) zum Talmudstudium nach Polen. Kurz darauf starb Sußmann Gans
und er hatte keine Freunde, die nach seiner Hinterlassenschaft gesehen hätten. So ist sein Reichtum zu nichte geworden. Seine Witwe verheiratete sich mit einem anderen
Mann, der Phoebus hieß. Nach einigen Jahren kam der
Bräutigam wieder aus Polen zurück; aber anstatt vieler
Tausende, wie meine Schwiegereltern gemeint hatten,
besaß er jetzt nur noch knapp einige hundert Taler.

---

8) Gl. will hier sagen: er war ein so angesehener Mann,
daß man von dem, was mit ihm verabredet war, nicht gut
zurücktreten konnte.

Mein Schwiegervater wollte die Partie zurückgehen lassen; aber meine Schwiegermutter wollte es nicht leiden, um den verwaisten jungen Mann nicht zu beschämen[8a]. So hat das junge Paar Hochzeit gehalten und einige Jahre in Minden gewohnt. Da geschah es, daß Phoebus und seine Frau einen Sohn verheirateten. Als sie auf dem Spinnholz[9] waren, standen mächtige Prunkgeräte auf dem Tisch und es wurde großer Reichtum gezeigt. Salomon Gans sah den großen Reichtum und erkannte vielleicht noch viele Geräte wieder, die seinem Vater Sußmann Gans gehört hatten — er hatte aber von allem Reichtum seines Vaters nur wenig bekommen. Da ging er in das Kontor und sah zu, daß er ein Kistchen mit geschriebenen Urkunden in seine Hände bekam; denn er meinte ein Recht dazu zu haben. Aber, was soll ich mich dabei aufhalten? Zwanzig Bogen Papier wären nicht genug, wenn ich alles schreiben wollte, was hierin vorgegangen ist. Am anderen Morgen vermißte Phoebus sein Kistchen

---

[8a]) Ganz anders die Darstellung in den Aufzeichnungen des Phoebus, s. Seite 43, Anm. 10.

[9]) Am Freitag abend vor der Hochzeit fand in jüdischen Häusern eine (bei den Ostjuden noch heute bekannte) Lustbarkeit zu Ehren des Brautpaares — wie es scheint, im Anschluß an die Ueberreichung der Brautgeschenke — statt. Sie wurde „Spinnholz" genannt, wohl deshalb, weil man die Spindel als das Symbol der künftigen Hausfrau betrachtete. Vgl. Güdemann, a. a. O., S. 119. Berliner, Aus dem Leben der deutschen Juden im Mittelalter, S. 44/45. Ehrentreu im Jahrbuch der Jüd.-liter. Gesellschaft IX S. 37. Eine andere, minder wahrscheinliche Erklärung des Wortes „Spinnholz" (= שבֿיןעלֿין, die Zeit, die zwischen der Freude vergeht) gibt Würfel, Historische Nachricht von der Judengemeinde Fürth, S. 127.

mit Schriften und hatte sofort Verdacht auf seinen Stiefsohn. Sie gerieten also in Streit und auch mein Schwiegervater wurde in den Streit mit hineingezogen[10]. Die Prozesse haben meinem Schwiegervater und dem Phoebus
jedem mehr als 2000 Reichstaler gekostet; denn sie stritten
viele Jahre miteinander vor hohen Behörden und gingen
einander förmlich ans Leben. Einmal ließ Phoebus meinen
Schwiegervater und oft dieser den Phoebus ins Gefängnis
stecken. Das dauerte so lange, bis sie beide kein Geld
mehr hatten; aber mein Schwiegervater konnte es länger
aushalten. Schließlich haben sich andere Leute ins Mittel
gelegt und haben Rabbiner und Beisitzer des Rabbinats-
gerichts aus Frankfurt [am Main] kommen lassen um
die Sache zu schlichten. Diese sind gekommen und haben
ziemlich lange Zeit damit zugebracht, aber doch nichts
ausgerichtet, sie haben nur sehr viel Geld davongetragen.
Einer von den Rabbinatsbeisitzern, ein Gelnhäuser, hat
sich von dem Geld, das er mitgebracht, ein schönes Lern-
zimmer machen lassen und darin eine Gans malen lassen,

---

[10]) Ueber die ganze Angelegenheit besitzen wir auch eine
sehr ausführliche Darstellung von der Gegenseite in den teils
hebräisch teils jüdisch-deutsch abgefaßten Aufzeichnungen des
Phoebus Gans in Minden, die Kaufmann im Anhang seiner
Ausgabe der Glückel-Memoiren p. 334—394 zum Abdruck gebracht hat. Phoebus erwähnt hier u. a. (p. 341/42), daß er
selbst große Geldopfer gebracht und mehr, als er verpflichtet
war, aufgewendet habe, um die Heirat seines Stiefsohnes
Salomon mit der Tochter Joseph Hamelns aufrecht zu erhalten.
Wir erfahren ferner (S. 355 ff.), daß Salomon Gans die ent-
wendeten Schriftstücke seinem Schwiegervater Joseph Hameln
zuschickt, der sich damals in Stadthagen befindet, wie denn
überhaupt Joseph Hameln in dieser Darstellung bei weitem
nicht in so günstigem Lichte erscheint wie bei Glückel.

bei der drei oder vier Rabbiner mit Harzkappen[11]) standen, die ihr Federn ausrupfen.

Danach hat mein Schwiegervater seinen Schwiegersohn Salomon Gans und seine Tochter Jente von Minden
weggenommen und sie in Hannover wohnen lassen, hat
ihnen auch noch für ein Kind dort Niederlassungsrecht
verschafft[11a]). Hannover ist schon damals ein mächtiger
Ort gewesen; Salomon Gans war daher sehr froh [dort-
hin zu kommen] und gelangte dort zu großem Reichtum.
Aber die Freude dauerte nicht lange und er starb in
seinen besten Jahren. Seine Frau blieb einige Jahre
Witwe und wollte sich nicht wieder verheiraten, weil sie
eine wackere junge Frau war. Aber für meinen Schwager,
den reichen Leffmann [Behrens][12]), hat es sich gut gefügt,
daß Salomon Gans vor ihm hat weichen müssen. Als er

[11]) Das Wort bedeutet ursprünglich: Kittel der Harz-
scharrer, dann die weitärmelige, kurze Schaube, die damals
Amtstracht der Geistlichen war. Siehe Landau, Glossar zu
Glückel, a. a. O., S. 54. Aus unserer Stelle scheint hervor-
zugehen, daß die Amtstracht der christlichen Geistlichen damals
auch bei den Rabbinern schon Eingang gefunden hatte.

[11a]) Vermutlich handelt es sich um ihren zweiten Sohn,
Samuel Gans in Hannover (Vgl. Genealogische Beilage D der
Pappenheimschen Ausgabe), der Erlaubnis erhielt, sich dort
selbständig zu machen.

[12]) Gemeint ist der Hof- und Kammeragent des Herzogs
von Braunschweig-Lüneburg, Liepmann Cohen = Leffmann
Behrens in Hannover, der häufig zugunsten seiner Glaubens-
genossen bei seinem Fürsten intervenierte. Siehe Wiener,
Monatsschrift f. Wissensch. des Jdt. 1864, Der Hof- und
Kammeragent Leffmann Behrens. Kaufmann, Samson Wert-
heimer S. 86. Sein Schwiegersohn war der Prager Ober-
rabbiner Rabbi David Oppenheimer, der Besitzer der berühmten
Oppenheimerschen Bibliothek, die längere Zeit im Hause des
Leffmann Behrens aufgestellt war.

meine Schwägerin Jente bekommen hat, ist er freilich noch nicht der Mann gewesen, der er jetzt ist. Aber der große Gott, der erhöht und erniedrigt, hat alles in seiner Gewalt. Mein Schwiegervater hatte gemeint, mit den vielen Hunderten und mit der großen Mühe, die er für die Niederlassung seiner Kinder in Hannover aufgewendet, etwas Dauerndes für Kinder und Kindeskinder zu schaffen. Aber für wen hat der gute Mann sich alle Mühe und Arbeit gemacht? Für Fremde. Wie es heißt: Sie hinterlassen Fremden ihr Vermögen[12a]). Doch was soll ich noch weiter darüber schreiben? Alles geschieht so, wie es dem lieben Gott wohlgefällt.

Das dritte Kind[13]) meines Schwiegervaters war der gelehrte Rabbi Samuel. Dieser hat auch in Polen den Talmud studiert und eine Frau aus hochangesehener Familie, die Tochter des berühmten Lemberger Rabbiners Scholem, geheiratet. Er ließ sich auch in Polen nieder, mußte auch wegen des Krieges fort und brachte auch nichts von dort mit[13a]). So mußte ihn mein Schwiegervater gleichfalls eine Zeit lang mit Frau und Kindern erhalten; dann wurde er Rabbiner in Hildesheim[14]). Es ist gar nicht zu beschreiben, was er für ein frommer und

---

12a) Psalm 49, 11

13) Gl. scheint den von ihr erwähnten, früh verstorbenen ältesten Sohn Jos. Hamelns hier nicht mitzuzählen.

13a) Von seinem älteren Bruder Abraham ist oben (S. 40) Aehnliches berichtet worden.

14) Samuel Hameln hat eine Reihe von Jahren hindurch als Rabbiner und später, nachdem er dieses Amt niedergelegt, als Gemeindevorsteher bis zu seinem Tode (1687) sehr eifrig für das Wohl der Gemeinde Hildesheim gewirkt. Siehe Lewinsky, Der Hildesheimer Rabbiner Samuel Hameln, im Kaufmann-Gedenkbuch, S. 325—346.

heiliger Mann war; er hat wirklich den Augenblick seines Todes gewußt; davon weiß ganz Hildesheim zu erzählen.

Sein viertes Kind war der gelehrte Rabbi Isaak sel. A. den ich nicht gekannt habe. Er wohnte in Frankfurt am Main. Welch reine Seele und was für ein großer Gelehrter er war, das wissen die zu beurteilen, die ihn gekannt haben. Er hatte wenige seinesgleichen und hat sich wirklich Tag und Nacht mit der Thora beschäftigt. Er ist auch nicht alt geworden — nicht über fünfzig Jahre — und ist in Reichtum und Ehren gestorben.

Das fünfte Kind war seine Tochter Esther, ein Muster von Frömmigkeit und allen weiblichen Tugenden[14a]). Sie hat gar viel zu leiden gehabt und alles mit Geduld ertragen, bis sie ihre reine Seele aushauchte. Ich brauche weiter nichts von ihr zu sagen, da es weltbekannt ist, was sie für eine vortreffliche Frau war.

Sein sechstes Kind war Loeb Bonn, ein sehr achtbarer Mann, zwar kein großer Gelehrter, aber doch ein guter Kenner des Schrifttums. Er war lange Zeit Gemeindevorsteher im Kölnischen Land und hatte seinen Wohnsitz in Bonn. Er ist aber sehr jung in Ehre und Reichtum gestorben.

Sein siebentes Kind war seine Tochter Hanna[14b]), die wohl der frommen Hanna zu vergleichen war. Sie ist sehr jung gestorben und hat keinen Reichtum hinterlassen. Das achte Kind war euer lieber, getreuer Vater. Von ihm will ich hier nicht viel sprechen, ihr werdet solches an der richtigen Stelle finden. Meine lieben Kinder, ich

---

[14a]) Sie wird später (S. 64 ff.) als Gattin des Loeb Hannover erwähnt.
[14b]) Gattin des Jakob Speyer (Kaufmann S. 67, Anm. 4).

schreibe euch dies auf, damit ihr Bescheid wißt, von was für Leuten ihr herstammt, wenn heute oder morgen eure lieben Kinder oder Enkel kommen und ihre Familie nicht kennen.

Nach meiner Hochzeit bin ich mit meinem sel. Mann ein Jahr in Hameln gewesen; unser Geschäft war dort nur gering, denn Hameln war kein Handelsplatz. An den Geldgeschäften mit den Landleuten wollte sich mein Mann nicht genügen lassen. Seine Gedanken waren von Anfang an, seitdem wir verheiratet waren, darauf gerichtet nach Hamburg zu ziehen. [So hat es sich auch verwirklicht], wie es in unseren heiligen Schriften heißt[14c]): „Auf den Weg, den ein Mensch gehen will, wird er geführt." Als das erste Jahr nach unserer Hochzeit zu Ende war, hat mein sel. Mann nicht länger in Hameln bleiben wollen. Wenn auch meine Schwiegereltern beide gern gesehen hätten, daß wir in Hameln geblieben wären, und uns ihr Haus und Hof, wie es dastand, angeboten haben, so hat doch mein sel. Mann nicht gewollt. Wir sind also in voller Zustimmung von meinen Schwiegereltern weg und hierher nach Hamburg gezogen. Wir sind damals beide noch junge, unerfahrene Kinder gewesen, die wenig oder nichts von dem Geschäft gewußt haben, das in Hamburg dienlich war. Aber der große, barmherzige Gott, der meinen sel. Mann von seiner Heimat und seinem Vaterhause weggeführt[14d]), hat ihm allezeit getreulich beigestanden. Gepriesen sei Gott für alles Gute, das er uns erwiesen hat! Als wir nach

---

14c) Talmud Makkot 10 b.
14d) Biblische Wendung bei dem Wegzug Abrahams von Haran (Genesis 12, 1).

Hamburg kamen, hat mein sel. Vater uns für zwei Jahre Kost verschrieben[15]) und wir haben bei ihm gewohnt. Mein sel. Mann war in der Stadt ganz fremd; er hat sich aber doch umgesehen, was passiert. Damals war das Geschäft mit Juwelen noch nicht so stark wie jetzt und Bürger (d. i. verheiratete Leute) und Verlobte bei Nichtjuden haben wenig oder gar keine Juwelen getragen. Die Mode war damals, daß sie rein goldene Ketten trugen, und wenn man etwas schenken wollte, so ist es in Gold gewesen. Obzwar daran nicht so großer Verdienst wie an Juwelen war, so war doch dieses meines Mannes erstes Geschäft, daß er mit Gold gehandelt hat und von Haus zu Hause herumgelaufen ist um Gold einzukaufen. Dies hat er dann wieder an Goldschmiede gegeben oder an Kaufleute, die verlobt waren, wiederverkauft und schön daran verdient. Wiewohl nun mein Mann sich sehr wehe getan hat und wirklich den ganzen Tag seinem Geschäft nachgelaufen ist, hat er doch nicht verfehlt alle Tage zu bestimmter Zeit seinen Abschnitt zu lernen. Er hat auch lange Zeit an jedem Tage, wo Thora-Vorlesung war (d. h. an jedem Montag und Donnerstag), gefastet, bis er angefangen hat große Reisen zu machen und sich leider sehr dabei abzuquälen, so daß er schon in seinen jungen Jahren sehr kränklich gewesen ist und viel gedoktert hat. Dabei hat er sich nirgends geschont und sich große Mühe gegeben seine Frau und Kinder ehrlich zu ernähren. Er war ein so lieber, getreuer Vater, wie man wenige findet, und hat seine Frau und Kinder

---

[15]) Glückels Vater hat sich nach damaliger Sitte schriftlich verpflichtet, dem jungen Paare zwei Jahre lang Wohnung und Kost zu geben.

Dessiné d'après nature & gravé par B. Picart.

Le Plat ou est un Os, et quande la famille est assise sans se tenir, le
Pere en coupe & distribue à chacun.

Plat de Pâques. Pomme & Amandes coupées de herbes et toutes ensemble,
representant le mortier dans lequel les Enfans d'Israel façonnoient les
Pierres, & sans pour marque les Briques, &c.

Le REPAS de PAQUES,
chez les
JUIFS PORTUGAIS.

1. Maître de Maison, la Servante, dont le Pere de Famille, coupe des
   morceaux, qu'il distribue à tous ceux qui sont à table. Le true
   Septa sont sur la même table entre les mains du Pere de Famille.
6. Servante, qui regarde la cérémonie, & se couche.
7. Dessus ou sont les Matzoz ou Pain d'Azyme.

über alle Maßen geliebt. Seine Bescheidenheit hat nicht ihresgleichen gehabt; sein Lebtag hat ihm der Sinn nicht nach irgendwelchen Vorstandsämtern gestanden; im Gegenteil, er wollte von so etwas gar nichts wissen und hat alle Leute ausgelacht, die so sehr danach getrachtet haben. Kurz — er ist ein rechter Ausbund von einem frommen Juden gewesen, wie sein Vater und seine Brüder es auch gewesen sind. Ich weiß wenige, auch unter großen Rabbinern, die ihr Gebet so andächtig verrichtet haben wie er. Wenn er in seinem Zimmer gebetet hat und es wäre jemand gekommen um ihn irgendwohin zu rufen, wo etwas sehr billig einzukaufen war, so hätte ich oder mein ganzes Hausgesinde nicht das Herz gehabt zu ihm zu gehen und ihm davon zu sagen. Wirklich hat er dadurch einmal etwas versäumt und einen Schaden von mehreren Hunderten gehabt. Aber er hat das alles nicht geachtet und seinem Gott treu gedient und ihn fleißig angerufen; der hat ihm auch alles doppelt und dreifach wieder eingebracht. So etwas Demütiges und Geduldiges, wie der liebe Mann gewesen ist, findet man nicht wieder. Was ihm oft von Freunden und Fremden geschehen ist, das hat er alles mit Geduld ertragen. Wenn ich manchmal in menschlicher Schwachheit darüber ungeduldig geworden bin, hat er mich ausgelacht und gesagt: „Du bist eine Närrin; ich vertraue auf Gott und achte der Menschen Rede wenig." Sein Verdienst soll uns in dieser und in jener Welt beistehen!

Als wir nach Hamburg kamen, bin ich sogleich guter Hoffnung geworden und meine Mutter (sie soll leben!) mit mir zugleich. Der liebe Gott hat mir zu rechter Zeit gnädiglich zu einer jungen Tochter geholfen. Ich bin

noch ein junges Kind gewesen. Obschon mir solch un-
gewohnte Sachen sehr schwer angekommen sind, so bin
ich doch höchlich erfreut worden, daß mir der Höchste
ein hübsches, gesundes Kind gegeben hat. Meine getreue, fromme Mutter hatte ihre Niederkunft auf dieselbe
Zeit ausgerechnet. Sie hat aber eine große Freude darüber gehabt, daß ich zuerst ins Kindbett gekommen bin,
so daß sie auf mich junges Kind ein wenig acht geben
konnte. Acht Tage darauf ist meine Mutter ebenfalls mit
einer jungen Tochter ins Kindbett gekommen. So ist denn
kein Neid oder Vorwurf zwischen uns gewesen[16]) und wir
sind in einer Stube beieinander gelegen. Wir haben keine
Ruhe gehabt vor Leuten, die gelaufen kamen und die
Merkwürdigkeit sehen wollten, daß Mutter und Tochter
in einem Zimmer im Kindbett lagen. Um das Buch ein
bisselchen zu verlängern, muß ich doch einen hübschen
Spaß erzählen, der uns vorgekommen ist. Es war eine
kleine Stube, wo wir zusammen lagen, und es war Winter
und mein sel. Vater hatte ein großes Gesinde, so daß
es uns in der Stube gar eng geworden ist, wenn auch
Eltern und Kinder miteinander gern vorlieb nehmen. Ich
bin acht Tage früher aus dem Kindbett gegangen als
meine Mutter. Um die Stube ein wenig geräumiger zu
machen, habe ich mich in meine Kammer hinaufgelegt.
Da ich aber noch sehr jung war, hat meine Mutter nicht
leiden wollen, daß ich bei Nacht mein Kind mit mir in
meine Kammer nehmen sollte. So habe ich das Kind
in der Stube gelassen, wo sie gelegen ist, und sie hat
auch die Magd bei sich liegen lassen. Meine Mutter hat

---

[16]) Da keine von beiden Frauen einen Sohn hatte, so
hatten sie keinen Grund, einander zu beneiden.

50

zu mir gesagt, ich sollte mich nicht um mein Kind be-
kümmern; wenn es weinte, sollte es die Magd zu mir
hinaufbringen, damit ich ihm zu trinken gäbe; sie sollte
es dann auch wieder von mir fortnehmen und in die
Wiege legen. Damit war ich wohl zufrieden. Ich bin
also etliche Nächte gelegen und die Magd hat mir immer
so vor Mitternacht das Kind zum Säugen gebracht. Einmal bei Nacht wache ich ungefähr um drei Uhr auf und
sage zu meinem Mann: „Was mag das bedeuten, daß
mir die Magd das Kind noch nicht gebracht hat?" Mein
Mann sagt: „Das Kind wird gewiß noch schlafen." Ich
aber habe mich nicht damit zufrieden gegeben und bin
in die Stube hinabgelaufen um nach meinem Kind zu
sehen. Ich gehe über die Wiege und finde mein Kind
nicht darin. Da bin ich sehr erschrocken, habe aber doch
kein Geschrei anfangen wollen, damit meine Mutter nicht
aufwacht. Also habe ich angefangen die Magd zu schüt-
teln und hätte sie gern leise aufgeweckt. Aber die Magd
ist sehr verschlafen gewesen; ich habe erst anfangen
müssen laut zu schreien, ehe ich sie aus dem Schlaf
kriegen konnte. Ich frage sie: „Wo hast du mein Kind?"
Die Magd redet aus dem Schlaf und weiß nicht, was sie
spricht. Darüber erwacht auch meine Mutter und sagt
zur Magd: „Wo hast du Glückelchens Kind?" Aber die
Magd ist so verschlafen gewesen, daß sie keine Antwort
hat geben können. Also sage ich zu meiner Mutter:
„Mutter, vielleicht hast du mein Kind bei dir im Bett?"
Sie antwortet: „Nein, ich habe m e i n Kind bei mir" —
und hält es so fest an sich, als wenn man ihr das
Kind wegnehmen wollte. Da fällt mir ein an ihre Wiege
zu gehen und nach ihrem Kind zu sehen. Da ist ihr Kind

in der Wiege gelegen und hat sanft geschlafen. Nun sage ich: „Mutter, gib mein Kind her; dein Kind liegt in der Wiege." Aber sie hat es nicht glauben wollen und ich mußte ihr erst ein Licht bringen und ihr ihr Kind geben, damit sie es recht besehen konnte. So habe ich meiner Mutter ihr Kind gegeben und das meine genommen. Das ganze Haus ist darüber wach geworden und alle haben sich erschrocken. Aber der Schreck hat sich bald in Gelächter verwandelt und man hat gesagt: Bald hätten wir den gottseligen König Salomon [als Schiedsrichter] nötig gehabt.

Also sind wir ein Jahr im Hause meiner Eltern gewesen. Wir haben zwar auf zwei Jahre dort Kost gehabt; aber da es uns in meinem Elternhause sehr eng war, hat mein Mann nicht länger dort bleiben wollen und hat auch von meinen Eltern keinen Pfennig Kostgeld für das zweite Jahr nehmen wollen. So haben wir uns ein hübsches Häuschen gemietet und 50 Taler Miete das Jahr bezahlt und sind mit Magd und Knecht in unser Haus gezogen, wo uns der Höchste so gnädiglich bis dato erhalten und, wenn Gott mir nur nicht gar so früh die Krone meines Hauses genommen hätte, glaube ich nicht, daß es ein glücklicheres und liebered Paar Volk[16a]) in der Welt gegeben hätte als uns. So haben wir denn als junge Leute in unserm Eigenen gewohnt und uns ein wenig karg und genau beholfen, doch alles recht zu seiner Zeit, und haben eine hübsche, ehrliche Haushaltung geführt. Unser erster Diener ist Abraham Kantor aus Hildesheim gewesen; er war bei uns um die Kinder

---

[16a]) Paar Volk = Ehepaar.

zu warten. Später ist er einige Jahre von uns weg gewesen und hat ein wenig für sich Geschäfte gemacht. Dann hat er eine Witwe von hier und, als diese gestorben war, ein junges Mädchen aus Amsterdam geheiratet und in Hamburg gewohnt. Wir haben ihm Geld vorgeschossen und ihn nach Kopenhagen geschickt. Heute ist er, wie man sagt, ein Mann von 10 000 Reichstalern und mehr. Als meine Tochter Zippora zwei Jahre alt gewesen ist, bin ich wieder ins Kindbett gekommen mit meinem Sohn Nathan. Was für eine Freude mein sel. Mann da hatte und was für ein schönes Beschneidungsfest er ausgerichtet hat, ist nicht zu beschreiben. Gott soll mich Freude an allen meinen Kindern erleben lassen! Weil ich nunmehr leider keine Hilfe und keinen Trost mehr habe als [durch das,] was ich an meinen Kindern zu erleben hoffe, so bitte ich den großen Gott seine Gnade und Barmherzigkeit dazu zu geben. Hiermit will ich mein zweites Buch beschließen und bitte alle, die es lesen, mir meine Torheit zum guten auszulegen. Wie schon gedacht, ist es vor Herzeleid und Sorge geschehen. Gepriesen sei der große Gott, der mir die Kraft gibt, daß ich alles aushalten kann. Nun will ich mit Hilfe des Höchsten mein drittes Buch anfangen!

Drittes Buch, erste Hälfte.

Geschäftsgehilfen Chaim Hamelns. Begeisterung für den falschen Messias Sabbatai Zewi. Erlebnisse zur Zeit der Hamburger Pest von 1664.

Es ist gar nicht zu sagen, was für wunderliche Dinge uns sündigen Menschen alle passieren können. Ich bin [in der Zeit, von der ich jetzt schreiben werde], ungefähr 25 Jahre alt gewesen. Mein sel. Mann war sehr fleißig in seinem Geschäft und ich, obschon ich noch jung war, habe auch das Meinige dazu getan. Ich schreibe es nicht um mich zu rühmen: mein sel. Mann hat von keinem andern einen Rat angenommen und hat nichts andres getan, als was wir zusammen besprochen haben. Zu jener Zeit kam ein junger Mann namens Mordechai von Hannover, wo er bei meinem Schwager Leffmann gewesen war, nach Hamburg und war bei uns zu Gast. Er hat uns gut gefallen; darum haben wir ihn zu uns genommen, daß er für uns dahin reisen sollte, wo Geschäfte zu machen waren. Der junge Mann ist aus Polen gewesen und hat sehr gut Polnisch gesprochen. So haben wir ihn nach Danzig geschickt, da wir gehört haben, daß dort viele Unzenperlen[1]) zu kaufen seien — die Haupt-sache vom Juwelengeschäft bestand aber damals in dem Handel mit Unzenperlen. Wir haben ihm einen Kredit-brief von einigen hundert Talern mit nach Danzig ge-geben und ihn ein wenig unterwiesen, wie er Perlen einkaufen solle. Wenn wir damals so darauf aus ge-wesen wären in Danzig Juwelen zu verkaufen wie ein-zukaufen, hätten wir viel mehr verdienen können. Aber man war so auf das Geschäft mit Perlen versessen, daß man an gar kein anderes Geschäft gedacht hat. So ist der Mordechai nach Danzig gefahren und hat angefangen dort Perlen einzukaufen und sie hierher geschickt. Er hat auch ganz gut eingekauft, so daß schöner Verdienst daran war. Er wollte aber nicht länger in Danzig bleiben, da er schon in den Jahren war eine Frau zu nehmen. Darum ist er hierhergekommen und hat sich mit der Tochter des langen Nathan verlobt; die Hochzeit hat er schon für ein halbes Jahr später festsetzen lassen[1a]). Mein sel. Mann wollte, daß er unterdessen bis zu seiner Hoch-zeit wieder nach Danzig reisen sollte. Aber es war leider ein Verhängnis von Gott, daß er nicht nach Danzig hat reisen wollen. Er sagte: „Es ist kein halbes Jahr mehr bis zu meiner Hochzeit; ehe ich hin und her reise, geht die Zeit weg. Ich will lieber in Deutschland reisen und Wein kaufen." Mein Mann sagte ihm: „Wie kommst du auf diesen Einfall? Ich will an deinem Weingeschäft

---

[1]) „Unzenperlen" sind kleinste Perlen, die nicht nach Stückzahl, sondern nach Gewicht verkauft werden. Eine Unze war in Deutschland so viel wie 2 Lot.

[1a]) Diese Festsetzung erfolgte in der damals üblichen Weise durch Vereinbarung einer Konventionalstrafe, die bei Ueberschreitung des Termins verfallen sollte.

55

keinen Anteil haben." „So will ich allein auf meine Rechnung kaufen," antwortete Mordechai. Obwohl mein Mann mit guten und bösen Worten auf ihn eingeredet und auch Mordechais zukünftigen Schwiegervater zu ihm geschickt hat um ihn von der unglückseligen Reise abzubringen, so hat doch alles nichts helfen wollen. Es scheint, daß der gute Mensch anderen hat Platz machen müssen. Denn wenn ihm Gott sein Leben gelassen hätte, so wären vielleicht Juda Berlin und Isachar Cohen nicht zu ihrem Reichtum gekommen[2]). So ist also Mordechai, da mein Mann mit ihm kein Kompagniegeschäft im Weinhandel machen wollte, für seine eigene Rechnung gereist und hat ungefähr 600 Reichstaler mitgenommen. Als er nach Hannover kam, hat er sein Geld meinem Schwager Leffmann [Behrens] gegeben; dieser sollte ihm das Geld an den Ort überweisen, wohin er reisen wollte um Wein einzukaufen. Von Hannover mußte er auf Hildesheim zu reisen. Er war aber so ein karger Mensch, daß er sich nicht gegönnt hat von Hannover nach Hildesheim mit der Post zu fahren, oder vielmehr: Gott hat es nicht haben wollen. Also ist er allein zu Fuß gegangen; denn Hannover ist nur drei Meilen Weges von Hildesheim entfernt. Wie er vor Hildesheim kommt und keine Sabbatstrecke[3]) mehr davon entfernt ist, begegnet ihm ein Wild-

---

[2]) Die Auffassung, daß ein Unglück eines Menschen im göttlichen Weltenplan dazu nötig gewesen sei, um das Glück eines anderen herbeizuführen, begegnet bei Glückel nicht selten. Siehe oben S. 44 bei der Heirat des Leffmann Behrens. Vgl. ferner das bekannte niederdeutsche Sprichwort: Wat dem eenen sin Uhl, is dem annern sin Nachtigall.

[3]) Sabbatstrecke = 2000 Ellen, d. i. die Strecke außerhalb eines Stadtgebietes, über die nach jüdischem Gesetz am Sabbat nicht hinausgegangen werden darf.

schütz und sagt zu ihm: „Jud', gib mir ein Trinkgeld oder ich erschieß' dich." Der Mordechai lacht ihn aus; denn zwischen Hannover und Hildesheim ist es so sicher, wie zwischen Hamburg und Altona. Aber der Schütz sagt wieder zu ihm: „Du jüdisches Aas, was bedenkst du dich lang? Sag' ja oder nein!" Endlich nimmt der Schütz sein Gewehr und schießt den Mordechai gleich in den Kopf hinein, daß er stracks niederfällt und tot ist. Nun ist es auf diesem Weg keine Viertelstunde still und doch hat es sich leider so unglücklich treffen müssen, daß keine Wanderer vorbeigekommen sind. So hat der ehrliche, wackere, redliche Junge dort so früh sein Ende gefunden und, anstatt seine Hochzeit und seinen Ehrentag zu feiern, in die finstere Erde kriechen müssen und so schamlos[3a] [hingemordet]! Mein Gott, wenn ich noch daran denke, stehen mir meine Haare zu Berge. Denn er ist ein frommes, gutes, gottesfürchtiges Kind gewesen, und hätte ihm Gott sein Leben gegönnt, so wäre er zu großen Dingen gekommen und es wäre für uns auch gut gewesen. Gott weiß, wie herzlich es mich und meinen Mann geschmerzt hat und wie wir uns betrübt haben. Wie er nun noch nicht lange dagelegen ist und sich in seinem jungen Blute gewälzt hat, sind Leute von Hildesheim herausgegangen und haben ihn so elendiglich gefunden und ihn sogleich erkannt, denn er war bekannt in der ganzen Gegend. Sie haben sich also um ihn bemüht und ihn sogleich zu Grabe getragen. Was für

---

[3a]) Der im Original gebrauchte Ausdruck schentlos = schandlos bedeutet: schamlos, niederträchtig (Grimm, Deutsches Wörterbuch 8, 2153). Landau, a. a. O., S. 60. Kaufmann erklärt: schuldlos,

Jammern und Wehklagen in der ganzen Gegend gewesen ist, ist nicht zu beschreiben. Aber was hilft das alles? Sein junges Leben war dahin. Man hat uns von Hannover und Hildesheim sofort geschrieben; denn sie haben wohl gewußt, daß er mit uns in Geschäftsverbindung stand, und haben gemeint, daß er viel von uns bei sich gehabt hätte. Aber er hat nichts bei sich gehabt als etliche Reichstaler Zehrgeld. Obschon man in Hannover und Hildesheim viel nachgeforscht hat um den Mord zu rächen, ist doch nichts ausgerichtet worden. Denn der Mörder — Gott möge seinen Namen auslöschen — ist weggelaufen und seit der Zeit nicht wieder gesehen worden. Gott möge das Blut des Erschlagenen rächen mit dem der anderen Heiligen und Frommen!

Jetzt hatten wir also niemanden, den wir zu solchem Geschäft hätten gebrauchen können. Aber es hat nur kurze Zeit gedauert, da ist der junge J u d a B e r l i n[4]) mit einem Heiratsvermittler Jacob Obernkirchen hierhergekommen. Der hat ihm die Tochter des Pinchas Harburg angetragen. Aus der Partie ist nichts geworden; es war wohl von Gott nicht so bestimmt. So ist denn dieser Juda einige Zeit in meinem Hause Gast gewesen, denn er war als ein Vetter meines Schwagers Leffmann mit meinem Manne verwandt. Wie er nun einige Wochen bei uns war, hat er uns in jeder Beziehung sehr

---

[4]) Juda Berlin ist der unter dem Namen Jost Liebmann bekannt gewordene Hofjuwelier des Großen Kurfürsten und seines Sohnes, des ersten preußischen Königs. Aus Glückels Darstellung erfahren wir, daß dieser später so vornehme und einflußreiche Mann als gänzlich mittelloser Jüngling in das Haus Chaim Hamelns kam und hier den Grund zu seinem großen Reichtum legte.

gut gefallen. Er ist ein hübscher Thorakenner gewesen, hat auch gut von Geschäften reden können und sich sehr klug gezeigt. So sagte denn mein Mann zu mir: „Glückchen, was deucht dich, wenn wir den Jungen zu uns nehmen und ihn nach Danzig schicken? Ich halte ihn für einen recht klugen Jungen." Ich sagte darauf zu meinem Manne: „Ich habe auch schon manchmal daran gedacht; wir müssen doch wieder jemanden haben." Wir haben also mit ihm geredet und er ist es gleich zufrieden gewesen und ist keine acht Tage danach nach Danzig gereist. Was er bei sich gehabt hat, das war sein ganzes Gut; es bestand in Bernstein im Werte von 20 oder 30 Reichstalern. Das hat er meinem sel. Mann zurückgelassen, damit er es ihm verkaufen oder verwahren sollte. Nun, meine lieben Kinder, seht, wenn der getreue Gott einem helfen will, wie er aus wenig viel machen kann und wie Juda aus dem kleinen Kapital, das so gut wie nichts war, zu so großem Reichtum gekommen und so ein großer Mann geworden ist. So ist nun Juda einige Zeit in Danzig gewesen und hat gute Geschäfte gemacht und immer Unzenperlen gekauft. Aber er ist nicht so sehr dem Geschäft nachgelaufen; überdies ist in Hamburg der Kredit noch nicht so groß gewesen wie jetzt und wir waren junge Leute, die noch nicht so große Reichtümer hatten. Wir haben ihn aber doch mit Kreditbriefen versehen, ihm auch zuweilen Wechsel geschickt, so daß er an Geld keinen Mangel hatte. Er ist ungefähr zwei Jahre dort gewesen, und als er wiederkam, hat mein Mann mit ihm abgerechnet und ihm 800 oder 900 Reichstaler Gewinn auf seinen Anteil herausbezahlt. Damit ist er nach Hannover gereist und hat sich dortherum (= in dieser Gegend) aufgehalten und sich verheiraten wollen.

Unterdessen bin ich mit meiner Tochter Mate ins Kindbett gekommen; sie ist ein sehr schönes Kind gewesen. Zu jener Zeit hat man angefangen von S a b b a t a i Z e w i[5]) zu reden. Aber „wehe uns, daß wir gesündigt" und daß wir es nicht erlebt haben, wie wir es gehört und wie wir es uns fast eingebildet hatten! Wenn ich daran denke, wie damals alte und junge Leute Buße getan haben — das ist ja in der ganzen Welt bekannt.

---

[5]) S a b b a t a i Z e w i, dessen Glanzperiode in die Jahre 1665—67 fällt, wurde zuerst in Jerusalem und anderen Großgemeinden des Orients als Messias und Erlöser der Juden anerkannt. Die Nachrichten von seinen Wundertaten und von dem Jubel, mit dem er begrüßt wurde, versetzte auch viele Gemeinden des Abendlandes in einen Taumel messianischer Begeisterung. Speziell die portugiesischen Juden in Hamburg und Amsterdam wurden von dem Glanz und dem Schimmer, den das vermeintliche Messiaskönigtum jenes Abenteurers den Juden verhieß, mächtig angezogen und zu lärmenden Demonstrationen für den neuen Wundertäter veranlaßt. In Hamburg erhoben nur wenig Besonnene, wie der fromme und gelehrte Jakob Sasportas, Einspruch gegen dieses schwärmerische Treiben, an dem sich auch sehr ernsthafte und vornehme Männer, wie der Arzt und Gemeindevorsteher Benedict de Castro und der bekannte schwedische Resident Manuel Texeira, aus voller Ueberzeugung beteiligten. Siehe Graetz, Gesch. d. Juden, X, 186 ff. Cassuto, Aus dem ältesten Protokollbuch der jüd.-portug. Gemeinde in Hamburg (Jahrb. der Jüd.-liter. Gesellsch., Bd. X). — Bei den deutschen Juden in Hamburg zeigte sich die Begeisterung für den neuen Messias und das Verlangen nach Erlösung, ihrer gedrückten Lage entsprechend, nicht so laut und lärmend, aber dafür um so wahrer und inniger. Wie wir sehen, nahm auch unsere Glückel die Bewegung und die an sie geknüpften Erwartungen sehr ernst und beklagte in ergreifenden Worten die Sündhaftigkeit des damaligen Geschlechtes, die das Fehlschlagen dieser schönen Hoffnung verschuldet habe.

O, Herr der Welt, wie wir gehofft haben, daß du mit deinem Volk Israel Barmherzigkeit üben und uns erlösen würdest, da waren wir wie eine Frau, die auf dem Gebärstuhl sitzt und große Schmerzen und Wehen erleidet. Sie meint, nach allen ihren Schmerzen und Wehen werde sie mit ihrem Kind erfreut werden; aber sie hat nichts anderes als einen Wind gehört. So, mein lieber Gott und König, ist auch uns geschehen. Alle deine lieben Knechte und Kinder in der ganzen Welt haben sich mit Buße, Gebet und Wohltun sehr abgemüht und dein liebes Volk Israel ist zwei bis drei Jahre lang auf dem Gebärstuhl gesessen, aber es ist danach nichts als Wind herausgekommen. Nicht genug, daß wir nicht gewürdigt wurden das Kind zu sehen, um das wir uns so sehr gemüht und das wir schon für ganz sicher gehalten haben: wir sind leider stecken geblieben. Mein Gott und Herr, deswegen verzagt dein Volk Israel doch nicht und hofft täglich darauf, daß du es in deiner Barmherzigkeit erlösen wirst. Wenn sich die Erlösung auch verzögert, so hoffe ich doch an jedem Tage, daß sie kommen wird. Wenn es dein heiliger Wille sein wird, so wirst du deines Volkes Israel schon gedenken.

Was für Freude herrschte, wenn man Briefe bekam, [die von Sabbatai Zewi berichteten,] ist nicht zu beschreiben[6]). Die meisten Briefe haben die Portugiesen bekommen. Sie sind immer damit in ihre Synagoge gegangen und haben sie dort vorgelesen. Auch Deutsche, jung und alt, sind in die Portugiesen-Synagoge gegangen.

---

[6]) Vielleicht ist an ähnliche Briefe wie die begeisterten Sendschreiben zu denken, die Nathan Ghazati, der Prophet des Messias Sabbatai Zewi, über dessen Auftreten an auswärtige Gemeinden sandte. Graetz, Gesch. d. Juden, X, 205.

Die portugiesischen jungen Gesellen haben sich allemal ihre besten Kleider angetan und sich grüne, breite Seidenbänder umgebunden — das war die Livrei von Sabbatai Zewi. So sind sie alle „mit Pauken und Reigentänzen" in ihre Synagoge gegangen und haben mit einer Freude, „gleich der Freude beim Wasserschöpfen"[7]), die Schreiben vorgelesen. Manche haben Haus und Hof und alles Ihrige verkauft, da sie hofften jeden Tag erlöst zu werden. Mein sel. Schwiegervater, der in Hameln wohnte, ist von dort weggezogen, hat sein Haus und seinen Hof und alle guten Hausgeräte, die darin waren, stehen lassen und seine Wohnung nach Hildesheim verlegt. Von dort hat er uns hierher nach Hamburg zwei große Fässer mit Leinenzeug geschickt; darin waren allerhand Speisen, wie Erbsen, Bohnen, Dörrfleisch, Pflaumenschnitz und ähnlicher Kram und alles, was sich gut hält. Denn der alte Mann hat gedacht, man würde ohne weiteres von Hamburg nach dem Heiligen Lande fahren. Diese Fässer haben wohl länger als ein Jahr in meinem Hause gestanden. Endlich haben sie (meine Schwiegereltern) Furcht gehabt, das Fleisch und die übrigen Sachen würden zugrunde gehen. Da schrieben sie uns, wir sollten die Fässer aufmachen und die Eßwaren herausnehmen, damit das Leinenzeug nicht zu schanden werde. So haben die Fässer wohl drei Jahre gestanden und mein Schwiegervater hat immer gemeint, er sollte es zu seiner Reise

---

[7]) Zur Zeit des zweiten Tempels zu Jerusalem wurde in den Nächten des Hüttenfestes das zum Gußopfer des folgenden Tages erforderliche Wasser in feierlichem Zuge bei glänzender Beleuchtung der ganzen Stadt aus einer nahen Quelle geholt. „Wer die Freude beim Wasserschöpfen nicht gesehen hat, hat nie eine richtige Freude gesehen." Mischna Sukka, V, 1.

brauchen. Aber dem Höchsten hat es noch nicht gefallen [uns zu erlösen]. Wir wissen wohl, daß der Höchste es uns zugesagt hat, und wenn wir von Grund unsres Herzens fromm und nicht so böse wären, so weiß ich gewiß, daß sich Gott unser erbarmen würde. Wenn wir doch nur das Gebot hielten: Liebe deinen Nächsten wie dich selbst! Aber Gott soll sich erbarmen, wie wir das halten! Die Eifersucht, der grundlose Haß, der unter uns herrscht — das kann nicht gut tun. Dennoch, lieber Herrgott, was du uns zugesagt hast, das wirst du königlich und gnädiglich halten. Wenn es sich auch durch unsere Sünden so lange verzögert, so werden wir es doch gewiß haben, wenn deine festgesetzte Zeit da ist. Darauf wollen wir hoffen und zu dir beten, großer Gott, daß du uns einmal mit der vollkommenen Erlösung erfreuest. Für diesmal will ich die Materie beschließen und wieder [mit meiner Erzählung] anfangen.

Während ich mit meiner Tochter Mate im Kindbett lag, fing man in Hamburg an zu munkeln, daß — behüte Gott — d i e P e s t in der Stadt wäre[8]). Endlich hat sie so überhand genommen, daß auch drei oder vier

---

8) Die Pest, von der Glückel hier spricht, begann, wie Janibals Chronik von Hamburg berichtet, im Juli 1664 und zwar so stark, daß „etliche Häuser ledig sturben" und wöchentlich ca. 150 Menschen begraben wurden. Gl. erwähnt hauptsächlich das, was sie in ihrem engeren jüdischen Kreise von dem Auftreten der Pest wahrgenommen hat. Ihre Schilderung zeigt uns sehr deutlich, wie schon damals Leuten, die aus einer verseuchten Stadt kamen, in anderen Orten durch übertriebene Aengstlichkeit das Leben schwer gemacht wurde. Aehnliche traurige Erfahrungen sind vielen Hamburgern, die die schwere Cholera-Epidemie des Jahres 1892 mitgemacht haben, noch in lebendiger Erinnerung.

Judenhäuser davon ergriffen wurden und wirklich alle, die darin waren, ausgestorben sind, so daß die Häuser fast ledig standen. Es war eine arge Zeit der Not und des Elends; ist man doch sogar — Gott sei's geklagt — mit den Toten elend umgegangen. Da sind die meisten jüdischen Familien von Hamburg nach Altona gezogen. Die Leute hatten für einige Tausend Taler Pfänder, darunter solche von 10—30 und sogar bis 100 Taler im Wert. Denn wenn man Geschäfte mit Pfändern machte, mußte man ebensogut 20 Taler wie 5 Schilling auf Pfänder leihen. Nun war die Pest in der ganzen Stadt und wir hatten keine Ruhe vor dem Volk. Wenn wir auch wußten, daß sie sich schon angesteckt hatten, mußten wir ihnen doch ihre Pfänder zum Einlösen geben, und wären wir auch nach Altona gezogen, so wären sie uns auch dorthin nachgekommen. Darum haben wir uns entschlossen mit unseren Kinderchen nach Hameln zu reisen, wo mein Schwiegervater damals wohnte. So sind wir denn sogleich am Tage nach dem Versöhnungstage von Hamburg weggereist und sind einen Tag vor dem Laubhüttenfeste in Hannover angelangt. Dort waren wir im Hause meines Schwagers Abraham Hameln zu Gaste, der zur selben Zeit noch in Hannover wohnte[8a]. Weil es so nahe zum Festtage war, sind wir über das Laubhüttenfest in Hannover geblieben. Ich habe meine Tochter Zipporah bei mir gehabt, die damals vier Jahre alt war, meinen zweijährigen Sohn Nathan und meine sel. Tochter Mate, die ungefähr acht Wochen alt war. Mein Schwager Loeb Hannover[8b] hatte uns für die ersten

---

[8a]) S. oben S. 40.
[8b]) Er war mit Esther, der Schwester Chaim Hamelns vermählt, s. S. 65.

Tage des Festes eingeladen[9]) und in seinem Hause war auch die Betschule. Als nun mein sel. Mann am zweiten Festtage morgens in der Betschule war, war ich noch unten in der Stube und wollte meine Tochter Zipporah anziehen ... Wie ich sie nun angezogen habe, da hat sich das Kind sehr gekrümmt, wenn ich es angerührt habe. Ich fragte sie: „Was fehlt dir, liebes Kind?" Sie antwortete: „Liebe Mutter, unter meinem Arme tut es mir sehr weh." Wie ich nun zusehe, was dem Kinde fehlt, hat es ein Geschwür unter dem Arm. Nun hatte mein Mann auch ein kleines Geschwür gehabt, da hatte ihm ein Barbier in Hannover ein kleines Pflästerchen aufgelegt. So sage ich denn zu der Magd, die ich bei mir hatte: „Geh zu meinem Mann — er ist oben in der Schul — und frage ihn, bei welchem Barbier er gewesen ist und wo er wohnt. Dann geh mit dem Kinde hin und laß ihm ein Pflaster auflegen." Ich habe mir nichts Böses dabei gedacht. Die Magd geht nun hin, fragt meinen Mann danach und bekommt von ihm Antwort. Nun muß man durch die Weiberschul hindurchgehen, wenn man in die Männerschul gehn will. Wie nun die Magd herausgeht, sitzen meine Schwägerinnen Jente, Sulka und Esther in der Schul und fragen die Magd: „Was hast du in der Männerschul getan?" Da sagt die Magd ganz arglos, ohne an etwas Böses zu

---

[9]) Gl. gebraucht hier den noch heute in Hamburg zuweilen angewendeten Ausdruck „gepreit". Preien für Einladen ist im Jüdisch-Deutschen sehr gebräuchlich und ist wahrscheinlich aus dem französischen prier entstanden. Das zeigt sich besonders deutlich in dem Ausdruck „Mechiloh preien", d. i. einen Toten um Verzeihung bitten. Grünbaum, Jüdischdeutsche Chrestomathie, S. 35.

5 F e i l c h e n f e l d, Glückel von Hameln.

denken: „Unser Kind hat ein Geschwür unterm Arm; da hab' ich meinen Herrn gefragt, bei welchem Barbier er sein Geschwür hat heilen lassen; da will ich mit dem Kind auch hingehen." Die Weiber erschraken gleich sehr, da sie ohnedies in solchen Dingen große Feiglinge waren und weil wir von Hamburg, aus solchem Verdacht, gekommen sind. Sie steckten also eifrig die Köpfe zusammen und sprachen darüber. Nun war in der Frauenschul auch eine Fremde, eine alte Polin, die hörte auch von der Sache und sah, daß meine Schwägerinnen so sehr erschrocken waren. Da sagte sie zu ihnen: „Erschreckt euch nicht, es wird nichts sein; ich habe wohl schon zwanzigmal mit solchen Dingen zu tun gehabt; wenn ihr es haben wollt, so will ich hinaufgehen und das kleine Mädchen besehen und werde euch dann sagen, ob es gefährlich ist und was ihr dabei tun sollt." Die Frauen waren es zufrieden und baten sie, doch ja genau zuzusehen, damit sie nicht — Gott behüte — in Gefahr kämen. Ich habe von diesem Gerede gar nichts gewußt. Da kommt die alte Polin herauf und fragt: „Wo ist das kleine Mädel?" Ich sage: „Warum?" „Ei," sagt sie, „ich bin eine Heilkundige, ich will bei dem Mädel etwas anwenden[10]), dann soll es bald besser werden." Ich denke an nichts Böses und führe das Kind zu ihr. Sie besieht das Kind und läuft gleich von ihm weg; dann läuft sie wieder hinauf zu den Weibern und erhebt ein großes Geschrei: „Flieht alle hinweg, wer nur fliehen und laufen kann, denn ihr habt leider die richtige Pest

---

[10]) „ich will dem maidel was brauchen." Die Anwendung abergläubischer Kuren bezeichnet das niederdeutsche Volk mit: jemandem etwas gebrauchen. Landau, Glossar zu Glückel, S. 50.

im Haus, das Mädel hat die Seuche ganz richtig an sich." Nun kann man sich wohl denken, was da für ein Schrecken und Geheul unter den Weibern war, besonders bei solchen Angsthasen. Männer und Frauen sind alle sogleich mitten in den besten Gebeten am heiligen Festtage aus der Betschule gelaufen. Die Magd mit dem Kind haben sie gleich genommen und vor die Türe gestoßen und keiner wollte sie in sein Haus aufnehmen. Man kann sich wohl vorstellen, wie uns zumute war. Ich habe in einem fort geweint und geschrieen und die Leute um Himmels willen gebeten und gesagt: „Seht doch zu, was ihr tut; meinem Kind fehlt nichts; ihr seht ja wohl, daß mein Kind Gottlob frisch und gesund ist. Das Kind hat einen fließenden Kopf gehabt; bevor ich von Hamburg weggereist bin, habe ich es eingeschmiert; da hat sich der Fluß vom Kopf zum Geschwür gezogen. Wenn einer — Gott behüte — so etwas an sich hat [wie ihr meint], hat er zehnerlei besondere Zeichen an sich. Seht, mein Kind läuft doch auf der Gasse herum und ißt ein' Stuten[11]) aus der Hand." Aber das hat alles nichts geholfen. Sie sagten: „Wenn das zutage kommen sollte, wenn Seine Hoheit unser Herzog[11a]) davon erfährt, daß man in seiner Residenzstadt so etwas hat, was sollte das für ein Elend geben!" Und die Alte hat sich vor mich hingestellt und mir ins Gesicht gesagt, sie wolle ihren Hals hingeben, wenn das Kind nicht etwas Böses an sich hat. Was sollten wir tun? Ich habe gebeten: „Um der Barmherzigkeit willen, laßt mich bei dem

---

[11]) „Stuten" ist ein hamburgischer Ausdruck für kleine, weckenförmige Brötchen aus Weizenmehl.

[11a]) Der in Hannover residierende Herzog der jüngeren Linie des Hauses Braunschweig-Lüneburg.

Kinde bleiben! Wo mein Kind bleibt, da will ich auch
sein. Laßt mich nur heraus zu ihm!" Das haben sie
auch nicht leiden wollen. Schließlich haben sich mein
Schwager Abraham [Hameln] und mein Schwager Leffmann [Behrens] und mein Schwager Loeb [Hannover] mit
ihren Frauen zu einem Konsilium zusammengesetzt und
überlegt, was zu tun sei: wo man die Magd mit dem
Kinde hintue und wie man alles vor der Regierung geheim halte; denn es wäre große Lebensgefahr, wenn
der Herzog es gewahr werden sollte. Sie sind also zu
dem Beschluß gekommen: man solle dem Kinde und
der Magd alte, zerrissene Kleider anziehen und sie sollten auf ein Dorf gehen, das keine Sabbatstrecke von
Hannover entfernt ist. Das Dorf hat Peinholz[12]) geheißen.
Dort sollte sie sich in ein Bauernhaus begeben und
sagen, die Juden in Hannover hätten sie am Feiertag
nicht beherbergen wollen, weil sie schon so viele arme
Leute hätten, und hätten sie auch nicht einmal in die
Stadt hineingelassen. So wollten sie bei ihnen auf dem
Dorfe die Feiertage halten und ihnen für ihre Mühe
bezahlen. Auch wissen wir gewiß (so sollten sie hin-
zufügen), daß sie uns in Hannover Essen und Trinken
schicken werden; denn sie werden uns über die Feiertage nicht Hunger leiden lassen. In Hannover ist ein
alter Mann, ein Polack, zu Gast gewesen, den haben
sie gedungen nebst der alten Poläckin, von der ich gesprochen habe; diese beiden sollten einige Tage bei ihnen
bleiben, bis man sicht, wie es abläuft. Die beiden haben
aber nicht von der Stelle gehen wollen, man solle ihnen

---

12) Wahrscheinlich ist Hainholz gemeint, heutzutage ein
Vorort von Hannover (s. Landau, a. a. O., S. 66).

erst dreißig Taler geben, wenn sie sich in eine solche Gefahr begeben sollten. So haben denn meine Schwäger Abraham, Leffmann und Loeb wieder ein Konsilium abgehalten und den Lehrer in Hannover, der auch ein großer Talmudgelehrter war, hinzugenommen und darüber nachgelernt[13]), ob man den Festtag entweihen dürfe, indem man ihnen Geld gebe. Schließlich haben sie alle darin übereingestimmt, daß man ihnen das Geld geben solle, weil es sich doch um eine Lebensgefahr handelte. Also haben wir unser liebes Kind am heiligen Festtage von uns schicken und uns einreden lassen müssen, daß das Kind — Gott behüte — etwas an sich hätte. Ich will jeden Vater und jede Mutter darüber urteilen lassen, wie uns zumute war. Mein sel. Mann hat sich in einen Winkel gestellt und geweint und zu Gott gefleht und ich in einen anderen Winkel[14]). Es war sicher meines frommen Mannes Verdienst, daß Gott ihn erhört hat. Ich glaube nicht, daß unserm Erzvater Abraham, wie er seinen Sohn opfern sollte, weher zumute gewesen ist als uns damals. Denn der Erzvater Abraham hat solches auf Gottes Geheiß und aus Liebe zu Gott getan und hat darum in seinem Leid doch noch Freude empfunden. Aber uns ist unter Fremden so eine Schickung zugekommen, die uns gar sehr zu

13) D. i. die einschlägigen talmudischen Bestimmungen darüber zu Rate gezogen.

14) In Raschis Kommentar zur Thora wird die Bibelstelle Genesis 25,21 im Anschluß an eine talmudische Auffassung so gedeutet, daß Isaak und Rebekka sich jeder in einen anderen Winkel gestellt und wegen des noch versagten Kindersegens zu Gott gebetet haben; Gott habe aber den Isaak als den Sohn des frommen Abraham zuerst erhört.

Herzen gegangen ist. Aber was sollte man tun? Man muß sich mit Geduld in alles fügen. „Sowie man Gott für das Gute preist, so muß man ihn für das Schlimme preisen." Ich habe meiner Magd ihre Kleider verkehrt angezogen und das Zeug von dem Kind in Bündelchen gebunden, habe der Magd ein Bündel wie einer Bettlerin aufgebunden und dem Kind auch alte, zerrissene Lumpen angetan. So sind denn meine gute Magd mit meinem lieben Kinde und der alte Mann und die Frau nach dem Dorf abmarschiert. Man kann sich denken, was wir dem lieben Kind für einen Priestersegen[15]) nachgesagt und mit wieviel hundert Tränen wir es von uns geschickt haben. Das Kind selbst ist lustig und fröhlich gewesen wie ein Kind, das noch von nichts weiß. Wir andern aber, so viele unser in Hannover waren, haben alle geweint und zu Gott gefleht und den heiligen Festtag in lauter Schmerz zugebracht. Die sind nun nach dem Dorf gegangen, sind auch in einer Herberge in einem Bauernhause wohl aufgenommen worden, da sie Geld bei sich hatten — und so lange man das hat, machen sich es die Leute zunutze. Der Bauer hat sie gefragt: „Es ist ja euer Festtag, warum seid ihr nicht bei Juden?" Darauf haben sie geantwortet, daß schon viele arme Leute in Hannover wären; darum hätte man verboten sie einzulassen; aber sie meinten doch, daß die Juden von Hannover ihnen über die Feiertage Essen herausschicken würden. Wir sind unterdessen wieder in die Betschule gegangen; aber man hatte schon zu Ende

---

[15]) Bei der Abreise von Angehörigen und Freunden rufen fromme Juden den Scheidenden die Worte des Priestersegens (Numeri 6, 22 ff.) als Abschiedsgruß nach.

70

gebetet. Zu jener Zeit war Juda Berlin in Hannover, der damals noch ledig war und schon mit uns Geschäfte gemacht hatte. Auch war ein junger Mann aus Polen, namens Michel, dort, der die Kinder unterrichtete. Später hat er eine Frau aus Hildesheim genommen und wohnt jetzt in Reichtum und Ehre in Hildesheim und ist dort Vorsteher. Er war damals so ein halber Bedienter mit im Hause, wie dies Brauch in Deutschland ist, wenn sie Talmudjünger zum Unterrichten der Kinder bei sich haben. Wie man nun aus der Betschule gekommen war, hat mein Schwager Loeb uns zur Mahlzeit rufen lassen; denn er hatte uns, wie schon erwähnt, am Tage vor dem Feste zu sich eingeladen. Aber mein sel. Mann sagte: „Ehe wir essen, muß ich erst dem Kinde und den anderen etwas zu essen bringen." „Ja, gewiß," sagten die anderen, „du hast recht; wir wollen nicht eher etwas essen, als bis die draußen etwas haben." Das Dorf war nämlich sehr nahe bei Hannover, etwa so wie Altona bei Hamburg. Darauf hat man Essen zusammengebracht, ein jeder hat von dem seinigen etwas hergegeben. „Wer soll es nun hinbringen?" hieß es jetzt. Ein jeder scheute sich davor. Da sagte Juda: „Ich will es ihnen bringen," und Michel sagte: „Ich will mitgehen." Mein sel. Mann, der das Kind sehr lieb hatte, ist gleichfalls mitgegangen. Aber die Hannöverschen wollten ihm nicht trauen; denn sie dachten, wenn mein Mann hinausginge, würde er es nicht unterlassen zu dem Kinde zu gehen. Darum ist mein Schwager Leffmann auch mitgegangen. So gingen sie zusammen und brachten das Essen hinaus. Unterdessen ist die Magd mit dem Kind und ihre Gesellschaft vor großem Hunger auf dem Felde herumspaziert. Als das Kind meinen sel. Mann sah, war es voller Freude und wollte, wie es so ein Kind tut, gleich zum Vater laufen. Da schrie mein Schwager Leffmann, man solle das Kind zurückhalten und der alte Mann solle kommen das Essen zu holen. Meinen Mann mußten sie förmlich beim Strick halten, daß er nicht zu dem lieben Kind herankommen sollte. So hat er und das Kind geweint; denn mein Mann hat gesehen, daß das Kind Gottlob frisch und gesund war, und durfte doch nicht zu ihm kommen. So haben sie denn das Essen und Trinken auf das Gras niedergestellt und die Magd und ihre Gesellschaft haben es abgeholt; mein Mann und seine Gesellschaft sind dann wieder weggegangen. Das hat nun bis zum achten Tage des Hüttenfestes gedauert. Der alte Mann und die Frau haben Pflaster und Salbe bei sich gehabt und alles, was dazu gehört ein Geschwür zu heilen. Sie haben dem Kinde das Geschwür auch hübsch ausgeheilt und das Kind war frisch und gesund und ist wie ein junges Hirschchen auf dem Felde herumgesprungen. Nun sagten wir zu den Hannöverschen: „Was wird aus eurer Torheit werden? Ihr seht ja, daß das Kind frisch und gesund ist und gar nichts Gefährliches mehr hat; laßt das Kind doch jetzt wieder hereinkommen!" So haben sie wieder Beratung gehalten und sind dabei verblieben, daß man nicht eher als am Simchat Thora[16]) das Kind mit seiner Gesellschaft wieder nach Hannover kommen lassen solle. Wir mußten uns auch das gefallen lassen. Am Simchat Thora ist Michel hinausgegangen und hat

---

[16]) Fest der Gesetzesfreude, d. i. der 9. Tag des Hütten·festes.

das Kind mit seinen Leuten wieder nach Hannover gebracht. Wer die Freude nicht gesehen hat, die mein
Mann und ich und alle Anwesenden hatten [der kann
sich's nicht vorstellen]. Wir mußten vor großer Freude
weinen und jeder hätte das Kind gern aufgegessen.
Denn es war so ein schönes, zutunliches Kind, das nicht
seinesgleichen hatte. So hat man das Kind lange Zeit
nicht anders genannt als die Jungfrau von Peinholz.

.... Wir blieben noch bis gegen Anfang des Monats
Marcheschwan[17]) in Hannover; dann reisten wir mit unseren Kinderchen und der Magd nach Hameln und hatten
vor dort nur so lange zu bleiben, bis in Hamburg wieder
alles gut stände. Wir hatten aber doch keine Ruhe dort;
denn wir steckten in großen Geschäften und hatten einen
Mann in Polen, der „der grüne Moscheh" hieß. Von
diesem erfuhren wir durch Briefe, daß er mehr als
600 Lot Unzen-Perlen beisammen habe und mit diesen
nach Hamburg gekommen sei. Von dort schrieb er an
meinen Mann, er sollte sofort nach Hamburg kommen.
Mein Mann reiste aber nicht sogleich, sondern blieb noch
ungefähr 14 Tage in Hameln; denn es stand noch
sehr schlecht in Hamburg und meine Schwiegereltern
wollten nicht leiden, daß mein Mann sich in Gefahr be-
gäbe und nach Hamburg reiste. Sie wollten auch nicht
einmal erlauben, daß wir einen Brief von dort annähmen,
und wenn ein Brief ankam, so mußten wir ihn zwei- oder
dreimal ausräuchern und, wenn wir ihn kaum gelesen
hatten, ihn in das Wasser der Leine werfen[18]). Einmal

---

[17]) Dieser Monat beginnt eine Woche nach dem Hütten-
feste.

[18]) Glückel verwechselt hier die Weser, an der Hameln
liegt, mit der Leine, die ihr von Hannover her bekannt war.

sitzen wir beieinander und schwatzen; da kommt der grüne Moscheh plötzlich in die Stube hinein. Es war im kalten Winter und er hatte eine Kapuze über den Kopf gezogen. Wir erkannten ihn aber sofort und winkten ihm, daß er hinausgehen solle. Denn es war kein anderer in der Stube, der ihn gesehen hatte, und wenn meine Schwiegereltern gewußt hätten, daß einer von Hamburg zu uns gekommen wäre, so hätten sie uns mit ihm weggejagt. Wirklich war es der Regierung gegenüber sehr gefährlich, es konnte einem sogar ans Leben gehen, wenn man jemanden von Hamburg bei sich hatte, und die Reisenden wurden auf allen Plätzen und unter allen Toren gar scharf examiniert. Wir fragten den grünen Moscheh: „Wie bist du in die Stadt hineingekommen?" Darauf sagte er: „Ich habe gesagt, daß ich ein Schreiber bei dem Amtmann von Hachem[19]) bin — das ist ein Dorf nicht weit von Hameln." Was sollten wir nun tun? Er war nun einmal da und hatte alle die Perlen bei sich. Nun konnten wir ihn doch nirgends so verstecken, daß es meine Schwiegereltern nicht erfuhren. Wir mußten es ihnen sagen, und wenn es ihnen auch nicht gefiel, so war es doch nicht zu ändern. Der grüne Moscheh ließ nun nicht nach zu bitten, daß mein Mann mit ihm reisen und die Perlen verkaufen sollte, damit er wieder wegfahren und neue Ware einkaufen könnte. Was sollte mein Mann nun tun? Es steckte viel Geld darin und es ist auch nicht gut solche Waren

---

[19]) Ein kleiner hannöverscher Ort Hayen liegt an der Weser, etwas südlich von Hameln. Dagegen ist ein Ort Hochheim, den Kaufmann aus dem Worte herausliest, in dieser Gegend nicht zu finden.

74

lange liegen zu lassen; denn es ist kein großer Verdienst daran, und wenn sie lange liegen, wird durch die 'Zinsen der Verdienst aufgezehrt. So entschloß er sich mit dem grünen Moscheh nach Hamburg zu reisen, um sich zu bemühen, die Perlen dort zu verkaufen und auch zu sehen, wie es in Hamburg stände, daß ich mit den Kindern wieder in mein Nestchen kommen könnte. Denn ich war es sehr müde [in der Fremde zu sein]. Wenn wir auch an keinerlei Dingen Mangel hatten, so war ich doch an Hamburg gewöhnt und wir hatten dort unser Geschäft. So kam denn mein Mann nach Hamburg und ging sogleich mit seinen Perlen, die wohl 6000 Reichstaler Banko wert waren, zu Großkaufleuten, besonders zu einigen Moskaufahrern[20]). Er war wohl bei sechs Kaufleuten, aber sie machten ihm alle kein gutes Angebot, so daß er zu wenig daran verdient hätte. Nun wußte mein Mann nicht, was er tun sollte. Damals stand man im Monat Schwat (Januar oder Anfang Februar). Er hatte Wechsel zu bezahlen, die er zum Einkauf der Perlen gebraucht hatte. Im Monat Aw (etwa im Juli oder August) fahren die moskowitischen Schiffe alle von Hamburg weg; so war also im Tamus (etwa im Juni oder Juli) die beste Zeit, die Perlen zu verkaufen. Weil nun zu schlechte Preise geboten worden waren, entschloß sich mein Mann, die Perlen zu versetzen und ließ sich darauf 6000 Reichs-

[20]) Die Hamburger Kaufleute, die nach einem und demselben Lande Handel trieben, schlossen sich schon im 14. und 15. Jahrhundert zu Handels- und Schiffahrtsgesellschaften zusammen, unter denen die Flandern-, England- und Schonenfahrer die angesehensten waren. Später kamen die Bergenfahrer, noch später die Moskaufahrer hinzu, die nach dem Moskowiterreiche Handel trieben.

taler geben. Er dachte, er würde im Monat Tamus bessere Preise bekommen. Aber weit gefehlt — es kamen Briefe aus Moskovia[2)a]), [die meldeten], daß dort ein großer Krieg sei[21]). Da verloren die Kaufleute alle den Mut Perlen zu kaufen. Jetzt mußte mein Mann den Posten verkaufen und bekam über 4000 Reichstaler weniger, als ihm früher geboten worden war, mußte außerdem auch noch für ein halbes Jahr Zinsen bezahlen. Darum ist allezeit der erste Käufer der beste; darauf muß man achten und ein Kaufmann muß wissen. ebenso schnell ja, wie nein zu sagen.

Mein Mann war nun in Hamburg und erkundigte sich, wie es dort stand. Da sagte ihm jeder, es wäre jetzt still, und es war auch wirklich so. Da schickte mir mein Mann einen Reisebegleiter, namens Jakob. Es war ein sehr treuer Mensch, aber er hatte den Fehler, daß er gern trank und sich [des Trinkens] wirklich gar nicht enthalten konnte. Mein guter Jakob kam also nach Hannover und schrieb mir von dort, daß ich mit meinen Kindern auch dorthin kommen sollte. Denn von dort nimmt man die Post nach Hamburg. Jetzt schrieb ich sofort nach Hildesheim an den jungen Abraham Kantor, der früher einmal bei uns gedient hatte; er solle sogleich zu mir nach Hameln kommen und mit mir nach Hamburg reisen. So fuhren wir nach Hannover und fanden unseren

---

[20a]) = Rußland.

[21]) Vermutlich handelte es sich um kriegerische Verwicklungen zwischen dem Moskowiterreiche und Polen, wie sie unter den ersten Zaren aus dem Hause Romanow sehr häufig waren.

„geschossenen Jakob"[22]) dort. Der ging sofort zu dem Postverwalter, der sein geschworener Saufbruder war, mietete Freitag für uns die Post und wir blieben am Sabbat in Hannover. Es war ein sehr elendes Wetter und ich hatte drei kleine Kinder bei mir. Den ganzen Sabbat über haben mein Schwager Leffmann und meine Schwägerin Jente mit dem Jakob geredet und ihn gebeten, er solle ja gut auf uns acht geben und alle Vorsicht gebrauchen und sich nur ja nicht betrinken, wie seine Gewohnheit war. Er sagte ihnen auch mit Hand und Mund zu sich nicht zu betrinken und nur nach seinem Bedarf zu trinken. Aber wie er das gehalten hat, werdet ihr gleich vernehmen. Am Sonntag früh reisten wir von Hannover weg, ich und meine Kinder — Gott behüte sie — auch die Magd und der Diener und mein geschickter Gehilfe Jakob. Nun reist auf dieser Fahrt immer der Postverwalter selbst mit, und dieser war, wie schon erwähnt, Jakobs Saufbruder. Der Jakob half uns nun auf die Wagen und machte alles zurecht; dann ging er und der Postverwalter neben den Wagen her. Ich dachte, sie würden bis außerhalb des Tores gehen und sich dann zu uns auf die Wagen setzen. Als wir nun außerhalb des Tores waren, sagte ich zu Jakob, er solle sich nun mit dem Postverwalter auch setzen, damit wir uns nicht aufhielten und beizeiten in die Herberge kämen. Der Jakob aber sagte: „Fahrt ihr nur in Gottes Namen für euch; ich und der Postverwalter wollen noch um das Dorf gehen, weil der Verwalter einen im Dorfe sprechen

---

[22]) Unter diesem Namen ist der Mann schon (S. 39) als Diener der Familie Hameln erwähnt worden; dort ist auch erklärt, wie er zu seinem Beinamen gekommen ist.

will. Wir wollen so schnell gehen, wie ihr fahrt, und werden gleich wieder bei euch sein." Ich habe aber den geheimen Grund nicht gewußt. Das Dorf liegt dicht bei Hannover und heißt Langenhagen — es ist eine ganze Meile lang, und im ganzen Lande gibt es keinen besseren Broyhan[23]) als in diesem Dorf. So hat sich denn mein guter Helfer Jakob mit dem Posthalter hübsch in Langenhagen den ganzen Tag und ein gut Stück von der Nacht zum Trinken hingegeben. Ich wußte davon nichts; wir fuhren für uns und ich habe mich alle Augenblicke nach meinem Jakob umgesehen; aber wer nicht kam, war mein Jakob. So fuhren wir weiter bis an einen Paß, zwei Meilen von Hannover, wo man Zoll bezahlen muß[24]). Der Postillon sagte mir: „Hier muß man Zoll bezahlen." Ich bezahlte den Zoll und bat den Postillon weiterzufahren, damit wir beizeiten in die Herberge kämen. Denn es war ein Wetter, daß man keinen Hund hätte hinausjagen mögen — es war so um die Zeit von Purim[25]) — es regnete und schneite so durcheinander, und wie es vom Himmel auf uns gefallen ist, so ist es gefroren. Die Kinder litten sehr darunter und auch ich

---

[23]) Broyhan ist eine Art Weizenbier von süßem, würzigem Geschmack, das seinen Namen von seinem „Erfinder" Curd Broyhan, einem Braumeister aus der Nähe von Hannover, erhalten haben soll. Der Name ist noch heute in H. gebräuchlich. (Mitteilung des Herrn Oberlehrer M. Zuckermann in Hannover.)

[24]) Diese Zollgrenze lag wahrscheinlich beim Uebergang aus dem Calenberger Land in das Herzogtum Lüneburg-Celle, die damals zwei verschiedenen Linien des herzoglichen Gesamthauses gehörten. Siehe G. Droysen, Historischer Atlas, Karte 23: „Die Welfischen Lande" und den zugehörigen erläuternden Text.

[25]) Purim = Fest der Lose oder jüdische Fastnacht, fällt in den Februar oder März.

selbst. Ich bat den Postillon noch einmal, er sollte doch weiterfahren. „Er sieht ja wohl," sagte ich, „was das für ein Wetter ist, daß wir da unter freiem Himmel so stehen müssen." Der Postillon sagte aber: „Ich darf hier nicht wegfahren, bis der Posthalter kommt; der hat mir befohlen, ich soll hier so lange auf ihn warten, bis er mit Jakob zu uns kommt." Was sollte ich tun? Wir saßen so noch zwei Stunden, bis der Zöllner kam der uns vom Wagen steigen ließ und uns aus Mitleid in seine warme Stube nahm, wo sich die Kinder wieder durchwärmen konnten. Dort brachten wir auch noch eine Stunde zu. Dann sagte ich zu dem Zöllner: „Ich bitt' dich, Herr, mache doch, daß der Postillon fortfährt, damit ich vor Nacht mit meinen kleinen Kindern in die Herberge komme. Denn der Herr sieht ja wohl, was das für ein Wetter ist, daß man bei Tage nicht fortkommen kann. Wo soll man da in der finstern Nacht hin? Wenn — Gott behüte — in der Nacht ein Wagen umschlagen sollte, wäre es ja rein um den Hals zu brechen." Der Zöllner sagte darauf zum Postillon, er solle stracks fortfahren. Der Postillon erwiderte: „Wenn ich fortfahre, bricht der Posthalter Petersen mir den Hals und ich kriege keinen Pfennig vom Fuhrlohn." Aber der Zöllner war ein gar wackerer, guter Mann und er nötigte den Postillon mit uns fortzufahren. „Wenn die beiden versoffenen Schelme kommen," sagte er, „mögen die jeder ein Pferd nehmen und nachreiten; ihr bleibt doch in der Herberge über Nacht liegen." So fuhr nun der Postillon mit uns fort; es war zwar böses Wetter, als wir fortfuhren, aber wir kamen doch hübsch bei guter Zeit in der Herberge an, wo wir eine gute, warme

Stube und alles Entgegenkommen fanden. Obwohl die
Stube voll von Fuhrleuten und anderen Reisenden
steckte, daß es sehr eng darin war, so haben uns doch
die Leute allen guten Willen gezeigt und Mitleid mit
den Kindern gehabt, die keinen trockenen Faden an sich
hatten. Ich habe ihre Kleiderchen zum Trocknen auf-
gehängt, so daß die Kinder wieder zu sich kamen. Wir
hatten auch gutes Essen bei uns und in dem Wirtshaus
gab es gar guten Broyhan. So konnten wir uns nach
unserer mühseligen Reise an Essen und Trinken er-
quicken; wir haben noch lange in der Nacht aufgesessen
und haben gemeint, daß unsere beiden Saufbrüder
kommen sollten. Aber es kam niemand; da habe ich
mir eine Streu machen lassen und mich mit meinen Kinderchen darauf gelegt. Ich konnte noch nicht schlafen,
aber ich habe Gott gedankt, daß ich meine Kinder zur
Ruhe gebracht hatte. So lag ich noch in Gedanken bis
ungefähr um Mitternacht; da höre ich ein furchtbares
Geschrei in der Stube. Der Posthalter kommt in seiner
Trunkenheit mit bloßem Degen in die Stube und fällt
über den Postillon her, um ihn zu töten, weil er für
sich weitergefahren ist. Der Postillon verantwortet sich,
so gut er kann. Der Wirt kommt auch herein und sie
machen, daß der Posthalter sich endlich zufrieden gibt.
Ich saß im Winkel und war so still wie ein Mäuschen[25a]);

[25a]) Im Original: Ich bin nebbich gesessen in winkelchen
und g e t a s s t als ein Mäuschen. Landau, a. a. O., S. 53 will
getüsst lesen, vom niederdeutschen tüssen = beschwichtigen,
zum Schweigen bringen, von der Interjektion tüss = stille!
Vgl. Grünbaum, S. 261: „Sitz an Deinem Tisch und schweig
as ein Maus, bis Du hast gebenscht ganz aus" (Buch des
ewigen Lebens).

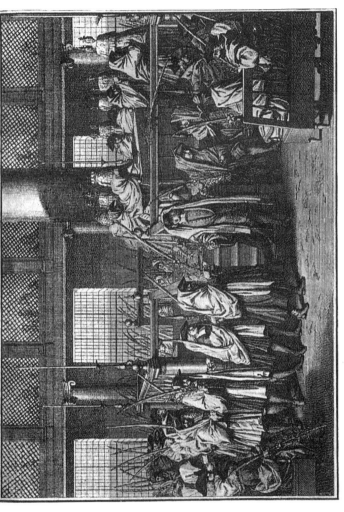

PROCESSION *des* PALMES *chez les* JUIFS PORTUGAIS.

denn es ist ein Trunkenbold und ein Verrückter gewesen und ich bin doch in eitel Angst gesessen, daß ich den Jakob nicht gesehen habe. Ein Weilchen danach hat der Posthalter sich zum Essen hingesetzt und ich habe gesehen, daß ihm die Wut etwas vergangen ist. Da bin ich zu ihm gegangen und habe gesagt: „Herr Petersen, wo habt Ihr denn meinen Jakob gelassen?" „Wo soll ich ihn gelassen haben? Er hat nicht weiter fortkommen können, da ist er an einem Zaun dicht an einem Wasser liegen geblieben; zur Stunde mag er schon versoffen sein." Das hat mich nun sehr erschreckt, ich habe nicht gewußt, was ich tun sollte; es ist doch ein Mensch und ein Jude gewesen, und ich war allein. Ich habe den Wirt gebeten, er sollte mir zwei Bauern schicken; die sollten sehen, daß sie ihn finden und herbringen. So sind die beiden Bauern geritten und eine halbe Stunde vom Dorf haben sie meinen guten Jakob wie einen Erschlagenen gefunden, abgemartert vom Weg und von der Trunkenheit. Er hatte einen guten Mantel und noch ein bißchen Geld bei sich gehabt; das war alles weg. So haben die Bauern ihn auf ein Pferd gesetzt und in die Herberge gebracht. Obschon ich sehr böse über ihn war, habe ich doch Gott gedankt, als ich ihn wieder zu sehen bekommen habe. Es hat mich über sechs Taler gekostet. Nun habe ich ihm etwas zu essen gegeben und meinen schönen Diener, der auf mich und meine Kinder aufpassen sollte, habe ich bedienen müssen. Als es Tag geworden ist, haben die Fuhrleute die Wagen gebracht, daß wir wieder fort sollten. Ich habe mich mit meinen Kindern und der Magd und dem Diener zu Wagen gesetzt und zu meinem Jakob gesagt, er solle sich nun auch hinsetzen und es **nicht wieder** so machen wie vorher. Er sagte: „Nein, ich will nur in die Stube gehen und sehen, ob nichts liegen geblieben ist." Ich meinte, es wäre auch so. Aber mein guter Jakob hat sich hübsch wieder ins Wirtshaus gesetzt und wieder von vorn angefangen zu saufen. Ich habe die Fuhrleute hineingeschickt, sie (d. i. Jakob und der Posthalter) sollten doch herauskommen; wir hätten bei dem bösen Wetter schon so lange auf dem Wagen gesessen. Die Fuhrleute haben angefangen zu schreien, was das wäre; ihre Pferde würden zugrunde gehen, wenn sie so lange in dem Wetter stehen müßten. Aber das hat alles nichts helfen wollen; denn der Posthalter ist Meister gewesen, und die Fuhrleute haben wohl warten müssen. Also haben wir wieder zwei Stunden gesessen und sind nicht eher hinweggefahren, bis die beiden ganz betrunken waren und sich endlich zu Wagen setzten. Nun, was soll ich weiter davon schreiben? Solche Händel haben wir wirklich in allen Herbergen gehabt. Aber Gott hat uns doch glücklich nach Harburg geholfen, das nur eine Meile von Hamburg entfernt ist. Da sind mein sel. Vater und mein sel. Mann uns entgegengekommen. Man kann sich leicht die Freude vorstellen, die wir miteinander hatten. Wir sind dann zusammen zu Wasser nach Hamburg gefahren und ich habe Gott gedankt, daß ich alle unsere Freunde gesund gefunden habe. Auch sonst sind wenig Judenhäuser betroffen worden, während ich draußen war. Aber der Sturm ist noch nicht recht gestillt gewesen und es hat noch hin und wieder ein wenig gezuckt. Aber bei Juden ist alles gut gewesen und auch geblieben.

Gott soll uns weiter behüten und aus allen Nöten erlösen!

So sind wir wieder in unserm lieben Hamburg gewesen, nachdem wir ein halbes Jahr lang fortgewesen
waren. Wir haben berechnen können, daß uns diese
Zeit mit dem Verlust an Perlen und Zinsen über 1200
Taler gekostet hat. Aber wir haben doch den Höchsten
gelobt und ihm gedankt, daß wir mit allen Unsrigen
glücklich gerettet waren. An dem Geld ist wenig gelegen — „Gib mir die Person und die Habe nimm dir"
(1. B. Mos. 14,21) —; das hat uns Gott noch immer wieder
beschert. Nachher sind die Leute, die wegen der Pest
von Hamburg nach Altona gezogen waren, einer nach
dem andern wieder in die Stadt gekommen und ein jeder
hat wieder angefangen seinem Geschäft nachzugehen.
Denn zur Zeit der Pest ist wenig Geschäft gewesen, da
man [als Hamburger] nirgends hat hinkommen können.

———

Drittes Buch, zweite Hälfte.

Beziehungen zu Jost Liebmann.

Einige Zeit danach ist mein Mann zur Leipziger Messe gereist und ist in Leipzig sehr krank geworden. Damals war es in Leipzig für Juden sehr gefährlich; denn wenn — Gott behüte — ein Jude dort gestorben wäre, hätte es ihm alles Seinige gekostet[1]). Zu jener Zeit war Juda (= Jost Liebmann) auch in Leipzig; er hat meinem Mann viel Gutes getan und ihn sehr gepflegt. Als es nun mit meinem Mann ein wenig besser ging, hat er mit meinem Mann geredet, wie ein guter Freund mit dem andern reden soll, und ihm Vorwürfe gemacht, daß er sich auf so schwere Reisen begebe; er wäre

---

[1]) Aus Kursachsen waren seit 1537 alle Juden vertrieben und sogar der Durchzug von Juden war bei Strafe verboten. Siehe L. Feilchenfeld, Josel von Rosheim, S. 121. Nur zur Messe wurden die Juden in Leipzig geduldet und zwar hauptsächlich wohl aus fiskalischen Gründen, da sie neben dem Leibzoll noch bedeutende Meßabgaben zu zahlen hatten. Aber trotz aller hoher Zahlungen hatten sie doch noch über tätliche Insulten zu klagen, denen sie in Leipzig beständig ausgesetzt waren. Siehe Freudenthal, Die jüdischen Besucher der Leipziger Messen (Frankfurt a. M. 1902), S. 3—10. Aus unserer Stelle hier ersehen wir, daß namentlich bei Todesfällen die Juden bezw. deren Familien sehr ausgebeutet wurden.

kein starker Mann, er sollte mit ihm im ganzen ein Kompagniegeschäft machen. Er (Juda) wäre ein junger Mann, er wollte die ganze Welt bereisen und schon genug Geld verdienen, daß sie beide reichlich davon leben könnten. Mein Mann antwortete ihm: „Ich kann dir hier in Leipzig keinen Bescheid geben; ich bin noch gar nicht recht wohl, ich mag nicht länger in Leipzig bleiben, denn ich fürchte, es könnte — Gott behüte — ärger mit mir werden. Ich will mir also eine eigne Fuhre mieten und nach Hause fahren, und da schon die Zahlwoche ist, wo ohnehin auf der Messe wenig mehr zu tun ist, so kannst du umsonst auf meinem Wagen mitkommen. Wenn wir dann — so Gott will — zu Hause sind, können wir miteinander reden. Alsdann ist mein Glückelchen auch dabei und sie wird auch ihre guten Gedanken darüber sagen." Denn mein lieber Mann hat nichts getan, ohne daß ich davon wußte. Um diese Zeit war Juda schon verheiratet; denn mein sel. Mann hatte veranlaßt, daß sein Bruder, der gelehrte Rabbi Samuel, seine Tochter mit Juda verheiratete[2]) und ihm eine Mitgift von 500 Talern gab. So kamen sie nun zusammen von Leipzig hierher. Mein sel. Mann war noch nicht recht bei Kräften, er brauchte aber nicht zu Bett zu liegen. Durch gute Pflege und hauptsächlich durch den Beistand Gottes ist er bald ganz gesund geworden. Das hat wohl acht Tage oder mehr gedauert. Währenddessen lag mir Juda immer in den Ohren, ich sollte bewirken, daß mein Mann mit ihm ein Kompagnie-

---

[2]) Jost Liebmann war in erster Ehe mit Malke, der Tochter des Hildesheimer Rabbiners Samuel Hameln, verheiratet und wohnte damals in Hildesheim.

geschäft mache; ich könnte es nicht verantworten, daß ich meinen Mann so reisen ließe; wenn ihm, Gott behüte, in Leipzig etwas passiert wäre, so wäre er ja um Leben und Vermögen gekommen.

Nun stand mir in Wahrheit sein Reisen nicht sehr an[3]), denn ich hatte schon oft Todesangst ausgestanden, daß mein Mann in Leipzig krank würde. Schon vorher war mein Mann einmal mitten in der Messe heimgekommen, ohne daß ich ein Wort davon wußte — ich sehe zu meiner Tür heraus, da kommt mein Mann auf einmal angefahren — man kann sich denken, was ich da für einen Schrecken hatte. Ein andres Mal war mein Mann auf der kalten Messe, d. i. auf der Neujahrsmesse, in Leipzig; er war mit anderen Juden schon unterwegs, und sie sollten hierher kommen. Sie kamen aber nicht an dem Tage an, den ich mir berechnet hatte. Dagegen kam die Frau, die Briefe austrägt — sie brachte mir gerade Briefe aus Frankfurt — und sagte, im kaiserlichen Posthaus hätte sie — Gott bessere es — böse Zeitung gehabt; denn zwei Wagen mit Juden und Christen hätten sich zum Zollenspieker[4]) über die Elbe setzen lassen wollen und sie seien alle ertrunken, weil das Eis so stark ging, daß es den Prahm[5]) zerbrochen hätte. Nun, mein

---

[3]) = war mir nicht sehr genehm. Vgl. Lessings Minna II 3: „Was steht dir von meinen Sachen an? Was hättest du gern?"

[4]) Der Zollenspieker ist ein ehemals befestigtes Haus elbaufwärts von Hamburg, in den sogenannten „Vierlanden", wo seit dem 13. Jahrhundert ein Zoll erhoben wurde. Hier befand sich eine Hauptübergangsstelle über die Elbe für den Handelsverkehr von Hamburg und Lübeck nach dem Binnenlande. Dilling, Landeskunde von Hamburg, S. 47.

[5]) Prahm = flaches Boot, Fährschiff.

Gott, ich war fast des Todes, ich fing an zu schreien und zu jammern, wie man sich wohl denken kann. Da kommt der grüne Moscheh, den ich schon erwähnt habe[5a]), in die Stube, findet mich in solchem Zustand und fragt, was da vorginge. Ich erzähle es ihm und bitte ihn: „Nimm um Gottes willen flugs ein Pferd und reite nach dem Zollenspieker und sieh zu, was vorgeht." Obschon mir nun der grüne Moscheh und die anderen meine Angst ausreden wollten, konnte ich mich doch nicht zufrieden geben. So ist also grün' Moscheh weggeritten und ich bin noch zu einem Mann gelaufen, der Pferde zu vermieten hatte; der hat sofort seinen Knecht mit einem Pferde auf einem andern Wege dorthin geschickt. Wie ich nun in meiner Betrübnis wieder heimgegangen bin und nach Hause komme, sitzt mein lieber Mann in der Stube und wärmt sich und trocknet seine nassen Kleider; denn es war ein ganz scheußliches Wetter. Alles, was die Briefträgerin gesagt hatte, war also lauter Lüge.

So haben wir bei den Reisen immer viel Sorge und Schrecken gehabt und ich hätte gern gesehen, daß wir es so eingerichtet hätten, daß mein Mann hätte zu Hause bleiben können. Deshalb war ich dem Kompagniegeschäft mit Juda nicht abgeneigt. So hat nun Juda wieder mit uns geredet und uns die besten Vorschläge gemacht. Ich sagte darauf zu ihm: „Alles, was du redest, ist ganz gut und recht; aber du siehst wohl die große Haushaltung und die schwere Last, die wir haben; wir brauchen jedes Jahr mehr als 1000 Taler in unserer Haushaltung außer dem, was wir zu unserm Geschäft an Zinsen und anderen Ausgaben nötig haben, und ich sehe nicht,

---

[5a]) Siehe Seite 73 ff.

woher das Geld kommen soll." Juda antwortete: „Sorgst du dich darum? Das will ich euch schriftlich geben: wenn nicht wenigstens 1000 Taler Banko jedes Jahr verdient werden, so sollt ihr die Macht haben die Vereinigung aufzulösen." Solcherlei Versicherungen hat er noch viel mehr gegeben, daß es zu viel wäre alles zu schreiben. Ich habe nun mit meinem Manne geredet und ihm gesagt, was ich mit Juda besprochen und welch großer Stücke er sich gerühmt habe. Darauf sagte mein sel. Mann zu mir: „Mein liebes Kind, das Sagen ist alles gut, aber ich habe große Ausgaben, ich sehe nicht, wo das bei der Verbindung mit Juda herkommen soll." Schließlich sagte ich zu meinem Manne: „Man kann es ja ein Jahr lang versuchen. Ich will einmal ein kleines Schriftstück aufsetzen und will es euch sehen lassen, wie es euch gefällt." Also habe ich mich nachts allein hingesetzt und einen Vertrag aufgesetzt. Juda hat in einem fort gedrängt und gesagt, wir sollten uns keine Sorge machen und nur alle unsere Geschäfte ihm überlassen; denn er kenne solchen Weg und Steg, daß er genügend Geschäfte für uns wüßte, um damit zurechtzukommen. Ich sagte: „Wie können wir alle unsere Geschäfte Euch überlassen?" Darauf sagte Juda: „Ich weiß wohl, daß ihr für viele tausend Taler Juwelen habt; die werdet ihr nicht wegwerfen. Also wollen wir es so machen, daß ihr diese Juwelen verkaufen oder vertauschen möget, so gut ihr könnt und wollt." Dieses ist der eine Punkt. Zweitens soll das Kompagniegeschäft zehn Jahre dauern und man soll jährlich Abrechnung halten. Wenn dann in dem Kompagniegeschäft nicht alle Jahre wenigstens 2000 Reichstaler verdient werden, so hat mein Mann das Recht die Geschäftsgemeinschaft aufzusagen. Ohne diese Bestimmung wollten wir keine Gemeinschaft mit ihm machen. Wenn das gemeinsame Geschäft aufhört, soll alles verkauft werden, damit ein jeder sein Geld bekommt. Drittens soll mein Mann ein- oder zweimal mit Juda nach Amsterdam reisen und ihn über alles unterrichten, wie man einkauft, und Juda soll alle Waren in Händen haben und verkaufen. Viertens: Mein Mann soll zum Beruf der Geschäftsführung 5 bis 6000 Reichstaler hinlegen und Juda soll 2000 dazulegen und soll alle Juwelen und sonstigen Waren, die mein Mann hat, so gut als möglich verkaufen oder vertauschen.

Hierauf ist ein fester Vertrag gemacht und auf alle Weise wohl gesichert worden. Dann reiste Juda wieder nach Hildesheim und sagte, er wolle sein Geld zusammenbringen, wozu er sich im Vertrage verpflichtet hatte; in zwei bis drei Wochen wollte er dann mit meinem Manne nach Amsterdam reisen. Mein Mann hat sich nun fertig gemacht und hat sein Geld nach Amsterdam remittiert. Es hat nichts weiter gefehlt, als daß Juda mit seinem Geld auch käme. Der kam auch zur bestimmten Zeit, brachte aber nur Wechsel für 500 Taler mit. Da sagten wir zu ihm: „Was ist das? Es sollten doch 2000 Taler sein." Er gab darauf zur Antwort: „Ich habe meiner Frau Gold zurückgelassen, das soll sie verkaufen und mir den Rest von Hildesheim aus remittieren." Wir sind es zufrieden gewesen. So sind sie zusammen in Gottes Namen glücklich nach Amsterdam gekommen. Dort hat mein Mann in Kleinigkeiten zu kaufen angefangen, wie man es damals gewöhnt war. Bei jeder Post fragte er Juda: „Hast du deine Wechsel gekriegt?" Der

sagte immer: „Jetzt kriege ich, jetzt werde ich kriegen."
Aber es ist nichts daraus geworden, er hat nichts bekommen. Was sollte mein Mann nun tun? Juda hat ihm gute Worte gegeben und ihm viel vorgeredet und mein Mann hat sein Geld zusammen mit Judas 500 Talern in Waren angelegt, wie man in Amsterdam schnell dazu kommen kann sein Geld anzulegen. Danach reiste mein Mann wieder nach Hause und Juda fuhr nach Hildesheim. Er nahm alles, was mein Mann eingekauft hatte, mit sich und reiste hin und her um zu verkaufen und handelte nach Herzenslust damit. Als nun mein Mann nach Hause kam, redete er mit mir und murrte darüber, daß ich ihn zu dem Kompagniegeschäft mit Juda überredet hatte. Denn Juda hätte gleich am Anfang die Verabredung nicht gehalten; was würde da noch erst herauskommen, was würde das Ende sein? Man könnte — Gott behüte — bei solchen Geschäften krepieren. Ich redete ihm solche Befürchtungen aus, so gut ich konnte, und ich sagte ihm, wie es auch in Wirklichkeit war: „Juda ist ein junger Mann, wie viel hat er denn als Mitgift bekommen? 500 Taler. Und 8—900 Taler hat er gehabt, als er von uns wegging; das sind schon zwei Jahre her. Da konnte er unmöglich 2000 Taler aufbringen. Laßt Euch bedünken, er hätte gar nichts und man schickte ihn wie früher auf die Reise und vertraute ihm viele Tausende an, wie wir es ja schon getan haben. Wenn Gott einem Glück geben will, kann er es ebensowohl mit wenig wie mit viel Geld geben." Was sollte mein Mann nun tun? Es mag ihm geschmeckt haben oder nicht, wir waren nun einmal darin und man mußte das Bad ausbaden. So verging

einige Zeit, Juda verdiente auch etwas, wie er uns jedesmal schrieb. Aber „eine Handvoll kann den Löwen nicht satt machen"[6]).

Um es kurz zu sagen — das Jahr war bald um und er schmeckte uns beiden nicht; denn wir sahen, daß nicht so viel verdient wurde um e i n e Haushaltung davon zu erhalten, geschweige denn zwei Haushaltungen. Endlich, als ein Jahr des Kompagniegeschäfts um war, fuhr mein Mann nach Hildesheim und rechnete mit Juda ab. Da fand er, wie schon erwähnt, daß sie beide nicht dabei bestehen konnten. Darum redete er mit Juda wie ein Bruder zum andern: „Du siehst wohl, daß wir beide bei diesem Kompagniegeschäft nicht bestehen können und daß kaum 1000 Taler dabei verdient worden sind." Juda sah es auch ein und so gaben sie aus freiem Willen und in guter Freundschaft die Geschäftsgemeinschaft auf. Mein Mann schrieb eine Trennungserklärung für sich und eine ebensolche für Juda, die sie beide wie üblich unterzeichneten. Nun waren noch für einige tausend Taler Ringe und andere Juwelen übrig; diese überließ mein Mann allesamt dem Juda, daß er sie völlig verkaufen und meinem Manne das Geld schicken sollte. Es wurde auch eine Zeit festgesetzt, bis zu der die Bezahlung geschehen sollte. Aber die Zeit ist gekommen und die Bezahlung ist nicht erfolgt. Wir haben Juda ordentlich und bescheidentlich geschrieben, er wüßte wohl, wozu er sich verpflichtet hätte; er möchte doch das Geld nach Hamburg remittieren. Juda hat auch, wie sich's gebührt, geantwortet: er hätte zwar noch nicht alles

---

[6]) Zitat aus dem Talmud Berachot fol. 3[b.]

verkauft, er wollte aber doch sehen ehestens Wechsel hierher zu remittieren. Endlich, nachdem es länger als ein Jahr gedauert hatte, daß wir von Juda nichts herausbekommen konnten, ist mein Mann wieder nach Hildesheim gereist, in der Meinung sein Geld von Juda zu bekommen. Aber statt dessen kriegt er etwas anderes zu wissen; denn nachdem Juda meinen Mann einige Tage hingehalten hat, kommt heraus, daß er zu ihm sagt: „Ich gebe dir keinen Heller und es wäre mir lieb, wenn ich noch zweimal so viel von dir behalten hätte; denn unsere Geschäftsgemeinschaft hätte laut unseres Vertrages zehn Jahre dauern müssen und hat nur e i n Jahr gedauert. Ich beanspruche von dir noch viele Tausende, und alles, was du hast, ist mein; du kannst mich mit all dem Deinigen nicht bezahlen." Mein sel. Mann erschrak sehr und sagte: „Juda, was redest du da? Ist das der Dank für alle die Wohltaten, die ich dir erwiesen habe? Du bist ohne einen Pfennig[6a]) zu mir gekommen und nach kurzer Zeit hast du 900 bare Reichstaler von mir davongetragen. Ich habe dir viele Tausende anvertraut, habe dir auf allen Plätzen, wo ich nur wußte, daß etwas zu machen ist, Geschäftsgelegenheit gezeigt und weil ich dich für einen freien, ehrlichen Menschen gehalten, habe ich auch bewirkt, daß mein Bruder Rabbi Samuel dir seine Tochter gegeben hat. Ueberdies hast du ja den Vertrag selbst gebrochen; statt daß du 2000 Taler hättest einlegen sollen, hast du nur 500 Taler eingelegt. Außerdem stand ja in unserem Vertrage: wenn nicht alle Jahre bei dem Kompagniegeschäft 2000 Taler

---

6a) Im Original: nackt und bloß.

verdient würden, sollte es mit unserer Gemeinschaft aus sein. Schließlich ist es für uns alle beide nicht dienlich gewesen. Darum haben wir uns gegenseitig laut unseres Trennungsbriefes aus freiem Willen von der Verpflichtung gelöst. Was willst du nun weiter haben? Ich bitte dich, mache den Leuten kein Maulspiel[7]), denn wir sind ja Verwandte; wir können auch, so Gott will, noch weiter zusammen Geschäfte machen." So und noch mehr dergleichen [hat mein Mann mit ihm gesprochen]. Aber bei meinem guten Juda hat das alles nicht helfen wollen; er ist bei seiner Geige geblieben[8]).

Ob nun Juda meinen Mann in Verdacht hatte, daß er zur Zeit der Geschäftsgemeinschaft ohne sein Wissen Geschäfte gemacht habe, kann ich nicht wissen. Vielleicht war auch der folgende Vorfall ein Zunder für das Feuer. Wie von der vorigen Seite zu entnehmen ist, hat mein Mann einen Trennungsbrief von Juda Berlin in Händen gehabt, [der besagte], daß die Geschäftsverbindung aus ist. Als nun mein Mann [gleich danach] von Hildesheim hierher kam, war ein Franzose hier, der allerhand Waren hatte. Mit ihm hat mein Mann einiges getauscht und gute Geschäfte dabei gemacht. Aber, wie es bei den Juden geht, wenn einer 100 Taler verdient, machen die Leute Tausende daraus. So entstand ein Geschrei, mein Mann hätte viele Tausende verdient. Das ist sicher auch dem Juda zu Ohren gekommen. Der

---

[7]) = gib den Leuten keine Gelegenheit zum Reden.

[8]) In den folgenden Sätzen ist die etwas weitläufige, zum Teil verworrene Darstellung Glückels ein wenig zusammengezogen und der richtigen Gedankenfolge entsprechend verschoben worden.

hat sich nun vielleicht eingebildet oder so getan, als ob er sich einbildete, daß mein Mann schon von diesem Geschäft gewußt hätte, als er noch in Kompagnie mit ihm war. Besonders [ärgerte er sich wohl], weil man sagte, daß an dem Geschäft Tausende verdient worden seien.

Nach vielem Wortwechsel und Zank, wie es zu solchen Sachen gehörte, haben sich Leute ins Mittel gelegt, und die beiden haben einander durch Handschlag versprochen, sich jeder einen Schiedsrichter zu wählen[9]) und in Hildesheim vor dem dortigen Rabbiner als Vorsitzenden ihren Prozeß zu führen. Die Zeit des Prozesses wurde auf vier Monate später angesetzt. Mein sel. Mann mußte sich das alles gefallen lassen; denn „wer kann mit dem rechten, der stärker ist als er?" (Kohelet 6, 10.) Es ist ja bekannt, daß keiner stärker ist, als der, der den Gegenstand in Händen hat[10]).

So ist mein Mann mit solchem Ergebnis wieder nach Hause gekommen und hat mir alles erzählt. Wir haben uns darüber sehr betrübt; denn wir haben gewußt, daß wir immer mit Wahrhaftigkeit und Treue mit dem Manne gehandelt und ihm Gutes getan hatten. Mein sel. Mann hat ein wenig mit mir gemurrt, weil ich doch die Ursache von dem Kompagniegeschäft gewesen bin. Aber Gott weiß, daß ich es um des Besten willen getan und nur daran gedacht habe, daß mein Mann nicht mehr so

---

[9]) Das ist offenbar der Sinn der Worte Glückels, die sich an die Mischna Sanhedrin III 1 anlehnen. Dort heißt es, daß bei Vermögensstreitigkeiten jede der Parteien sich einen Richter und beide zusammen den dritten Richter zu wählen haben; diese drei haben dann zu entscheiden.

[10]) Vgl. das lateinische Sprichwort: beati possidentes.

schwere Reisen zu machen haben sollte. Ich habe nicht gedacht, daß es so herauskommen würde, und habe solches von Juda nicht vermutet; denn ich habe ihn für einen ehrlichen Menschen gehalten. Ich habe zu meinem Mann gesagt, warum er den Prozeß in Hildesheim verhandeln lasse; er hätte ihn an einem unparteiischen Ort verhandeln lassen sollen. Darauf gab mir mein Mann zornig zur Antwort: „Wenn du dort gewesen wärest, hättest du es besser machen können. Jener hat das Meinige in Händen; da muß ich wohl, wie er und nicht wie ich will." Unser Streit (d. i. die Verstimmung zwischen beiden Ehegatten) ist nun auch wieder zu Ende gegangen. Wir mußten uns in Geduld fassen und alles dem lieben Gott befehlen, der uns aus so vielen bösen Händeln und Nöten geholfen hat. Wir waren junge Leute und hatten erst angefangen zurechtzukommen und nun sollte uns ein solches Wirrsal[11]) dazwischenkommen! Da haben wir uns nicht gut hineinfinden können.

Was die Ursache [von Judas Vorgehen] gewesen ist, das mag Gott wissen. Wir haben bei dem Manne sonst nichts Ungebührliches oder Unrechtes gespürt. Nur in diesem Falle hat er uns sehr verfolgt und nicht aus Händen geben wollen, was er gehabt hat. „Der Mensch urteilt nach dem Augenschein, aber Gott sieht ins Herz." (1. Sam. 16, 7.) Er hat sich vielleicht eingebildet, er hätte recht und ist darin verharrt; denn „an sich selbst

---

11) Gewerre, ältere Form für Gewirr, bedeutet auch: etwas was Wirren erregt. Heyne, Wörterbuch I 1172. Landau (Mitteilg. f. jüd. Volkskde. VII 53) liest Gefähr = Gefahr, Schaden, Nachteil. Kaufmann: Gewähr = Wahrnehmung.

findet der Mensch keine Schuld". (Talmud Sabbat, fol. 119 a.) [12])

Nun kam die Zeit der Messe von Frankfurt am Main heran, und mein Mann mußte wie immer zur Messe reisen. Dort ging er zu seinem Bruder, dem gelehrten Rabbi Isaak Hameln, erzählte ihm alles, was ihm mit Juda Berlin passiert war, und bat ihn, er solle ihm einen wackeren Talmudgelehrten zuweisen; denn er müßte um diese Zeit in Hildesheim sein, und ein jeder müßte sich — bei Verlust seiner Ansprüche — einen Schiedsrichter mitbringen. Mein Schwager Isaak sagte nun sofort zu meinem Manne: „Du bist schon um das Deinige gekommen, da du in seiner Gemeinde mit ihm prozessieren willst." Nun erzählte ihm mein Mann von allen seinen Ansprüchen und Einwänden und mein Schwager antwortete ihm: „Ja, Bruder, du hast ganz recht und könntest auch wohl Recht bekommen, wenn ihr unparteiische Richter hättet und an einem unparteiischen Orte prozessiertet." Mein Mann sagte darauf: „Das ist nun nicht zu ändern, es mag gehen, wie Gott will; ich muß damit fertig werden. Weise mir nur einen Mann zu." Nach einigem Bedenken sagte mein Schwager: „Hier ist ein junger, wackerer Mann, namens Rabbi Ascher, er ist Beisitzer des Rabbinats in unserer Gemeinde, der ist gut genug; aber — wie schon erwähnt." Mein Mann ging nun zu diesem und zeigte ihm seinen Vertrag und den Trennungsbrief. Rabbi Ascher

---

[12]) Glückel scheint hier das Verhalten Juda Berlins etwas entschuldigen zu wollen, der zur Zeit, als sie ihre Lebenserinnerungen niederschrieb, bereits eine glänzende Stellung in Berlin einnahm und ihr selbst, wie sie an späteren Stellen erwähnt (S. 185, 201), mit größter Zuvorkommenheit begegnet war.

REPAS des JUIFS pendant la FÊTE des TENTES.

sagte darauf zu meinem Manne: „Sorge nicht, du hast eine gerechte Sache, ich will mit dir reisen." Während der Messe sagte mein sel. Mann noch zu seinem Bruder, ob er ihm einen wackeren Jungen zuzuweisen wüßte, den er zu seinem Geschäft brauchen könnte. Um es kurz zu sagen — er wies ihm Isachar Cohen zu, der leider der rechte Herodes für mein ganzes Haus geworden ist, wovon zu seiner Zeit und an seinem Orte noch weiter gesprochen werden soll[12a]). Als die Messe aus war, reiste mein Mann mit seinem Schiedsrichter nach Hildesheim um dort zu prozessieren. Was soll ich lange darüber reden? Von allem, was in dieser Sache vorgegangen ist, wären 100 Bogen voll zu schreiben. Unser Schiedsrichter konnte nicht vorwärtskommen; denn er war allein und hatte zwei gegen sich. Er wollte sich auch nicht zwingen lassen einer ungerechten Entscheidung zuzustimmen. Es war ihm aber gedroht worden, daß er eingesperrt werden sollte, wenn er mit ihnen nicht einig würde. So ist denn mein guter Rabbi Ascher heimlich von Hildesheim weggereist, hat aber vorher große Responsen[13]) zugunsten meines Mannes geschrieben und dort zurückgelassen. Das hat aber alles nichts helfen wollen. Der Rabbiner von

---

12a) Glückel erwähnt diesen Isachar Cohen später noch einige Male und verspricht (S. 139), die ganze „Historie" von Isachar genauer zu beschreiben, hebt auch (S. 141) noch einmal hervor, daß er immer seine Bosheit gegen ihr Haus bewiesen habe. Aber die besprochene Beschreibung findet sich in ihrem Buche nicht und besondere Beispiele seiner Bosheit werden auch nicht angeführt, außer daß er als Geschäftsgehilfe Chajim Hamelns seinen Vorteil gegenüber seinem Prinzipal sehr gut wahrzunehmen wußte.

13) Gutachten, in denen auf Grund des Talmud und der Dezisoren eine Rechtsfrage entschieden wurde.

Hildesheim[14]) und ein Gemeindevorsteher — ich will keine Namen nennen, sie sind jetzt alle in der Wahrheit[15]) — standen mit Leib und Leben Juda bei und wollten mit aller Gewalt, daß mein Mann einen Vergleich machen sollte, aber einen solchen Vergleich, der ihm zu schwer geworden ist. Mein Mann wollte also nicht darauf eingehen und es wäre zu einem sehr weitläufigen Prozeß vor dem staatlichen Gericht gekommen. Aber mein Schwiegervater, der damals in Hildesheim wohnte, bat meinen Mann wirklich mit weinenden Augen und sagte: „Mein lieber Sohn, du siehst ja wohl, was hier vorgeht; ich bitte dich um Gottes willen, laß dich in keine Weitläufigkeiten ein, ergib dich in Geduld und mache einen Vergleich, so gut du kannst. Der liebe Gott wird es dir wieder besser bescheren." So mußte mein Mann wider seinen Willen einen Vergleich eingehen. Man kann sich wohl denken, was da für ein Vergleich herausgekommen ist. So viel aber weiß ich, daß wir nicht zweimal so viel zu eigen gehabt haben, als es uns in allem gekostet hat. Ich gebe Juda Berlin nicht so viel Schuld als denen, die ihm dazu verholfen haben. Jetzt haben wir es ihnen

---

[14]) Rabbi Samuel Hameln, der Schwiegervater Juda Berlins, war wohl damals nicht mehr Rabbiner in Hildesheim. Sonst hätte er als naher Anverwandter der Parteien in diesem Prozesse nicht richten dürfen. Vielleicht hat er aber als Gemeindevorsteher (er bekleidete dieses Amt nach Niederlegung seines Rabbinats von 1669—87, s. Lewinsky, Der Hildesheimer Rabbiner Samuel Hameln) oder überhaupt als angesehener Mann der Gemeinde hinter den Kulissen zugunsten seines Schwiegersohnes gewirkt. So erklärt sich auch die Aufregung des alten Joseph Hameln, der seinen Sohn Chajim zum Nachgeben veranlassen und auf diese Weise wahrscheinlich einen Streit zwischen den beiden Brüdern vermeiden wollte.
[15]) = in der Ewigkeit.

allen verziehen. Wir murren auch nicht über ihn und haben gegen ihn keinen Widerwillen. Denn er hat sicher gemeint, er hätte recht und es gebührte ihm dies von uns; sonst hätte er es vielleicht nicht getan. Nun hat es meinem Mann zwar sehr weh getan. Aber wer hat ihm helfen können? „Wer über Vergangenes klagt, betet umsonst." (Mischna Berachot 9,3.)

Der liebe Gott aber, der unsere Unschuld gesehen, hat uns, ehe vier Wochen vergangen sind, ein so gutes Geschäft beschert, daß wir unsern Schaden fast wieder eingeholt haben. Mein Mann hat auch nachher mit Juda Berlin in guter Einigkeit und Vertraulichkeit gelebt. Ich werde auch später noch berichten, was mir von Juda und seine Frau für Ehre angetan worden ist, als ich in Berlin war. Er hat auch mit meinen Kindern stets solche Geschäfte gemacht, daß wir uns nicht sonderlich über ihn beschweren können. Wenn nun das Geschäft mit gutem Verdienst weitergegangen wäre, so meine ich, daß wir nichts Widriges miteinander gehabt hätten. Es scheint aber die glückliche Wendung für Isachar [Cohen] gewesen zu sein, daß wir mit Juda Berlin brechen mußten. Da hat Isachars Glück angefangen zu blühen, wie gleich berichtet werden wird.

Obschon an dem Handel (mit Juda Berlin) nichts gelegen ist, ebensowenig wie an meinem ganzen Buch, so habe ich solches doch geschrieben um die müßigen, melancholischen Gedanken, die mich plagten, fortzubringen. Auch ist hieraus zu ersehen, wie sich alle menschlichen Dinge mit der Zeit verkehren. „Gott macht Leitern, den einen läßt er hinuntersteigen und den andern hebt er hinauf." (Bereschit rabba.) Juda Berlin ist zu uns gekommen und hat wirklich gar nichts gehabt. Aber Gott hat ihm so geholfen, daß ich meine, er läßt sich heute nicht mit 100 000 Reichstalern Banko auskaufen. Er sitzt auch jetzt noch in solchen Geschäften und steht in solcher Aestimation bei dem Kurfürsten — Gott erhöhe seinen Glanz — daß ich glaube, er wird, wenn er so fortfährt und Gott ihm nicht zuwider ist, als der reichste Mann von ganz Deutschland zu seiner Zeit sterben[16]).

Es ist auch (aus meinem Buch) zu ersehen, wie wir vielen — nächst Gott — geholfen haben zurechtzukommen, und alle, die mit uns Geschäfte gemacht haben, sind reich geworden, aber die meisten ohne Vergeltung,

---

[16]) Juda Berlin, wie Glückel ihn nach seinem späteren Wohnort nennt, oder Jost Liebmann, wie er nach dem Namen seines Vaters (Elieser Liebmann aus Göttingen) genannt wurde, zog nach dem Tode seiner Gattin Malke, der Tochter des Hildesheimer Rabbiners, 1677 nach Berlin, verheiratete sich dort mit Esther, der Tochter des Hofjuden Israel Aron, und erbte dessen angesehene Stellung. Er wurde Juwelenlieferant des kurfürstlichen Hofes und machte sich durch strenge Rechtlichkeit und durch Gewährung langfristigen Kredits bei Hofe sehr beliebt. Dafür erhielt er vom Großen Kurfürsten das Privilegium, daß er und seine Familie vom Leibzoll, den alle Juden damals — in Brandenburg wie in anderen deutschen Ländern — zu entrichten hatten, befreit wurde und seine Juwelen zollfrei einführen durfte. Kurfürst Friedrich III., als König von Preußen Friedrich I., bestätigte ihn in allen seinen Privilegien und Rechten. Seinen großen Einfluß am brandenburgisch-preußischen Hofe hat Jost Liebmann oft zugunsten seiner Glaubensgenossen verwendet. Er blieb bis zu seinem Tode (1702) in seiner angesehenen Stellung; dieselbe ging auch auf seine Familie, zunächst auf seine Gattin (die „Liebmännin") über. Der Komponist Meyerbeer und der Dichter Michael Beer zählten zu seinen Nachkommen. Vgl. L. Geiger, Geschichte der Juden in Berlin, Bd. I, S. 20/21 und Bd. II, S. 40—43. Kaufmannn, Die letzte Vertreibung der Juden aus Wien, S. 215 bis 217. Jewish Encyclopedia, Artikel „Jost Liebmann".

wie es so der Lauf der Welt ist. Gerade im Gegenteil, viele, denen wir alles Gute getan haben, haben uns oder unseren Kindern mit Bösem bezahlt. Aber Gott der Allmächtige ist gerecht; wir sündigen Menschen können nichts sagen, wir wissen nicht einmal, was für uns gut oder schlecht ist. Ein Mensch meint oft, wenn ihm etwas Widerwärtiges zustößt, daß ihm dasselbe gar bös sei. Aber es kann sein, daß uns das, was wir für schlimm halten, gerade zum Guten ist. Wenn der ehrliche, redliche Mordechai — Gott räche seinen Tod! — am Leben geblieben wäre, dann wäre vielleicht manchem die Lauge nicht auf den Kopf gekommen[17]) und er selbst wäre gewiß auch ein großer Mann geworden.

Danach haben wir den grünen Moscheh gehabt; mit dem haben wir zwar nicht so viele Geschäfte gemacht, aber doch, wie schon erwähnt, hübsche Partien Unzenperlen mit ihm gehandelt. Er ist in weite Ferne gereist und hat seine Frau und Kinder hier gehabt; wir mußten sie ernähren und konnten doch nicht wissen, ob so viel Gewinn überschießen würde. Darauf ist [der Bibelvers] anzuwenden: „Wirf dein Brot hin aufs Wasser; in der Länge der Zeit wirst du es wiederfinden." (Kohelet 11,1). Um es kurz zu sagen: wir haben eben keinen großen Verdienst daran gehabt, aber wir sind doch in allem Guten auseinander gekommen. Wir wären auch gern

---

[17]) Landau, a. a. O., S. 56, liest hier mit Recht „Lauge" statt „Lage", das keinen Sinn gibt. Der Ausdruck bedeutet soviel wie: Es wäre mancher nicht eingeseift worden, hätte keinen Schaden erlitten. Ueber den Gebrauch des Wortes „Lauge" in Bildern und sprichwörtlichen Redensarten bringt Grimm, Wörterbuch VI 339 verschiedene Beispiele („wie diesem tapferen Mann der Kopf mit scharfer Lauge gewaschen sei" u. a.).

länger zusammen geblieben, wenn er nicht von Hamburg weggezogen wäre und sich in Schottland, dicht vor Danzig[18]), niedergelassen hätte. Er ist dort nicht übel gefahren und es ist ihm sehr wohl gegangen.

Abraham Kantor aus Kopenhagen, der, wie ich schon erwähnt habe, als Junge bei uns gedient hat, hat sich ehrlich und gut geführt. Danach haben wir ihn einige Male nach Kopenhagen geschickt. Er ist dort reich geworden und ist späterhin mit Frau und Kindern dorthin gezogen. Wie man sagt, ist er jetzt ein Mann von 15 000 Reichstalern und sitzt in seinem guten Geschäft; er gibt seinen Kindern Tausende als Mitgift.

Mein Verwandter Mordechai Cohen[19]) und Loeb Bischere[19a]) haben mit meinem Mann ein Kompagniegeschäft gemacht; mein Mann hat sie nach England geschickt und ihnen Kreditbriefe und Geld mitgegeben. Aber sie haben wegen des Krieges[20]) nicht nach England kommen

---

[18]) In der Vorstadt Alt-Schottland, die einst von schottischen Seefahrern begründet worden war, befand sich vor der preußischen Zeit, als noch kein Jude in Danzig wohnen durfte, eine sehr ansehnliche jüdische Gemeinde. Auch später noch, als die Juden in die Stadt eingezogen waren, war die Altschottländer Gemeinde die bedeutendste unter den fünf getrennten Gemeinden der Stadt, die sich erst neuerdings zu einer Gesamtgemeinde Danzig vereinigt haben. (Mitteilung von Herrn Rabbiner Dr. Freudenthal in Nürnberg.)

[19]) Schwestersohn Glückels, Sohn des S. 27 ff. erwähnten Elias Cohen, gestorben 1715 (Vgl. Grunwald, Hamburgs deutsche Juden, S. 237).

[19a]) Vielleicht: Pexeira, nach Analogie von Deschére = Texeira, s. S. 166, Anm. 56.

[20]) Offenbar ist hier der Raubkrieg Ludwigs XIV. gegen Holland gemeint, in dem die Engländer als Bundesgenossen Frankreichs die Küsten Hollands bedrohten und den Verkehr auf dem Meere unsicher machten.

können. So ist ihre Reise nach England unterblieben[20a]); sie haben aber doch ein Stück Geld in Amsterdam mit guten Zinsen angelegt. Von da an ist mein Verwandter Mordechai Cohen nach Holland und Brabant gereist und hat sehr guten Gewinn gemacht. Jene erste Reise ist also der Anfang seines Geschäfts und seines Reichtums gewesen.

Mein Schwager Elia[21]) war ein unerfahrener, junger Mann, der noch kein Geschäft verstanden hat. Ihm hat mein Mann sogleich großen Kredit gegeben und schließlich hat er ihn mit einem Kredit von 20 000 Reichstalern nach Amsterdam geschickt.

Viele hiesige Gemeindemitglieder, die jetzt wirklich Grundstützen sind, haben Gott gedankt, wenn wir ihnen Kredit gegeben haben. Ich wollte noch viel mehr nennen. Aber was hilft uns das? Wo ist die Güte, die du ehrlicher, wackerer Chajim Hameln aller Welt erwiesen? Wie hast du doch gern einem jeden fortgeholfen und einem jeden Gutes erwiesen, manchmal mit Nutzen und manchmal mit Schaden! Manchmal hat er sogar selbst gewußt, daß ihm gar kein Gewinn daraus entstehen kann, und hat wahrhafte Wohltätigkeit geübt. Nun sind aber deine lieben, frommen Kinder, wenn sie irgendwie einen kleinen Anstoß haben, doch so ehrlich, daß sie lieber sterben als jemand verkürzen wollten. Aber alle, denen wir viel Gutes getan haben, denken jetzt nicht mehr daran und könnten doch zuzeiten meinen Kindern, solchen jungen

---

[20a]) Im Original: nachgeblieben (noch heute in Hamburg üblicher Provinzialismus = unterblieben).

[21]) Elia Ries in Berlin, Sohn des angesehenen Hauptes der Wiener Exulanten, Model Ries, war mit einer Schwester Glückels vermählt. Siehe Kaufmann, Die letzte Vertreibung der Juden aus Wien, p. 211.

Leuten, die ihren frommen Vater leider so früh verloren haben und nun wie „Schafe ohne Hirten" sind, ein wenig forthelfen. Ja, daß sich Gott erbarm', gerade das Widerspiel[22]). Sie haben meine Kinder um Tausende gebracht und bewirkt, daß das Geld meines Sohnes Mordechai hat unter das gemeine Volk kommen müssen. Der Vorsitzende des Rats und das ganze Gericht haben gesagt, daß es ein ehrliches Geschäft ist und daß man nicht nötig hat, den Kaufleuten etwas von ihrer Ware wiederzugeben; denn er hätte es ehrlich und redlich gekauft. Dennoch hat man ihm keine Ruhe lassen wollen. Am Rüsttage des Versöhnungsfestes hat er das Seinige förmlich hinwegwerfen und mit den Kaufleuten einen Vergleich machen müssen, wodurch leider sein Ruin hauptsächlich gekommen ist. Wir mir und ihm nun zumute gewesen ist, darauf soll der große Gott noch achten und es soll eine Sühne für unsere Sünden sein. Nun, es ist „im Namen Gottes" geschehen, daß man meinen Sohn so gedrängt hat[23]). Gott möge ihnen nach ihren Taten ver-

---

[22]) Die folgende Betrachtung Glückels berührt ohne deutliche Ausführung geschäftliche Verlegenheiten und schwere Verluste ihres Sohnes Mordechai, die anscheinend in die letzte Zeit ihres Hamburger Aufenthaltes fielen und durch die Rückwirkung auf ihre eigenen Vermögensverhältnisse wohl mit dazu beitrugen, ihr den Gedanken an eine zweite Heirat nahe zu legen (s. S. 253 ff.).

[23]) Gl. meint wohl, daß die jüdischen Geschäftsleute, die ihren Sohn zu Zahlungen (an christliche Kaufleute) drängten, zu denen er nicht rechtlich verpflichtet war, religiöse Gründe, vielleicht die Rücksicht auf sonst entstehenden Chillul haschem, d. i. Herabwürdigung des Judentums vor Andersgläubigen, geltend machten. Vielleicht hatten sie deshalb auch den Rüsttag des Versöhnungstages gewählt, um besser auf ihn einwirken zu können.

A. Näfels Delenavit et Sculptorie.

J. C. Philips Sculpsit fecit Junij 1736.

VERTOONING DER BOEKEN VAN MOZES, OP DEN VERZOENDAG, IN DE PORTUGEESCHE JOODSCHE KERK, TE AMSTERDAM.

gelten! Ich kann den Mann, den ich hier im Sinn habe, nicht beschuldigen; denn ich weiß seine Gedanken nicht. „Der Mensch urteilt nach dem Augenschein, Gott aber sieht ins Herz." Aber das weiß ich wohl: meine Kinder sind junge Leute gewesen und haben etwas Kredit nötig gehabt, wie es im Geschäft so die Ordnung ist. Da haben sie einige Wechsel verkaufen wollen und Kaufleute haben die Wechsel von ihnen genommen und sie geheißen nach der Börsenzeit wiederkommen. Wie mich dünkt, hat derselbe Kaufmann einem Israeliten, auf den er sehr viel gehalten hat, befragt. Als meine Kinder nun nach der Börsenzeit wieder zu dem Kaufmann kommen, um gegen gute Wechsel mit guten Indossamenten ihr Geld in Bankwährung zu empfangen, hat ihnen der Kaufmann die Wechsel wiedergegeben. Dadurch haben sie sich dann oftmals nicht zu helfen gewußt. Du großer, einziger Gott, ich bitte dich vom Grunde meines Herzens, du wolltest es mir verzeihen. Denn es ist möglich, daß ich dem Manne, an den ich hierbei gedacht, unrecht getan habe, und es kann wohl sein, daß das, was er getan hat, wirklich in Gottes Namen geschehen ist. Also muß man alles dem großen Gott befehlen und sich denken, daß diese eitle Welt bald vorübergeht.

Du großer Gott weißt es wohl, wie ich meine Zeit in großen Sorgen und in Betrübnis des Herzens zubringe. Ich bin eine Frau gewesen, die so lange in großer Aestimation bei ihrem frommen Gatten gestanden hat und ihm wie sein Augapfel gewesen ist. Aber mit seinem Absterben ist mein Reichtum, meine Ehre, alles mit hinweggegangen, was ich alle meine Tage und Jahre zu bejammern und zu beklagen habe. Ich weiß wohl, daß es eine Schwachheit ist und daß ich einen großen Fehler begehe, wenn ich meine Zeit in solchem Elend und Jammer zubringe. Viel besser wäre es, daß ich alle Tage auf meine Kniee fiele und Gott für die große Gnade dankte, die er mir Unwürdigem erweist. Ich sitze noch bis dato an meinem Tisch, esse, was mich gelüstet, lege mich zu Abend in mein Bett, habe noch einen Schilling zu verzehren, so lange es dem großen Gott beliebt. Ich habe meine lieben Kinder; ob es auch zuzeiten dem einen oder dem andern nicht so geht, wie es gehen soll, so leben wir doch und erkennen unsern Schöpfer. Wie viele Leute gibt es in dieser Welt, die besser, frommer, gerechter und wahrhaftiger sind als ich, auch solche, die ich selber kenne, daß es ausbündig fromme Leute sind und die doch viel weniger, sogar nicht einmal Speise für eine Mahlzeit haben! Wie sollte ich da meinen Schöpfer genug loben und ihm danken können für alle Wohltaten, die er uns erweist, ohne daß wir es ihm vergelten. Wenn wir armen, sündigen Menschen nur die große Barmherzigkeit Gottes erkennen möchten, der uns aus einem Stück Lehm zu Menschen gemacht und uns seinen großen, furchtbaren und heiligen Namen zu erkennen gegeben hat, auf daß wir unserm Schöpfer mit ganzem Herzen dienen! Denn — seht doch, meine lieben Kinder — was tut ein sündiger Mensch um die Gnade des Königs zu erlangen, der doch nur Fleisch und Blut, der heute hier und morgen im Grabe ist, und man weiß doch nicht, wie lange er lebt, daß man Wohltaten von ihm empfängt, und wie lange der Mensch lebt, der die Wohltaten empfängt. Und was für Wohltaten sind es denn, die er von einem menschlichen König empfängt! Er kann ihn angesehen machen, er kann machen, daß er viel Geld bekommt; aber das ist alles auf eine Zeit lang und nicht auf ewig. Wenn er schon alles in seiner Hand hat bis zu seinem Todestage, so macht doch der bittere Tod alles vergessen und da hilft ihm all sein Reichtum und seine Ehre nichts. Und der Mensch weiß das alles und trachtet doch danach, dem menschlichen König gut zu dienen, damit er das Zeitliche bekommt. Wie viel mehr erst müssen wir Tag und Nacht danach trachten, wie wir dem König aller Könige, der ewig lebt und besteht, gehörig dienen. Denn er ist derjenige, von dem alles Gute kommt, was wir von einem menschlichen Könige haben, und er ist der, der den Königen alles gibt und ihnen ins Herz legt, denen Gutes zu tun, denen es nach seinem heiligen Willen bestimmt ist. Denn „das Herz der Könige ist in Gottes Hand" (Proverb. 21,1) und die Gaben eines menschlichen Königs sind alle nichts gegen das, was der hochgepriesene Gott seinen Verehrern gibt, das ist die Ewigkeit, die kein Maß noch Ziel oder Vergänglichkeit hat. Also, meine herzlieben Kinder, seid getrost und geduldig in euren Leiden und dienet Gott dem Allmächtigen mit ganzem Herzen, sowohl wenn es euch übel, wie wenn es euch wohl geht. Denn obschon wir meinen, daß manches, was Gott uns zuschickt, für uns zu schwer und fast nicht zu ertragen ist, so müssen wir doch wissen, daß der große Herr seinen Knechten nicht mehr auferlegt, als wir ertragen können. Wohl dem Menschen, der alles, was Gott ihm oder seinen Kinder zuschickt, mit Geduld annimmt. Darum bitte ich auch meinen Schöpfer, daß er mir die Kraft gebe alles, was uns in dieser Welt konträr geht — es geschieht ja alles nach unseren Werken — mit Geduld auszuhalten. „Wie man für das Gute Gott preist, so preist man ihn auch für das Böse." (Mischna Berachot 9,5.) So wollen wir denn alles Gott befehlen und wieder da anfangen, wo ich stehen geblieben bin.

Meine Tochter Mate ist nun im dritten Jahre gewesen und es ist kein schöneres, klügeres Kind gesehen worden. Nicht allein wir haben es sehr geliebt, sondern alle Menschen, die das Kind gesehen und gehört haben, haben ein Wohlgefallen an dem lieben Kinde gehabt. Aber der liebe Gott hat es noch lieber gehabt, und als es in das dritte Jahr gegangen ist, sind dem Kinde urplötzlich Hände und Füße geschwollen. Obschon wir nun viele Aerzte gehabt und allerhand Arzeneien gebraucht haben, so hat es doch dem lieben Gott gefallen, nachdem das Kind an vier Wochen mit großen Beschwernissen und Leiden zugebracht, sein Teil zu sich zu nehmen und unser Teil zu unserm großen Herzeleid vor uns liegen zu lassen. Darüber haben wir, mein Mann und ich, uns unbeschreiblich gegrämt und ich fürchte sehr, daß ich mich an dem höchsten Gott sehr versündigt und noch größere Strafen dadurch verdient habe, wie ich auch leider Gottes [nachher] gewahr geworden bin. Mein Mann und ich haben uns beide so gegrämt, daß wir alle beide lange Zeit schwere Krankheiten ausgestanden haben; das haben wir von unserer großen Betrübnis gehabt.

Ich bin guter Hoffnung gewesen mit meiner Tochter Hanna und [bald danach] ins Kindbett gekommen. Wegen der großen Betrübnis um mein liebes seliges Kind, über

108

dessen Tod ich mich nicht habe zufrieden geben können, bin ich in eine gefährliche Krankheit verfallen, die während des ganzen Kindbetts angehalten hat, so daß alle Aerzte an meinem Wiederaufkommen gezweifelt haben und mir ein desperates Mittel haben eingeben[24]) wollen. Aber während sie solches vorgehabt und solches meinen Leuten zu verstehen gegeben und nicht gemeint haben, daß ich etwas davon wüßte oder verstünde, habe ich meinem Mann und meiner Mutter gesagt, daß ich diese Arzenei nicht einnehmen wolle. Dieses haben sie dann den Doktoren gesagt. Obschon nun die Doktoren ihr Bestes getan haben und mich zu bereden meinten, solches einzunehmen, so haben doch alle ihre Reden nichts geholfen und ich habe gesagt: „Sie mögen reden, was sie wollen; ich nehme nun gar nichts mehr ein. Will der getreue Gott mir helfen, kann er solches auch ohne Arzenei tun. Ist es jedoch ein Ratschluß von dem großen Gott, was helfen dann alle Arzeneien?" In summa, ich habe meinen Mann gebeten, er sollte doch alle Doktoren abschaffen und sie entlohnen. So ist es auch geschehen. Gott hat mir dann die Kraft gegeben, daß ich fünf Wochen, nachdem ich ins Kindbett gekommen war, [zum ersten Mal wieder] ins Bethaus gegangen bin, wiewohl sehr kümmerlich. Aber ich habe doch meinen Gott dafür gelobt und ihm gedankt. Es ist alle Tage ein wenig besser mit mir geworden, so daß ich endlich meine Wärter und meine Säugamme abgeschafft, mit Hilfe des Höchsten notdürftig das, was zu meiner Haushaltung gehört, selbst in acht genommen und endlich

---

[24]) Im Original: mit mir desperat spielen.

das liebe Kind habe vergessen müssen, wie die Bestimmung von Gott ist. So soll man sich immer in seinem Leid mäßigen, wenn einem — Gott behüte — etwas Schlimmes zukommt, und soll Gottes Gericht als gerecht erkennen und den wahrhaftigen Richter preisen.

Viertes Buch.

Glanzvolle Hochzeit der ältesten Tochter in Cleve. Erlebnisse auf der Rückreise. Geschäftsverbindung mit Moses Helmstädt. Andere Begebenheiten bis zum Tode Chajim Hamelns.

Meine Tochter Hanna ist nun aufgewachsen und ist ein gar kluges Kind gewesen, wovon ich vielleicht noch weiter berichten werde. Zu jener Zeit war ein ostindisches Schiff, auf dem sehr viele rohe Diamanten waren, dem König von Dänemark in die Hände gefallen und lag in Glückstadt. Jeder von der Schiffsmannschaft hat Diamanten gehabt. Daher sind Juden nach Glückstadt gereist und haben dort gekauft; es ist auch schöner Gewinn daran gewesen. Zwei Juden erfuhren, daß ein Bürger in Norwegen eine große Partie von solchen Diamanten hätte; es war, wie mir deucht, ein Bäcker, den sie sehr wenig gekostet hatten. Da haben sie miteinander einen bösen Plan gemacht auf das Haus, in dem die Diamanten gewesen sind. Die beiden unsauberen Kumpane sind nach Norwegen gekommen, haben sofort Nachforschungen nach dem Bürger gehalten und sich in sein Haus hineingemacht. Sie sind endlich mit ihm bekannt geworden und der Bürger hat sie in seinem Hause beherbergt, so daß sie gewahr geworden sind, wo er seine

Schätze hatte. Dann sind sie ihm darüber gekommen und haben alles miteinander weggenommen. Am andern Morgen in der Frühe sind sie aus dem Hause gegangen, haben sich ein Schiffchen gedungen und sind der Meinung gewesen, sie hätten ihre Sache gar wohl verrichtet. Aber Gott der Allmächtige hat es nicht haben wollen und der Bürger ist frühmorgens aufgestanden und hat nach seinen beiden Gästen gefragt. Da hat der Hausknecht gesagt, sie wären des Morgens ganz früh aus dem Haus gegangen. Dem Bürger hat etwas auf dem Herzen gelegen; denn wer so einen Schatz hat, der ist allezeit dafür besorgt. So ist er über seine Kiste gegangen, in der er seinen Schatz hatte, hat aber nichts gefunden. Er hat sich nun gleich gedacht, daß ihm seine beiden Gäste das angetan hätten, und ist flugs ans Meer gelaufen und hat Schiffer gefragt, ob sie nicht zwei Juden hätten abfahren sehen. Darauf haben sie ihm gesagt: „Ja, der und der Schiffer hat sie vor einer Stunde hinweggeführt." Nun hat er sogleich ein Schiff gedungen und es mit vier Ruderern besetzt und sie sind nachgefahren, und es dauerte nicht lange Zeit, da haben sie das Schiff mit den Dieben in Sicht bekommen. Die Diebe haben nun auch gesehen, daß man sie verfolgt; da sind sie gegangen und haben den ganzen Schatz ins Meer geworfen. Der Bürger hat sie dann eingeholt und sie haben mit ihm zurückfahren müssen. Die Diebe haben zwar sehr mit dem Bürger geschrieen: „Bedenke, was du tust; wir sind ehrliche Leute, es wird sich nicht finden, daß wir von dem Deinigen etwas haben, und du tust uns so einen Schimpf an; wir werden es wissen an dir heimzusuchen." Denn sie haben es darum ins Wasser geworfen um die

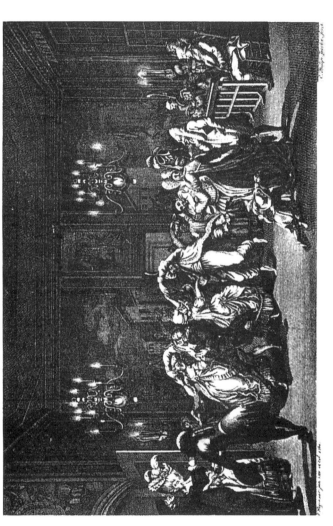

GEMASKERD BAL, BY GELEGENHEID VAN HET JOODSCHE PURIM-FEEST.

Tat besser zu leugnen. Aber es steht geschrieben in unseren zehn Geboten: „Du sollst nicht stehlen." Darum hat Gott ihnen auch nicht geholfen und sie sind wieder an den Ort gebracht worden, woher sie gekommen sind. Sie haben zwar alles geleugnet, nachdem man sie nackt ausgezogen und alles durchsucht hatte. Aber das hat ihnen nichts geholfen; man hat ihnen starke Folterqualen angetan, bis sie endlich bekannt haben, daß sie es getan haben. Nun sind sie beide zum Galgen verdammt worden. Der eine Dieb hat sofort den Christenglauben angenommen[1]). Der andere aber, der bis dahin sein Leben lang ein frommer Mensch gewesen war und fromme Eltern hatte — er ist von Wandsbek gewesen — hat seinen Glauben nicht ändern wollen und lieber sein Leben dafür hingegeben. Ich habe ihn und seine Eltern gut gekannt; er hatte sich immer als ein frommer, ehrlicher Mann gehalten. Er muß von dem andern verführt worden sein, der sein Leben lang nichts Gutes gewesen ist. Darum hat sein Ende leider so sein müssen. Sicherlich hat er sich in seinen letzten Stunden das ewige Leben erworben. Ich mag wegen der Ehre der Familie seinen Namen nicht nennen; aber in Hamburg kennt man die ganze Geschichte gut. Gott wird sicher die Heiligung seines Namens angenommen haben, daß er sein Leben für Gott hingegeben hat, während er doch ebenso gut hätte davonkommen können wie sein Genosse. Aber er hat das Gebot erfüllt: „Du sollst Gott mit deiner ganzen Seele lieben"[2]) und so ist sicher sein

---

[1]) Er hat sich durch seinen Uebertritt zum Christentum von der Todesstrafe befreit.

[2]) d. h. nach der traditionellen Deutung: mit Aufopferung deines Lebens.

8   F e i l c h e n f e l d, Glückel von Hameln.

Tod eine Sühne für alle seine Sünden gewesen. Darum soll sich jeder ein Exempel [daran] nehmen und sich nicht vom bösen Trieb nach dem leidigen Geld verführen lassen. — — —

Nun wieder von unseren Sachen anzufangen: ich bin mit meinem Sohn Mordechai ins Kindbett gekommen. Gebe Gott, daß sein Alter so glücklich und gut wäre wie seine Jugend! Aber was hilft es? Der höchste Gott hat schon alles beschlossen, was sein soll.

Ich habe schon in meinem dritten Buch (S. 60 ff.) von der Erlösung geschrieben, auf die wir gehofft haben, und schon erwähnt, daß mein sel. Schwiegervater uns zwei Fässer zugeschickt und gemeint hat, damit nach dem heiligen Lande zu ziehen, wenn ganz Israel sich dort versammelt. Aber da er nun gesehen hat, daß nichts daraus geworden ist, hat er seine Wohnung in Hameln aufgegeben und ist mit meiner Schwiegermutter nach Hildesheim gezogen, das eine hübsche, fromme Gemeinde und nur fünf Meilen von Hameln entfernt war. Als sie eine kurze Zeit dort gewohnt haben, hat mein sel. Mann, der seine Eltern gar sehr geliebt und in Ehren gehalten, mich gebeten: „Mein Glückelchen, laß uns nach Hildesheim reisen und meine Eltern besuchen; du hast sie mehr als zwölf Jahre lang nicht gesehen." Ich bin es zufrieden gewesen. Wir haben unsere Magd und unsern Jungen (= Diener) und drei Kinder mitgenommen und sind nach Hildesheim gereist. Ich habe damals meinen Sohn Mordechai, der noch kein Jahr alt war, gesäugt. Der Junge, der mit uns war, hat Samuel geheißen. Er war ein gar schöner Junge, darum hat man ihn den feinen Schmul genannt; denn wir haben noch einen

114

Jungen bei uns gehabt[3]), den die Kinder den groben Schmul nannten.

So sind wir nach Hildesheim gekommen. Meine sel. Schwiegereltern haben große Freude mit uns gehabt. Denn mein Mann ist ihr jüngstes Kind gewesen und es ist uns damals Gottlob sehr gut gegangen. Wir haben mitgenommen, was nach unserer Meinung in Hildesheim ein besonders schönes und ansehnliches Geschenk[3a]) gewesen ist, und haben es ihnen mitgebracht. Wir sind bis in die dritte Woche dort geblieben und haben uns sehr miteinander gefreut. Danach sind wir gesund und glücklich wieder heimgereist. Mein Schwiegervater hat uns ein Kännchen geschenkt, das ungefähr 20 Taler wert war; es war uns aber so lieb, als wenn er uns 100 Taler gegeben hätte. Mein Schwiegervater war damals ein reicher Mann — sein Vermögen betrug mehr als 20 000 Taler — und hatte seine Kinder alle verheiratet. Uns hatte die Reise über 150 Reichstaler gekostet, und doch haben wir uns mit dem Kännchen sehr gefreut, nicht so wie die Kinder heute sind, die gern den Eltern alles, Haut und Haar, wegnehmen möchten und nicht fragen, ob diese es leisten können oder nicht.

So sind wir wieder nach Hause gekommen und haben unsere Kinderchen allesamt gesund gefunden. Meine Schwiegereltern haben vier oder fünf Jahre in Hildesheim gewohnt; dieser Aufenthalt hat sie gegen 10 000 Reichstaler gekostet. Wenn sie auch keine große Haushaltung geführt haben, so haben sie doch große Ausgaben gehabt. Die guten Leute haben nun gesehen,

---

[3]) wahrscheinlich zu einer anderen Zeit.
[3a]) Im Original: ein כבוד = Verehrung, Ehrenbezeugung.

daß das Wohnen in Hildesheim keinen Zweck für sie hatte. So sind sie denn von Hildesheim nach Hannover gezogen und haben dort im Hause meines Schwagers, des reichen Leffmann [Behrens], gewohnt. Dort sind sie auch geblieben und sind alle beide in Hannover mit gutem Namen und in hohem Alter gestorben, wovon ich noch manches berichten werde.

Wir sind [damals] gut im Geschäft gesessen. Mein ältestes Kind, meine Tochter Zipora, war nun bald zwölf Jahre alt. Da hat uns Loeb [Hamburger], der Sohn des Anschel, in Amsterdam die Heirat mit meinem [späteren] Schwiegersohn Koßmann, dem Sohne des Elia Cleve[4]), vorgeschlagen. Weil nun mein sel. Mann doch zweimal im Jahre nach Amsterdam gereist ist, hat er diesmal seine Reise sechs Wochen früher als gewöhnlich gemacht und hat an den Heiratsvermittler geschrieben, er wollte zusehen, was [in der Sache] zu tun wäre. Damals war Krieg[5]); darum hatte Elia Cleve seinen Wohnsitz (von Cleve weg) verlegt und war mit seinen Leuten nach Amsterdam gezogen. Als nun mein sel. Mann nach

---

[4]) Elias Cleve, Sohn des Stammvaters der Familie Gomperz, des Landesrabbiners Mordechai Gumpel in Emmerich (siehe S. 20), hat sich besonders als geschäftlicher Vertrauensmann des Großen Kurfürsten und der kurbrandenburgischen Regierung in Cleve, nicht minder aber auch als Vorsteher und Wohltäter der Judenschaft der Graftschaft Cleve berühmt gemacht. Die Abschaffung des Leibzolls in der Grafschaft Cleve war ihm zu verdanken. Siehe Kaufmann-Freudenthal, Familie Gomperz, S. 18 ff.
[5]) In dem Raubkriege Ludwigs XIV. gegen Holland, der 1672 begann, war der Große Kurfürst mit den Holländern verbündet. Seine Clevischen Besitzungen waren wegen ihrer exponierten Lage einem Angriff der Franzosen noch mehr ausgesetzt als das durch seine Küstenlage geschützte Holland.

Amsterdam gekommen war, ist sofort das Gerücht hierher gedrungen, daß er sich mit Elia Cleve verschwägern sollte. Dieses ist am Posttage gewesen, an dem die Leute ihre Briefe auf der Börse gelesen haben. Viele Leute haben es nicht glauben wollen; es ist sogar viel Geld auf der Börse darüber verwettet worden, ob die Heirat stattfinden würde. Denn Elia Cleve ist ein sehr reicher Mann gewesen und hat den Namen gehabt, 100 000 Reichstaler oder mehr zu besitzen, was auch die Wahrheit war. Mein Mann aber ist damals noch jung gewesen; wir waren eben erst emporgekommen und hatten ein Häuschen voll Kinderchen (Gott möge sie behüten!). Aber was der Höchste beschließt, das muß geschehen, wenn es Menschen auch nicht gerne sehen, und im Himmel wird vierzig Tage vor der Geburt eines Kindes ausgerufen: Der und der soll die Tochter von dem und dem nehmen[6]).

So hat mein sel. Mann sich mit dem reichen Elia Cleve verschwägert und unserer Tochter 2200 Reichstaler in holländischem Geld als Mitgift bestimmt. Sie haben die Hochzeit auf 1 1/2 Jahre später festgesetzt und die Hochzeit sollte in Cleve sein. Mein sel. Mann sollte auch noch 100 Reichstaler als Beitrag zu den Kosten der Hochzeit geben.

Als nun die Zeit der Hochzeit herankam, sind wir zusammen — ich und mein sel. Mann und ein Säugling, den ich bei mir hatte, und meine Tochter Zipora, die Braut, und Rabbi Meïr von der Klaus, der jetzt Rabbiner in Friedberg ist, und unser Diener, der feine Schmul, und

[6]) Talmudisches Zitat (Sota, fol. 2 a). Vgl. das deutsche Sprichwort: Ehen werden im Himmel geschlossen.

eine Dienstmagd — also mit einer großen Suite zur Hochzeit gereist. Wir fuhren von Altona aus zu Schiff in Gesellschaft von Mordechai Cohen, Meïr Ilius und Aron Todelche. Was wir für eine lustige Reise gehabt haben, kann ich nicht beschreiben. So sind wir glücklich in aller Lustigkeit und Vergnüglichkeit nach Amsterdam gekommen. Es ist aber wohl noch drei Wochen vor der Hochzeit gewesen[7]). Wir haben bei dem erwähnten Loeb Hamburger gewohnt und haben jede Woche mehr als zwölf Dukaten verzehrt. Aber wir haben dieses nicht geachtet; denn in den drei Wochen, die wir vor der Hochzeit in Amsterdam waren, hat mein Mann die halbe Mitgift verdient. Vierzehn Tage vor der Hochzeit sind wir „mit Pauken und Reigentänzen", mehr als zwanzig Leute an der Zahl, nach Cleve gereist und sind dort mit allen Ehren aufgenommen worden. Wir sind da in ein Haus gekommen, das wirklich wie ein Königspalast und in aller Art wohl möbliert gewesen ist. Den ganzen Tag hat man keine Ruhe gehabt vor vornehmen Herren und Damen, die alle gekommen sind und die Braut haben sehen wollen. Wirklich ist meine Tochter gar schön gewesen und hat nicht ihresgleichen gehabt. Nun ist große Zurüstung zu der Hochzeit gewesen. Zu jener Zeit ist in Cleve der Prinz[8]) gewesen. Damals hat der älteste Prinz, welcher Kurprinz war, noch gelebt und dieser (Prinz Friedrich) ist ein junger Herr von ungefähr drei-

---

[7]) Genauer wohl: 3 Wochen vor der Abreise von Amsterdam nach Cleve, wie aus dem Folgenden hervorgeht.

[8]) Prinz Friedrich, der spätere Kurfürst Friedrich III. von Brandenburg, seit 1701 König Friedrich I. von Preußen, wurde erst durch den Tod seines älteren Bruders Karl Emil (1674) Kurprinz.

zehn Jahre gewesen. Aber nicht lange danach ist der älteste Kurprinz gestorben und dieser ist an seiner Stelle Kurprinz geworden. Auch Prinz Moritz[9]) und andere Fürstlichkeiten und vornehme Herren sind dort gewesen. Sie haben alle sagen lassen, daß sie bei der Kopulation sein wollten. Daher hat sich der Vater des Bräutigams, Elia Cleve, natürlich vorher auf so hohe Gäste eingerichtet. Am Hochzeitstage, gleich nach der Trauung, war eine vorzügliche Kollation von allerhand Konfitüren und auserlesenen fremden Weinen und Früchten hergerichtet. Nun kann man sich wohl denken, was für eine Verwirrung da gewesen ist und wie Elia Cleve und seine Leute alle ihre Gedanken darauf gerichtet hatten, solche vornehme Gäste zu traktieren und wohl zu akkomodieren (d. h. es ihnen bequem zu machen). Daher haben sie nicht einmal Zeit gehabt, einer dem andern die Mitgift zu liefern und vorzuzählen, wie es sonst üblich ist. So haben wir unsere Mitgift und Elia Cleve die seinige in Beutel getan und versiegelt, damit man sie nach der Hochzeit zählen sollte.

Wie man nun mit dem Brautpaar unter dem Trauhimmel stand, stellte sich heraus, daß man in dem großen Trubel vergessen hatte, die Ketuba[10]) zu schreiben. Was

---

[9]) Fürst Moritz von Nassau, der damalige Statthalter des Herzogtums Cleve, zeigte sich auch den Juden gegenüber vorurteilslos und duldsam. Siehe Kaufmann-Freudenthal, Familie Gomperz, S. 20.

[10]) Urkunde über eine Geldverschreibung, die der Bräutigam der Braut am Hochzeitstage (für den Fall seines Ablebens oder einer Scheidung der Ehe) ausstellte. Durch eine Synhedrialverordnung in der hasmonäischen Zeit ist die Ausstellung und Vorlesung einer solchen Urkunde als notwendiger Bestandteil einer rechtsgültigen jüdischen Eheschließung eingeführt worden.

sollte man nun tun? Alle Vornehmen mit dem jungen Prinzen haben schon dagestanden und wollten zusehen. Da sagte der Rabbiner Meïr [Raudnitz] [11]), der Bräutigam solle einen Bürger stellen und sich verpflichten, sofort nach der Hochzeit eine Ketuba schreiben zu lassen. Der Rabbiner las darauf die Ketuba aus einem Buche vor[12]). Nach der Trauung führte man alle Vornehmen in Elia Cleves großes Prunkgemach, das mit goldenem Leder ausgeschlagen war. Darin stand ein großer Tisch, auf dem die feinsten Leckerbissen waren. So hat man die Vornehmen nach ihrer Würde traktiert. Mein Sohn Mordechai war damals ein Kind von ungefähr fünf Jahren; es gab kein schöneres Kind in der Welt, und wir hatten ihn sehr schön und sauber gekleidet. Alle die Vornehmen haben ihn schier aufgefressen und besonders der Prinz hat ihn stets bei der Hand gehalten. Wie nun die Vornehmen von den Konfekten und Früchten gegessen und auch wohl von den Weinen getrunken hatten, hat man den Tisch abdecken lassen und hinausgetan. Dann sind verkleidete Leute hineingekommen und haben sich gar schön präsentiert und allerhand Possen gemacht, die zur

---

[11]) Rabbi Meïr Raudnitz war damals noch in ziemlich jungen Jahren Rabbiner in Cleve, später in Wesel. Er ist 1724 in Altona gestorben und auf dem dortigen alten Friedhof bestattet (Grabstein Nr. 712). Daß er Rabbiner in Kopenhagen gewesen sei, wird von Grunwald, Hamburgs deutsche Juden, S. 229 (im Anschluß an das Verzeichnis der Grabinschriften des Friedhofes zu Altona) mit Unrecht aus der Grabinschrift herausgelesen. Siehe Dukesz, Chachme AHW (Biographien und Grabinschriften hervorragender Männer von Altona-Hamburg-Wandsbek), Seite 7.

[12]) Er las das vorgeschriebene Formular der Ketuba mit Einsetzung der Namen des Bräutigams und der Braut.

Ergötzlichkeit gedient haben. Zuletzt haben die Verkleideten einen Totentanz[13]) aufgeführt, der sehr rar gewesen ist. Auf der Hochzeit waren auch viele vornehme Portugiesen, darunter war einer Namens Mocatta, ein Juwelier, der hatte ein schönes, goldenes, mit Diamanten besetztes Uehrchen im Werte von 500 Reichstalern bei sich. Elia Cleve hat das Uehrchen von Mocatta gefordert und wollte es dem Prinzen schenken. Aber ein guter Freund stand dabei, der sagte ihm: „Wozu soll dir das? Du willst dem jungen Prinzen so ein großes Geschenk geben? Wenn es noch der Kurprinz wäre, ließe es sich noch tun.“ Aber, wie schon erwähnt, nicht lange danach ist der Kurprinz gestorben und der junge Prinz, der nun auch Kurfürst ist, an seine Stelle gekommen. Elia Cleve aber hat es später dem Freunde, der ihn gehindert hatte dem Prinzen das Geschenk zu geben, jedesmal, wenn er zu ihm kam, mit großem Aerger vorgeworfen. Gewiß hätte auch der junge Prinz, wenn Elia Cleve ihm das Geschenk gemacht hätte, es ihm in Ewigkeit nicht

---

[13]) T o t e n t ä n z e sind seit dem 14. Jahrhundert in Aufnahme gekommene dramatische Dichtungen und Schaustellungen, in denen durch eine Reihe allegorischer Gruppen unter dem vorherrschenden Bilde des Tanzes die Gewalt des Todes über das menschliche Leben veranschaulicht wurde. In Deutschland wie in Frankreich standen die Totentänze in enger Beziehung zur Kirche und wurden meist in oder bei Gotteshäusern aufgeführt. Die in ihnen enthaltenen Allegorien wurden vielfach in Kirchen und Klöstern bildlich dargestellt; besonders berühmt ist der Totentanz auf einem Gemälde in der Marienkirche zu Lübeck. Siehe W. Wackernagel, Der Totentanz (Kleinere Schriften, S. 302—75). Bemerkenswert ist, daß diese aus spezifisch christlicher Anschauung hervorgegangenen Darstellungen auch in jüdische Kreise Eingang fanden und bei Freudenfesten aufgeführt wurden.

vergessen; denn große Herren vergessen solche Sachen nicht. Nun, es hat keinen Zweck über Vergangenes zu klagen. Aber der junge Prinz samt dem Fürsten Moritz und allen Vornehmen sind doch sehr vergnügt hinweggegangen und kein Jude hat wohl in hundert Jahren solche Ehre gehabt. Also ist die Hochzeit in aller Freude zu Ende geführt worden.

Nach der Hochzeit bin ich nach Emmerich zu dem Grab meiner Schwester Hendel gefahren[14]). Was ich für Kummer und Herzeleid [durch den Tod meiner Schwester] gehabt habe, ist Gott bekannt und es ist immer noch schade, daß ein so junges und über die Maßen schönes Menschenkind die schwarze Erde hat kauen müssen. Sie ist noch nicht 25 Jahre alt gewesen. Aber was hilft es? Was Gottes Wille ist, müssen wir uns gefallen lassen. Sie hat einen Sohn und eine Tochter hinterlassen. Der Sohn ist ein sehr feiner junger Mann gewesen und hat sehr gut gelernt[15]); aber er ist leider jung und unverheiratet gestorben, was Freunde und Fremde sehr bedauert haben.

Einen Tag nach der Hochzeit haben wir uns mit aller Vergnüglichkeit wieder auf die Rückreise begeben und sind wieder nach Amsterdam gereist um denselben Weg zurückzumachen, auf dem wir gekommen waren;

---

[14]) Ihre Hochzeit mit dem Sohne des Gumpel Emmerich ist S. 21 beschrieben.

[15]) Die Beschäftigung mit dem Talmud hieß, gleichviel ob von Gelehrten oder von Anfängern die Rede war, „lernen" schlechtweg. Güdemann, „Gesch. d. jüd. Erziehungswesens", III, 68.

wie es heißt: „Er ging auf seinen Zügen"[15a]). So sind
wir wieder nach Amsterdam gekommen und sind ungefähr 14 Tage dort gewesen, da mein Mann noch ein
wenig dort Geschäfte gemacht hat. Nachher sind wir
von Amsterdam nach Delfzyl gefahren; da muß man
über das Meer, das der Dollart heißt[16]). Der stärkste
Mensch, der das Meer nicht gewöhnt ist, muß da todkrank werden; denn da ist ein starker Wasserwirbel und
das Schiff wird sehr gerüttelt. Als wir in das Schiff gekommen sind, haben wir unser Gesinde in der Kajüte
gelassen, das ist soviel wie ein Haus, und ich und mein
Mann haben uns vom Schiffer ein kleines Kämmerchen
gedungen, damit wir darin allein sein konnten. In der Wand
dieses Kämmerchens ist nach außen eine Luke gewesen,
die man hat auf- und zumachen können. Aus der Luke
hat man in die Kajüte hineinsehen und hinaus- und hineintun können, was man wollte. Wie wir nun in unser
kleines Kämmerchen kommen, sind zwei Bänke darin
gewesen, auf die man sich legen konnte. Da sagte mein
Mann zu mir: „Glückelchen, da leg' dich hübsch auf
eine Bank, ich will dich gut zudecken, und nimm dich
in acht, rege dich nicht und liege ganz still, so wird
dir das Meer nichts schaden." Ich war noch niemals
darüber gefahren; aber mein Mann war schon öfter über
den Dollart gefahren und ist darin erfahren gewesen.

[15a]) 1. B. Mos. 13, 3 wird von Abraham berichtet, daß
er auf dem Rückwege von Aegypten nach Kanaan dieselben
Stationen benutzt habe wie auf dem Hinwege (s. Raschi
zur Stelle).

[16]) Die Fahrt von Amsterdam nach Delfzyl führte nur in
ihrem letzten Teile durch den Dollart, an dessen Westseite
Delfzyl liegt.

Ich bin zwar meinem Mann gefolgt und habe mich still hingelegt; aber in der Kajüte ist meine Magd mit meinem Säugling gewesen und wir haben ein sehr böses Wetter und konträren Wind gehabt. Das Schiff ist sehr hohl gegangen und alle, die in dem Schiffe waren, sind todkrank gewesen und haben sich — mit Erlaubnis zu sagen — übergeben müssen. Wirklich gibt es keine größere Krankheit in der Welt; ich glaube nicht, daß Todesnot schlimmer sein kann. Ich habe es zwar nicht gespürt, so lange ich still gelegen bin. Aber meine Magd ist auch krank gewesen und hat sich nicht regen können und sie hat doch mein Kind bei sich gehabt. Das Kind ist vielleicht auch nicht wohl gewesen und hat angefangen zu heulen und zu kreischen; die Magd hat sich selbst nicht rühren können und hat das Kind weinen lassen. Aber ich konnte es als Mutter, die mit ihrem Kind Mitleid hat, nicht länger mit anhören und mußte von meinem Lager aufstehen. Ich habe das Kind durch die Luke zu mir hereingezogen und es mir an die Brust gelegt. Aber, mein Gott! wie ist mir so weh geworden, es hat mich stracks Todesnot ergriffen. Ich habe mir gedacht, daß gewiß mein Ende da wäre, und habe angefangen das Sündenbekenntnis zu sprechen[17]), so gut ich konnte und so viel ich davon auswendig wußte. Mein Mann lag still auf seinem Lager und wußte wohl, daß dies keine Sterbenskrankheit ist, sondern daß sie weggeht, sobald man nur die Füße auf das Trockene stellt. Wie ich nun so mein Sündenbekenntnis spreche

---

[17]) Gläubige Israeliten lassen sich, wenn sie ihre letzte Stunde gekommen glauben, das Sündenbekenntnis vorsagen, wie es am Versöhnungstage in den Bethäusern gesprochen wird.

und mit aller Andacht an Gott denke, hat mein Mann dagelegen und gelacht. Ich habe das gehört und bei mir gedacht: „Ich liege da in Todesnot und mein Mann liegt da und lacht". Obschon ich nun darüber sehr erzürnt war, so ist doch damals keine Zeit gewesen mit meinem Mann darüber zu zanken; ich habe auch nicht die Kraft gehabt ein Wort zu reden. So mußte ich in meiner Krankheit liegen bleiben, bis wir nach etwa einer halben Stunde ans Land gekommen und aus dem Schiff gestiegen sind. Da ist unsere Krankheit Gottlob auf einmal weggewesen.

Als wir nach Delfzyl kamen, ist es schon vollständig Nacht gewesen und wir konnten nicht mehr in ein Wirtshaus einkehren und auch nicht in eines Juden Haus. Das Wetter war sehr schlecht und wir haben schon gemeint, daß uns nichts andres übrig bliebe als die Nacht auf der Straße zu liegen. Dabei mußten wir den anderen Tag fasten — denn es war der Rüsttag zum Neujahrsfeste — und wir hatten doch den ganzen Tag auf dem Schiffe keinen Bissen gegessen und waren noch matt von der Seekrankheit. Also wollte es uns nicht schmecken, daß wir ohne etwas zu essen und zu trinken auf der Gasse liegen bleiben sollten. Mein Mann ist endlich in der Nacht in das Haus eines Juden gegangen, dessen Bruder die Tochter von Chajim Fürst (in Hamburg) zur Frau hatte, und hat um Unterkunft für uns und unsere Kinder gebeten, damit wir doch wenigstens unter Dach kämen. Der Hausherr hat gleich gesagt: „Kommt in Gottes Namen; mein Haus steht euch offen, ein gutes Bett kann ich euch geben; aber Essen habe ich nicht" — denn es war schon sehr spät und seine Frau war nicht zu Hause, sie war in Emden. So war mein Mann froh, daß wir nur Nachtquartier hatten, und hat uns gleich in das Haus gebracht. Wir hatten noch ein bißchen Brot bei uns, das haben wir den Kindern gegeben. Ich habe Gott gedankt, daß ich zu Bett gekommen bin; ich habe ein sehr gutes Bett gehabt, das war mir lieber als Essen und Trinken Am andern Morgen sind wir früh aufgestanden und nach Emden gefahren[18]). Dort waren wir bei Abraham Stadthagen zu Gast, der mit meinem Mann nahe verwandt war — sein Vater Moses Kramer von Stadthagen war meines Mannes Onkel[19]). So sind wir während der Neujahrstage in Emden gewesen und haben sehr angenehme Festtage gehabt, so daß wir unsern Dollart ganz und gar vergessen haben. Abraham Stadthagen war ein vortrefflicher Mann; er hat nicht allein uns fein traktiert und uns alle Ehre in der Welt angetan; er hat auch noch sechs Pletten-Gäste[20]) an seinem Tisch sitzen gehabt; die mußten von allem essen und trinken wie wir, und ich kann sagen, daß ich solches noch bei keinem Reichen gesehen habe.

Am Ausgang des Neujahrsfestes sind wir allesamt wieder von Emden weggereist, in der Meinung, daß wir noch zum Versöhnungstage zu Hause sein könnten, und sind ganz früh nach Wittmund gekommen. In Witt-

---

[18]) Die Reise von Delfzyl nach Emden, quer über den inneren Teil des Dollart scheint ohne Schwierigkeit vonstatten gegangen zu sein.

[19]) Ein Bruder Josef Hamelns.

[20]) Pletten- (=Billetten-) Gäste sind fremde Arme, die von der jüdischen Gemeinde des Orts durch Billetts wohltätigen Gemeindemitgliedern zugewiesen wurden und von diesen eine oder mehrere Mahlzeiten erhielten.

mund haben wir uns ein Schiff nach Hamburg gedungen. Eine Tagereise von Wittmund liegt ein Ort Wangerood [21]); da müssen die Schiffe anlegen um Zoll zu bezahlen und sich zu erfrischen. Wie wir nun nach Wangerood kamen, sagte uns der Richter[22]): „Wo wollt ihr Leute hin?" Da sagte mein Mann: „Wir wollen nach Hamburg." Darauf sagte der Richter: „Nehmt euch in acht, ihr könnt nicht fortkommen, denn das ganze Meer ist voll von Kaperschiffen, die nehmen alles weg, was sie kriegen können." Nun war der Versöhnungstag nahe und wir hatten dem Schiffer schon 10 Taler für die Fahrt gegeben; das mußten wir alles verfallen lassen und uns wieder nach Wittmund begeben. Dort mußten wir den Versöhnungstag zubringen und waren bei Breinle, einem Geschwisterkind meines Mannes, zu Gast. Wir haben uns nun mit ihnen überlegt, wie wir fortkommen könnten; denn zu Wasser konnte man wegen der Kaper nicht fortkommen und zu Lande war überall, wo man nur hinkam, viel Militär. Also haben wir uns mit den Leuten in Wittmund besprochen. Die Witwe Breinle war von Hamburg, eine Tochter von Loeb Altona, und war eine sehr kluge, fromme Frau; dazu war sie eine nahe Anverwandte meines Mannes und ist allezeit mit uns gut Freund gewesen. Daher tat sie alles, was möglich war um uns fortzuhelfen. Endlich ist beschlossen worden, daß wir nach dem Versöhnungstage zu Lande heimfahren sollten, und mein Mann sollte sich in Aurich

---

[21]) Die (jetzt oldenburgische) Insel Wangeroog ist die östlichste der ostfriesischen Inseln. Dort wurde Zoll bezahlt und frisches Wasser eingenommen.

[22]) vielleicht der Ortsvorsteher oder der Vorsteher des Zollamts.

vom General Buditz einen Paß geben lassen; denn der General hatte (so sagte man uns) bei verschiedenen Königen und Herzögen gedient und war bei allen sehr beliebt, so daß wir mit seinem Paß sicher durchkommen könnten. Zum Ueberfluß sollte Meier Aurich veranlassen, daß der General Buditz uns einen wackeren Offizier mitgäbe, der als Salveguardia (= Sicherheitswache) mit uns reiste. So ist mein Mann am Rüsttage des Versöhnungsfestes nach Aurich gereist und ist wiedergekommen, als wir gerade anfangen wollten (die letzte Mahlzeit vor Beginn des großen Fastens) zu essen. Er hatte alles nach seinem Wunsche ausgerichtet, auch einen Korporal, einen wackeren, ehrlichen Menschen mitgebracht, der mit uns bis Hamburg gereist ist. Gleich nach dem Versöhnungstage haben wir einen Wagen gedungen bis Oldenburg. Da haben wir beinahe Wagen und Pferde bezahlen müssen; denn es hat sonst keiner (die Fahrt) wagen wollen; jeder Fuhrmann hat für seine Pferde Furcht gehabt. Nun war mein Mann auch in großen Sorgen, wie man sich wohl denken kann, und war sehr unmutig. Ich habe meine guten Reisekleider ablegen und mir alte Lumpen anziehen müssen. Rabbi Meïr[23]), der, wie schon erwähnt, bei uns war, sagte zu meinem Manne: „Mein Reb Chajim, warum seid Ihr so unmutig und warum verkleidet Ihr Eure Frau so scheußlich?" Darauf erwiderte mein Mann: „Gott weiß, daß ich auf mich nicht achte und auch nicht auf das, was ich an Geld bei mir führe; ich habe nur Sorge um das Weibsvolk, meine Frau und die Magd." „Darum brauchst

---

[23]) der Klausrabbiner, den sie von Hamburg mitgenommen hatten, s. S. 117.

Fig. V. *Vom Sabbat.*

G. Eichler, inv et del.   P. II.   G. P. Nurbiegel sculp.

du dir keine Sorge zu machen," sagte Rabbi Meïr; „ohne Spaß, Ihr irrt Euch in Eurer Frau; Ihr hättet sie nicht so scheußlich auszustaffieren brauchen, man hätte ihr doch nichts getan." Mein Mann hat sich sehr darüber geärgert, daß Rabbi Meïr solchen Scherz getrieben, während ihm doch sehr weh war. Wir sind nun nach Mitternacht von Wittmund weggereist und die Breinle und alle Leute in Wittmund sind ein gut Stück Weges mit uns gegangen und haben uns ihren besten Segen nachgesagt. So sind wir glücklich nach Oldenburg gekommen. Was soll ich noch schreiben, was wir bei Bremervörde[24]) und an anderen Plätzen ausgestanden haben? Aber unser getreuer Korporal und unser guter Paß haben uns nächst Gott bis hierher geholfen. Wie wir nun in Oldenburg angekommen sind, hat der ganze Ort nur so von Militär gewimmelt und der Wagen, den wir von Wittmund mitgenommen hatten, hat nicht weiter mit uns fahren wollen, wenn wir ihm auch alles Vermögen der Welt gegeben hätten. Da ist mein Mann gelaufen und hat gesehen einen Wagen zu bekommen; zwei Meilen weit davon, auf einem Dorf, hat er ihn endlich für teures Geld bekommen. Nun sind wir aus Oldenburg herausgefahren und gegen Abend glücklich in das Dorf gekommen; dort sind wir über Nacht geblieben um von dort (am andern Morgen) weiter zu fahren. So sitzen wir nachts bei dem Feuer und unser Wirt und andere Leute aus dem Dorfe sitzen ebenfalls da und schmauchen Tabak. Dabei kommt man

---

[24]) Bremervörde liegt auf dem Wege zwischen Geestemünde und Harburg, kann also auf der Fahrt von Oldenburg nach Hamburg nur auf einem großen Umwege berührt worden sein. Landau a. a. O., S. 37, vermutet, daß vielleicht ein Stadttor von Oldenburg den Namen Bremer Pforte führte.

auf die eine oder andere Ortschaft zu reden und ein Bauer erzählt vom Herzog von Hannover und sagt: „Mein Herr hat auch 12 000 Mann nach Holland geschickt[25]." Da war mein Mann sehr froh, als er hörte, daß er in dem Hannöverschen Land war. Denn die Lüneburgischen Herzöge halten ihr Land sehr rein; da darf kein Soldat ein Huhn kränken, geschweige denn etwas anderes. Da fragte mein Mann, wie weit Hannover von diesem Dorf wäre. Der Bauer antwortete ihm: Acht Meilen, da hat mein Mann mit dem Bauer ausgerechnet, daß er noch gut Zeit hatte vor dem Laubhüttenfeste in Hannover zu sein, wenn er am nächsten Tage wegreiste. Mein Mann hat nun sogleich einen Wagen gedungen und wir sind am Abend weggereist. Mein Mann hatte eine große Freude, daß es sich just so traf, daß er mit seiner Frau und seinen Kindern die Pflicht der Elternverehrung erfüllen und die Festtage bei seinem Vater und seiner Mutter verbringen konnte. Nach aller unsrer ausgestandenen Unruhe, Sorge und Not sind wir nun sehr vergnügt nach Hannover gekommen. Vor der Stadt ist uns mein Schwiegervater entgegengekommen wie ein Engel, wie der Prophet Elia, mit einem Stecken in der Hand und einem schneeweißen Bart bis an den Gürtel und seine Backen ritzrot. Kurz gesagt: wenn man einen alten, schönen Mann abmalen sollte, hätte man ihn nicht schöner abmalen können. Was wir nun sämtlich für eine Herzerquickung von diesem Anblick

---

[25] Daß Hannover in diesem französisch-holländischen Kriege gegen die Holländer und den Großen Kurfürsten von Brandenburg Partei genommen, erwähnt Berner, Geschichte des preußisches Staates, S. 193.

gehabt und wie vergnüglich wir die ersten Tage des Hüttenfestes verlebt haben, ist nicht zu beschreiben. Aber in den Mittelfeiertagen sind wir gleich nach Hamburg weitergefahren. Obgleich meine Schwiegereltern gern gehabt hätten, daß wir die ganzen Festtage über bei ihnen geblieben wären, so haben es doch unsere Umstände nicht erlaubt und wir haben ihnen unsere Gründe gesagt. Dann sind wir ganz vergnügt von ihnen weggereist und ich habe sie, ach, alle beide auf dieser Welt nicht wiedergesehen. Gott soll mir die Gnade geben, wenn er mich aus dieser sündigen Welt abberuft, bei ihnen im Paradies zu sein! Obschon wir unsern Korporal gern von uns weggeschickt hätten und ihn gut belohnen wollten, so hat er uns doch gar sehr gebeten, wir möchten ihn mit nach Hamburg nehmen; denn er hätte so viel von Hamburg gehört und wäre in seinem ganzen Leben nicht dort gewesen. Da er sich nun auf dem Wege so gut betragen, hat es ihm mein Mann nicht abschlagen können und wir haben ihn mit nach Hamburg genommen. Wir sind auch richtig am Rüsttag des Schlußfestes nach Hamburg gekommen und haben Gottlob unsere ganze Familie in guter Gesundheit gefunden, wofür wir dem Höchsten sehr zu danken haben. Die Reise von unserem Hause bis wieder nach Hause zurück hat uns über 400 Taler gekostet. Aber wir haben uns nicht viel daraus gemacht; denn unsere Geschäfte sind Gottlob sehr gut gegangen. Gepriesen sei Gott, der uns seine Liebe und Treue nicht entzogen und uns bis hierher beigestanden hat! Nun sind wir nach ausgestandener Mühe wieder in unserem Hause gewesen.

Jetzt will ich von einem Mann namens Moses erzählen, der einige Zeit in Helmstädt gewohnt hat. Das ist, wie mich dünkt, fünf Meilen von Hildesheim entfernt [26]). Dort ist eine Hochschule, daher ist es (für Juden) ein böser Ort. Moses Helmstädt ist von dort ausgetrieben worden. Danach ist er nach Pommern gezogen und hat sich Stettin zum Wohnort ausgewirkt. Dort hat er sich mächtige Schutzbriefe verschafft und auch die Münze erhalten [d. h. das Recht], daß er und sonst keiner die Münzen in Stettin liefern dürfe. Es stand auch darin (d. h. in seinem Vertrage), wie teuer sie die Mark fein [27]) annehmen sollten, und von der Regierung ist ein Kommissarius darüber gesetzt worden. Nun hat Moses Helmstädt nichts zu eigen gehabt um so ein großes Werk auszurichten. Darum hat er an meinen Mann geschrieben und seinen Schutzbrief mitgeschickt und angefragt, ob mein Mann ihn mit Silber versehen wollte; dann sollte er auch an der Münze Anteil haben und an allen Juwelen, die er kaufen und verkaufen würde.

Stettin war ein bedeutender Ort und es hatte wohl hundert Jahre und darüber kein Jude dort gewohnt; aber es sind oft sehr viele Juden dorthin gereist, die Gelegenheit zu sehr billigen Ankäufen von Perlen und Edelsteinen dort gefunden haben. Es sind auch viele Edelsteine dort verkauft worden. Mein Mann hat sich nun berechnet, daß an den Dritteln, die in Stettin ge-

---

[26]) In Wirklichkeit beträgt die Entfernung ca. 10 deutsche Meilen. In Helmstädt war seit 1576 eine herzoglich braunschweigische Hochschule, die erst 1809 von König Jérôme von Westfalen aufgehoben wurde.

[27]) d. h. die Mark reinen, unvermischten Edelmetalls.

schlagen wurden, ein hübscher Verdienst zu machen sei, und wenn man 100 000 solche Drittel gehabt hätte, hätte man so gut wie neue Lüneburger und Brandenburger Drittel (= $\frac{1}{3}$ Taler) dafür einwechseln können. Daher schrieb ihm mein Mann: wenn er sich ehrlich und redlich verhalten wolle, so wollte mein Mann mit ihm ein Kompagniegeschäft machen. Bevor er sich in Stettin niederließ, hatte er einige Jahre in Berlin gewohnt und war dort viel Geld schuldig geblieben, was wir aber leider nicht gewußt haben. Wir haben wohl gewußt, daß er kein reicher Mann war; aber wir haben gesehen, daß er an einem sehr bedeutenden Ort wohnte und vortreffliche Schutzbriefe hatte, daß ferner das ganze Land vor ihm offen war, so daß er und seiner zehn dort Großes hätte erreichen können. Aber zu unserm großen Schaden sind wir es [erst später] inne geworden (daß er so tief in Schulden steckte), wie weiter folgen wird. Meinen Sohn Nathan, der damals ein Junge von ungefähr 15 Jahren war, haben wir nach Stettin geschickt um ein wenig mit zuzusehen. Wir haben nun angefangen dem Moses Helmstädt große Partien Silber zu schicken und er hat sie auch gleich an die Münze geliefert und uns dafür die Stettinischen Drittel geschickt, die wir dann in einer Börsenzeit sogleich verkaufen konnten. Es war auch hübscher Verdienst daran, zuweilen zwei vom Hundert oder mehr, zuweilen auch etwas weniger, je nachdem der Kurs der Drittel an der Börse war. Wir haben auch verschiedene Partien Perlen von ihm bekommen und es wurde auch daran hübsch verdient, so daß wir ganz zufrieden waren.

Ungefähr ein Jahr früher bin ich mit meiner Tochter Esther ins Kindbett gekommen. Damals sind uns für unsern Sohn Nathan einige Heiratspartien angetragen worden, darunter auch die verwaiste Tochter des reichen Gemeindevorstehers Elia Ballin[27a]). Andererseits ist uns auch eine Verbindung mit der Tochter des reichen Samuel Oppenheim[28]) angeraten worden und die Sache war schon fast fertig. Aber es scheint nicht von Gott bestimmt gewesen zu sein, daß daraus etwas werden sollte. Wir sollten nämlich alle beide[28a]) unsere Mitgiften nach Frankfurt an meinen Schwager Isaak Hameln schicken. Nun hatten wir stets Edelsteine im

---

[27a]) Elia Ballin, Gemeindevorsteher, von dem Rabbiner der Hamburger deutschen Juden, Rabbi David Tebele aus Posen, als Gönner gepriesen. Grunwald, Hamburgs deutsche Juden, S. 117.

[28]) Samuel Oppenheim aus Heidelberg, der erste Jude, der nach der Judenvertreibung von 1670 wieder nach Wien zog, erlangte als Hofbankier des Kaisers Leopold I. und als Armeelieferant der kaiserlichen Heere großes Ansehen und wußte durch seine geschickten Finanzoperationen den österreichischen Staatskredit sehr zu heben. Der damalige größte Staatsmann und Feldherr des Kaisers, Prinz Eugen, hielt große Stücke auf ihn. Der angesehenen Stellung Oppenheims war es zu verdanken, daß sich nach und nach wieder jüdische Familien in Wien ansiedelten. Er hat auch im Verein mit seinem Schwager Samson Wertheimer eine kaiserliche Verordnung erwirkt, durch die das Erscheinen des berüchtigten judenfeindlichen Buches von Eisenmenger im Gebiete des Deutschen Reiches verboten wurde. Siehe Graetz, Geschichte der Juden, X 278. Kaufmann, Samson Wertheimer (Wien 1888), S. 1, 6 ff.

[28a]) d. h. die Eltern des Bräutigams und die der Braut.

134

Werte von einigen Tausenden bei meinem Schwager liegen und Samuel Oppenheim hatte gleichfalls seine Mitgift dorthin abgeschickt. Aber es war Winter und es war ein großes Hochwasser, so daß das Geld wohl 14 Tage über die bestimmte Zeit hinaus unterwegs war. Unterdessen haben die Heiratsvermittler sehr gedrängt und nicht nachgelassen die Verbindung mit Elia Ballins Tochter zu betreiben. Nun hat sich mein Mann gedacht: „Ich bekomme keinen Brief von meinem Bruder Isaak aus Frankfurt, daß er das Geld laut Akkord erhalten hat. Gewiß wird der reiche Samuel Oppenheim auf andere Gedanken gekommen sein, und wenn wir die Verbindung mit Elia Ballins Tochter auch fahren ließen, so säßen wir zwischen zwei Stühlen im Dreck." Also haben wir uns resolviert zu Glück und Segen diese Verbindung einzugehen. Die Mutter der Waise[28b]) verpflichtete sich ihr außer der ganzen Ausstattung 4000 Reichstaler Banko mitzugeben und wir haben unserm Sohn Nathan 2400 Reichstaler Banco gegeben. So hat die Verlobung zu allem Guten stattgefunden. Acht Tage danach bekamen wir ein Schreiben von meinem Schwager Isaak, daß das Geld angekommen sei; mein Mann sollte sofort und ohne Verzug Vollmacht schicken. Aber es war zu spät. Mein Mann hat nun an seinen Bruder geschrieben und sich exkusiert: er hätte gemeint, nachdem es schon 14 Tage über die Zeit gewesen, daß Samuel Oppenheim anderen Sinnes geworden sei, und da ihm die andre Partie auch genehm gewesen, so hätte er auf den Zweifel hin die Partie nicht mögen zurück-

---

[28b]) Süsse, Witwe des Elia Ballin, gestorben 1703 (Grabstein Nr. 156 in Altona).

gehen lassen. Er wünschte Samuel Oppenheim, daß er
für seine Tochter auch eine gute Partie finden möchte,
die ihm Freude machte. Aber — mein Gott, was für
eine zornige Antwort ist auf diesen Brief von meinem
Schwager Isaak gekommen! Das mag ich gar nicht
schreiben. Nun — geschehene Dinge sind nicht zu
ändern; wir waren doch mit unserer Partie ganz zufrieden; es ist wirklich eine prinzipale Partie gewesen.
Der verstorbene Elia Ballin war ein sehr wackerer,
ehrlichen Mann gewesen, der unter Juden und Nichtjuden einen sehr guten Namen hatte[28c]); er war viele
Jahre bis zu seinem Tode Vorsteher in unserer Gemeinde gewesen und 4000 Taler Banco war auch eine
schöne Mitgift. Wenn nur Gott dem jungen Paare ver-
gönnt hätte so emporzukommen, wie Samuel Oppenheim
von Tag zu Tag immer höher gestiegen ist, so wäre
alles gut gewesen. Aber der große, barmherzige Gott
teilt seine Gaben aus und zeigt seine Milde, wem es
ihm beliebt; wir unverständigen Menschen können nichts
davon reden und müssen dem guten Schöpfer für alles
danken. Als nun mein Sohn Nathan verlobt war, haben
wir ihn (von Stettin) nach Hause kommen lassen, damit
er seiner Braut ein Geschenk machte. Dies ist auch mit
einer außerordentlich vornehmen Festmahlzeit geschehen
und der Anfang ist Gottlob von beiden Seiten in großer
Freude gewesen. Vierzehn Tage danach ist mein Sohn
Nathan wieder nach Stettin gereist. Wir haben immer
weiter mit Moses Helmstädt Geschäfte gemacht. Aber
er ist falsch gewesen und die falschen Leute können

[28c]) Im Original: ist sehr vernahnt gewesen. Landau,
a. a. O., S. 63 liest vernant = viel genannt, bekannt, angesehen.

sich nicht gedulden, wenn sie Geld haben, ob es nun ihnen gehört oder nicht; wenn sie nur Meister darüber sind und es in Händen haben, schreiben sie es sich schon als ihr eigenes zu, wie wir das — Gott soll sich erbarmen — inne geworden sind. Das Schlimme hat damit angefangen, daß er dem Kommissarius oder Kassierer vorwarf, er hätte sich um 1000 Taler geirrt. Da dieser es nicht zugeben wollte und behauptete im Recht zu sein, so hat Moses Helmstädt angefangen mit dem Kassierer vor dem Tribunal in Stettin zu prozessieren, was viel Geld gekostet hat. Danach ist er ein aufgeblasener, dicker, ausgestopfter, hochmütiger Bösewicht gewesen. Er hat 10—12 000 Reichstaler Banco stets in Händen gehabt und hat nicht bedacht, daß dieses Geld nicht ihm gehörte und er es demjenigen wieder zustellen müßte, der es ihm kreditiert hat, wie es sich für einen ehrlichen Menschen zu denken geziemt. Aber sein Gedanke war nur, da er so viel Geld vor sich gesehen: er dürfe sich damit lustig machen, weil er es hat. So hat er sich eine vornehme Kalesche zugelegt mit zwei der besten Pferde, die in Stettin zu bekommen waren, hat sich 2—3 Diener und Dienerinnen gehalten und hat wie ein Fürst gelebt. Dabei war sein Geschäftsgewinn gar nicht sehr groß. Auch hatte er, wie schon erwähnt, bevor er nach Stettin kam, in Berlin gewohnt und hatte wegen Schulden und wegen Uneinigkeiten von dort wegziehen müssen. Aber da der aufgeblasene Narr nun das Geld des guten Chaim Hameln in Händen hatte, konnte er sich nicht länger zurückhalten und hat sich wahrscheinlich gedacht: Ich muß meinen Feinden in Berlin zeigen, was ich für ein Mann geworden bin. So hat er sich seine Kalesche mit vier Pferden genommen und sich 2—3000 Reichstaler in Dritteln mitgenommen. Uns schrieb er, er wolle die Drittel in Berlin gegen Dukaten auswechseln und uns die Dukaten von Berlin aus mit der Post schicken — was jetzt sehr häufig geschieht. Denn es differiert um ein Prozent, so daß er besser daran täte das Geld in Dukaten zu schicken. Außerdem wären die Kosten für die Postsendung bei weitem nicht so groß wie mit Dritteln. Das wäre alles sehr gut und wohl gewesen. Aber als mein guter Moses Helmstädt nach Berlin kam, fing er an mit seinem Geld zu klappern; denn „ein Tier und Geld lassen sich nicht verbergen"[29]). Dieses sind seine Gläubiger, Juden und Nichtjuden, gewahr geworden und haben meinen guten Moses in Arrest nehmen lassen. Kurz gesagt — er hat nicht aus Berlin herausgekonnt, bis er 1800 Reichstaler bezahlt hatte; damit ist das Geld des guten Chaim Hameln weggegangen. Moses Helmstädt ist wieder nach Stettin gereist, hat aber an Chaim Hameln weder Dukaten noch Drittel geschickt. Zu dieser Zeit hat er mehr als 12 000 Reichstaler Banco von uns gehabt. Endlich haben wir für 2000 Reichstaler Banco an Dritteln wiederbekommen und Moses Helmstädt hat

---

[29]) Im Original: a tir und geld lassen sich nicht bergen. Der Sinn der etwas dunkeln Stelle ist wohl: Geld läßt sich ebensowenig verbergen wie ein Tier, das man bei sich hat. Kaufmanns Lesung: „eine Tür" bietet keinen befriedigenden Sinn. Landau (a. a. O., S. 48) meint, daß a tir aus natur korrumpiert sei (wofür aber die Schriftzeichen keine genügende Handhabe bieten) und sieht in den Worten Glückels eine Variante des bekannten Sprichworts: Natur und Liebe lassen sich nicht bergen.

fortwährend geschrieben, man solle ihm Silber schicken, da die Münze leer stände. Obwohl meinem Sohn Nathan das Geschäft nicht genehm war, hat er doch nichts schreiben dürfen; denn alle seine Briefe sind aufgebrochen worden. Endlich hat er uns durch Kaufleute entbieten lassen, mein Mann solle durchaus nach Stettin kommen. Zu jener Zeit war Isachar Cohen eben aus Kurland hierhergekommen[30]). Obwohl ich nun die ganze Geschichte dieses Isachar früher hätte beschreiben sollen, da er damals schon mehr als 10 Jahre bei uns war, so will ich es doch aufsparen und ihn besonders beschreiben. Es ist nichts daran gelegen, ob seiner früher oder später gedacht wird[30a]).

So hat denn mein Mann zu Isachar Cohen gesagt: Du mußt mit mir nach Stettin; ich muß sehen, was dort vorgeht. Also sind sie zusammen nach Stettin gekommen und wollten mit Moses Helmstädt abrechnen. Aber er hat sie von einem Tag zum andern hingehalten und hat meinem Manne einige Wechsel auf Hamburg und etwas Perlen und Gold gegeben Endlich wollte sich mein Mann nicht länger hinhalten lassen und Moses Helmstädt mußte mit ihm abrechnen. Da haben 5500 Reichstaler Banco gefehlt, die er in seiner Rechnung nicht nachweisen konnte. Nun kann man wohl denken, daß meinem Mann gar weh dabei zumute war. Moses Helmstädt hat nun zu meinem Mann gesagt: „Hör' zu, Bruder, ich sehe wohl, daß dir die Rechnung nicht gefällt, wie ich dir auch nicht verdenken kann. Ich habe

---

[30]) Anscheinend war er im Auftrage Chaim **Hamelns** auf einer Geschäftsreise in Kurland gewesen.
[30a]) Siehe die Anmerkung Nr. 12a zu S. 97.

gefehlt, daß ich dir dein Geld festgelegt[30b]) habe; sorge nicht, ich will dir Wechsel von meiner Hand geben; es soll keine 1½ Jahre dauern, da wirst du deine völlige Bezahlung haben; komme nur mit mir hinauf in meine Betstube." Mein Mann geht mit ihm hinauf in seine Betstube, die er in seinem Hause hatte. Da nimmt er die heilige Thorarolle aus dem heiligen Schrein in seinen Arm und schwört bei allen heiligen Buchstaben und bei anderem, was ich nicht nutzlos schreiben mag[31]), er wolle zur rechten Zeit, wenn die Wechsel verfallen seien, meinem Mann ehrlich bezahlen; denn er hätte wohl etwas um zu bezahlen, er steckte nur mit seinem Gelde fest[30b]) und wenn mein Mann bezahlt wäre, dann wollte er schon weiter machen, daß mein Mann mit ihm wohl zufrieden sein sollte. So redete er noch viele solche Worte, die nicht wert sind das Papier damit auszufüllen. Obschon dieses meinem Mann nicht geschmeckt hat und Isachar Cohen sehr wütend war und mit Gewalt haben wollte, daß mein Mann mit Moses Helmstädt prozessieren sollte, so wollte mein Mann doch nicht vor dem Tribunal in Stettin einen Prozeß führen, denn Schweden ist ein böses Land[32]). So ist denn mein Mann betrübt mit seinen Wechseln nach Hamburg gereist und hat mir die betrübte Zeitung gebracht. Obschon er mir solches nicht gern hat sagen wollen, so hat solches doch nicht vor mir verschwiegen bleiben können.

[30b]) Im Original: verstochen = festgesteckt, festgelegt (Landau).

[31]) Der Name Gottes darf nach jüdischem Gesetz nicht unnütz ausgesprochen oder geschrieben werden.

[32]) Stettin gehörte mit ganz Vorpommern bis zum Stockholmer Frieden (1720) noch zu Schweden.

Zu jener Zeit habe ich gerade meinen Sohn Loeb unter dem Herzen getragen. Man kann wohl denken, wie uns zumute gewesen ist; denn keine 14 Tage zuvor hatten wir bei einem Bankerott in Prag 1500 Taler verloren, bei einem Kaufmann in Hamburg 1000 Taler. Außerdem war mein Sohn Nathan verlobt und sollte in ungefähr ½ Jahr heiraten; das hat uns über 3000 Reichstaler gekostet. Kurz, wir haben berechnet, daß uns in diesem Jahre mehr als 11 000 Reichstaler Banco aus den Händen gegangen sind. Dabei sind wir sozusagen noch junge Leute gewesen, hatten erst ein Kind verheiratet und haben unser Häuschen voll von Kindern (Gott behüte sie!) gehabt, so daß es uns sehr große Sorge machte unsern ehrlichen Namen zu erhalten, und wir mußten noch alles geheim halten. Ich bin vor Gram darüber ganz krank gewesen, aber vor der Welt habe ich solches auf meinen Zustand der Schwangerschaft geschoben. Aber „ein Feuer brannte in meinem Innern". Mein Mann hat mich getröstet, ich habe ihn getröstet, so gut wir gekonnt haben. Es war eben um die Zeit der Messe von Frankfurt am Main, zu der mein Mann reisen mußte, wie er zu jeder Messe dort war. Er ist am Donnerstag morgens von Stettin angekommen und gleich am Freitag mußte er wieder fort nach Frankfurt. So ist er mit traurigem Gemüt von mir fortgegangen. Ehe er fortgereist ist, habe ich Isachar Cohen um des Himmels willen gebeten, er möchte mit ihm reisen; weil er so sehr niedergeschlagen war, wollte ich ihn nicht gern allein reisen lassen. Aber wie Isachar uns allerwegen seine Bosheit bewiesen hat, so hat er es da auch getan und hat nicht mitreisen wollen, wenn mein

Mann ihm nicht verspräche ihm zwei vom Hundert von allem zu geben, was er einkauft oder verkauft. Was hat man tun sollen? Ich habe meinen Mann nicht allein reisen lassen mögen, so haben wir Isachar allen seinen Willen tun müssen. Mein Mann hat mit mir geredet und mich um Gottes willen gebeten nicht weiter daran (d. h. an die Angelegenheit mit Moses Helmstädt) zu denken; ich habe ihm die Hand darauf geben müssen, daß ich es vergessen will, und mein Mann hat mir auch zugesagt, er wolle nicht mehr daran denken. Dabei haben wir von den Wechseln (die uns Moses Helmstädt übergeben hatte) wenig gehalten, wie wir auch wirklich von all dem Geld nicht mehr als den einen Wechsel bezahlt bekommen haben; bei allen anderen hat er seine Unterschrift verleugnet und die Sache hat uns noch mehrere Hunderte gekostet. So ist denn mein Mann am Freitag nach Harburg gekommen und ist über den Sabbat, bis zur Abfahrt der Post nach Sabbatausgang, dort geblieben. Er hat mir noch von Harburg einen großen Brief mit lauter Tröstungen geschrieben: ich sollte mich doch zufrieden geben, Gott werde uns alles an anderer Stelle wieder ersetzen. Dieses ist auch wirklich geschehen und mein Mann hat in Frankfurt eine so gute Messe gehabt, wie er sie in seinem ganzen Leben nicht gehabt; er hat auf dieser Messe viele Tausende verdient. Dem Höchsten sei dafür gedankt, der seine Gnade und Barmherzigkeit nicht von uns abgewendet und allezeit zu der Wunde eine Heilung geschickt hat! Damals hatte ich mir gerade gedacht, daß keiner in der Welt mehr Kummer und innerliche Sorgen hätte als ich, und hatte nicht (das Wort) beachtet: Die ganze Welt ist voll Pein, ein jeder find't das Sein'.

So gab es auch einen Philosophen, der auf der Gasse ging; da begegnete ihm einer von seinen guten Freunden; er grüßt ihn und fragt ihn, wie es ihm geht. Der Freund dankt ihm und sagt: „Es geht mir sehr schlecht; ich habe mehr Sorgen und Beschwerden als einer in der ganzen Welt." Der Philosoph sagt darauf: „Nun, mein guter Freund, wenn du willst, komme mit mir auf das Dach; so will ich dir alle Häuser in der ganzen Stadt zeigen und will dir sagen, was für Leiden und Unglück in einem jeden Hause steckt, und wenn es dir beliebt, so wirf deine Leiden zwischen die andern Leider hinein und nimm dir eins heraus; vielleicht kannst du etwas finden, was dich befriedigt." Also gingen sie zusammen auf das Dach; der Philosoph zeigt seinem Freunde in diesem Hause dieses Unglück und in jenem Hause jenes. „Tue nun also, wie ich dir gesagt habe." Darauf sagte er zu seinem philosophischen Freunde: „Ich sehe doch wohl, daß in jedem Hause so viel und vielleicht noch mehr Ungemach und Leiden stecken als die meinigen; ich will lieber die meinigen behalten." So sind unsere menschlichen Gedanken; ein jeder meint, daß er am meisten zu leiden hat. Darum ist nichts besser als die Geduld; denn wenn Gott der Allmächtige will, kann er alles sehr bald von uns nehmen.

Nach dieser Zeit ist mein Vater sehr krank gewesen; er hat an Zipperlein gelitten, aber es war eine Krankheit, die zu seinem Tode geführt hat. Seine Glieder haben angefangen anzuschwellen und er hat länger als ein Vierteljahr auf dem Krankenlager gelegen. Wir sind jede Nacht, oft bis Mitternacht, bei ihm gewesen und haben oft gemeint, daß es mit ihm zu Ende gehe. Als es nun bald so weit war, daß Gott ihn vom zeitlichen zum ewigen Leben hat nehmen wollen, da waren wir auch wieder bis spät in der Nacht bei ihm, und da ich hochschwanger war, so hat meine Mutter veranlaßt, daß ich mit meinem Mann heimgegangen bin. Als wir ungefähr eine Stunde lagen, kam jemand aus dem Hause meines Vaters und klopfte: mein Mann solle doch gleich nach meines Vaters Haus kommen. Nun waren wir gewöhnt, daß solches sehr oft geschehen ist. Daher hat mein Mann nicht leiden wollen, daß ich mitginge, und hat mich überredet liegen zu bleiben; wenn er sehe, daß es — Gott behüte — nötig wäre, wollte er nach mir schicken. Ich habe mich überreden lassen und bin liegen geblieben und sofort fest eingeschlafen. Wie nun mein Mann zum Hause meines Vaters kommt, ist mein Vater gerade in dem Augenblick verschieden gewesen; es war ungefähr um Mitternacht. Mein Mann wollte nicht leiden, daß man mich aufwecken sollte, und sagte, es wäre in zwei oder drei Stunden auch noch Zeit. Aber wie ich in meinem besten Schlaf liege, klopft etwas dreimal so stark an meine Tür, als wenn das ganze Haus umfallen sollte. Ich springe sogleich aus dem Bett heraus und frage, wer da klopft; aber keiner gibt eine Antwort. Da werfe ich mir sogleich meine Robe über und laufe nach dem Hause meines Vaters, wo ich alles so gefunden habe, wie eben erwähnt. Nun kann man wohl denken, wie mir zumute gewesen ist und wie wir uns gegrämt haben, da ich meinen lieben Vater habe verlieren müssen. Er ist am 24. Tebet in allen Ehren und in gutem Greisen-

alter gestorben. Lange Zeit habe ich mich nicht zufrieden geben können, bis mir Gott nach dem Ende der 30 tägigen Trauerzeit einen jungen Sohn beschert hat, durch den meines Vaters Namen Loeb wiedergeboren worden ist.

Aber seine Geburt schien auf viele Widerwärtigkeiten zu zeigen; denn als er auf die betrübte Welt gekommen ist, hat er bis 24 Stunden beständig gelegen und gekrächzt, so daß die Hebamme und alle Weiber nicht anders gemeint haben, als daß man das Kind nicht werde durchbringen können. Aber dem lieben Gott hat es gefallen, daß das liebe Kind sich alle Tage gebessert hat und gut aufgewachsen ist, so daß ich mich mit dem Kind an Stelle meines lieben Vaters getröstet habe, und ich bin mit dem Sohn sehr erfreut gewesen. Meine liebe Mutter ist mit drei verwaisten Kindern zurückgeblieben. Mein seliger Vater hat meiner lieben Mutter 1600 Reichstaler und jedem seiner Kinde ungefähr 1400 Reichstaler hinterlassen. Die Kinder hätten sogar mehr gehabt; aber sie sind um mehr als 1000 Reichstaler gekommen, wovon ich vielleicht noch schreiben werde. Mein Mann und mein Schwager Joseph[33]) haben keinen Anteil an dem Erbe begehrt, obwohl sie jeder ein urkundliches Anrecht auf einen halben Sohnesanteil hatten, und haben alles für meine Mutter und ihre verwaisten Kinder stehen lassen. Die beiden haben auch meinen Bruder Wolf ein Jahr nach dem Tode meines Vaters mit der Tochter des Jakob

---

[33]) Joseph war mit Elkele, einer Schwester Glückels verheiratet, s. S. 228.

Lichtenstadt (in Prag) verlobt. Dieser war als ein sehr
angesehener, wackerer Mann bekannt; er war bis zu
seinem Tode Landesvorsteher und war hervorragend an
Reichtum. Aber schließlich hatte er Streit mit seinem
Stiefsohne Abraham Lichtenstadt, so daß er gegen Ende
seines Lebens in seinen Vermögensverhältnissen herabgekommen ist. Mein Schwager Joseph ist mit meinem
Bruder Wolf zum Verlobungsmahl gereist und mein
Mann ist mit ihm um die Zeit der nächsten Leipziger
Messe zu seiner Hochzeit gereist in Begleitung von
Isachar Cohen, der damals Diener (= Angestellter) bei
uns war. Mein Schwager Joseph und mein Mann sind
vollständig auf ihre eigenen Kosten gereist und haben
meiner Mutter keinen Pfennig Spesen angerechnet. Mein
Schwager Joseph hat bei seiner Rückkehr von dem Verlobungsmahl Wunderdinge erzählt, wie vornehm alles
dort gewesen und wie herrlich alles hergegangen ist;
denn damals war Jakob Lichtenstadt noch auf seiner
Höhe. Mein Mann ist mit dem Bräutigam zur Hochzeit gereist, die auch mit allen Ehren vor sich gegangen
ist. Dann ist mein Mann wieder heimgereist und mein
Bruder ist mit seiner jungen Frau noch eine Zeitlang
dort geblieben.

Als mein Vater starb, hatte er all sein Vermögen
in Juwelen festgelegt; da haben sich mein Mann und
mein Schwager Joseph bemüht und eine Auktion gemacht
und alles verkauft, damit meine Mutter ihre Töchter ausgeben (= verheiraten) könne, wenn ihr etwas Gutes
vorkäme. So haben sie nicht lange darauf in Leipzig
meine Schwester Mate mit dem Sohne des reichen und

146

gelehrten Rabbinatsbeisitzers Rabbi Model[34]) verlobt und die Hochzeit ist hier in Hamburg gewesen. Es ist bekannt, was für ein vortrefflicher Mann der Rabbi Model war, und seine fromme Frau Pessele hatte an Bravheit nicht ihresgleichen in der ganzen Welt; seit den Stammüttern Sara, Rebekka, Rahel und Lea hat es sicher keine Frau gegeben, die an Frömmigkeit ihr gleich war. Dabei war sie auch eine sehr tüchtige Frau, sie hat das Geschäft geführt und ihren Mann und ihre Kinder reichlich ernährt, sowohl in Wien als auch später, da sie in Berlin gewohnt haben. Denn Model Ries ist allezeit ein bettlägeriger Mann gewesen, der wenig Geschäfte hat machen können. Aber er war doch ein Mann von hervorragender Klugheit, von dem die ganze Welt zu erzählen wußte, und war auch bei dem Kurfürsten von Brandenburg sehr beliebt. Dieser hat einmal gesagt: Wenn die Füße des Mannes so wären wie sein Kopf, so hätte er nicht seinesgleichen. Er und sie sind in

---

[34]) Model Ries, früher Beisitzer des Wiener Rabbinats, gehörte zu den ersten Exulanten, die nach der Vertreibung der Juden aus Wien (1670) durch die Gnade des Großen Kurfürsten in Berlin Aufnahme fanden. Er war der Begründer des alten Gemeindefriedhofes in Berlin (1672) und ist als einer der ersten (gestorben 1675) dort begraben. Seine Gattin Pessel Ries, deren Tugenden von unserer Glückel hochgepriesen und denen der Stammütter an die Seite gestellt werden, war eine Tochter des Wiener Gemeindevorstehers David Jakob Neumark und eine Schwester des gleichfalls nach Berlin ausgewanderten und später zum Oberrabbiner der Drei-Gemeinden (Altona, Hamburg, Wandsbek) gewählten Rabbi Salomon Mirels Neumark. Der mit einer Schwester Glückels vermählte Sohn des Rabbi Model war Elia Ries, der oben (S. 103) schon erwähnt ist. Vgl. Kaufmann, Die letzte Vertreibung der Juden aus Wien, S. 211 ff.

Berlin in Ehre und Reichtum gestorben. Merkwürdiges ist in dem Testament zu lesen, das sie gemacht hat; ich mag nichts davon schreiben; wer es lesen will, kann es noch bei ihren Kindern finden; denn sie werden es gewiß nicht weggeworfen haben.

Nun war noch meine jüngste Schwester Rebekka übrig. Sie hat sich (nachher) auch gut verheiratet und den Sohn meines Schwagers Loeb Hameln in Bonn zum Mann bekommen[35]). Dieser Loeb Bonn, ein sehr wackerer Mann, ist viele Jahre Landesvorsteher in seiner Gegend gewesen und hat auch einen hübschen Reichtum gehabt. Er ist mit seinem Sohne Samuel hierhergekommen und hat hier [dessen] Hochzeit gefeiert. Es ist alles in Ehre und Freude vollendet worden. Man hat meiner lieben, frommen Mutter bei der Ausrichtung der Hochzeit nicht angemerkt, daß sie eine Witwe war, sondern es ist alles so schön und herrlich zugegangen, als wenn mein seliger Vater noch gelebt hätte. Keiner von den vornehmsten Leuten der Gemeinde ist ausgeblieben, ihr zu Ehren sind sie alle gekommen.

Nach der Hochzeit ist mein Schwager Loeb Hameln wieder nach Hause gereist und ist kaum ein halbes Jahr danach den Weg alles Irdischen gegangen; er ist in Reichtum und gutem Namen gestorben. Aber mein Schwager Samuel Bonn ist darauf mit meiner Schwester nach Bonn gezogen, um dort das Erbe seines Vaters anzutreten. Er hat auch glücklich dort gewohnt und einem jeden viel Gutes getan und sie haben ihn zum Gemeindevorsteher an Stelle seines Vaters gemacht.

---

[35]) Ueber Loeb Hameln siehe oben S. 46.

Aber einige Jahre danach ist der Krieg gewesen, den der König von Frankreich mit dem Kaiser und mit Holland führte; da zogen die Franzosen vor Bonn und nahmen es ein [36]). Dabei wurde sein Haus, das er vom Vater geerbt hatte, mit anderen Häusern verbrannt und geplündert. So kam er um alles Seinige und konnte sich dort nicht länger aufhalten; er kam dann nach Hamburg. Es wäre viel davon zu schreiben, wie er wieder zurechtgekommen und [dann] leider wieder zurückgekommen ist. Er ist ein wahrhaft frommer und gottesfürchtiger Mensch gewesen. Gott möge ihm und ganz Israel aus allen ihren Nöten helfen, auch seinen Kindern, die in Ehre und Reichtum geboren und erzogen und auch verheiratet worden sind und denen zum Teil leider das Glück gar nicht [wohl] gewollt hat! Gott möge sich in seiner großen Gnade wieder über sie alle erbarmen!

Meine Mutter hatte nun alle ihre Kinder in Reichtum und Ehre und in aller Vergnüglichkeit verheiratet. Als mein Vater starb, war sie ungefähr 44 Jahre alt. Obwohl ihr verschiedene gute Partien angetragen wurden, so daß sie wieder einen Mann hätte nehmen und zu großem Reichtum kommen können, ist die liebe, fromme Frau doch lieber in ihrem Witwenstande geblieben und hat sich mit dem wenigen, was sie übrig behalten, allein in ihrer Stille beholfen und sich damit redlich und schön ernährt. Dabei hat sie doch in ihrem eignen Häuschen

---

[36]) 1688, bei Beginn des 3. Raubkrieges Ludwigs XIV., fiel Bonn, die damalige Residenz des Kölner Erzbischofs, wahrscheinlich durch diesen selbst überliefert, in die Hände der Franzosen.

gewohnt und ihre Großmagd[37]) bei sich gehabt und ruhig und gut gelebt. Möchte doch der gütige Gott jeder Frau, die — Gott behüte — ihren Mann verliert, auch eine solche Gesinnung geben! Wie vergnüglich die liebe Frau lebt und wie viel Gutes sie von dem bisselchen tut und wie geduldig sie in allem ist, was ihr Gott zuschickt, davon wäre viel zu schreiben. Was für ein Vergnügen wir Kinder und ihre Enkelchen von der lieben Frau haben, ist nicht zu sagen. Gott möge sie bis zu 100 Jahren gesund lassen!

Danach hatten wir meine Tochter Hanna mit Samuel, dem Sohne meines Schwagers Abraham Hameln[38]), verlobt. Ob wir nun diese Partie gern oder nicht gern gemacht haben, so ist es doch von Gott so beschert gewesen; denn meine selige Schwiegermutter hat es haben wollen. Es war damals um die Zeit der Frankfurter Messe. So ist denn mein seliger Mann zusammen mit Jochanan und Mendel und Loeb Goslar dorthin gefahren. Als die Messe aus war, mußten sie von dort sogleich nach Leipzig reisen. Wie sie nun nach Fulda kamen, ist Jochanan dort krank geworden und nach vier bis fünf Tagen gestorben. Mein Mann und Mendel und Loeb Goslar wollten zusammen bei ihm bleiben; aber der fromme, brave Jochanan wollte es nicht leiden. So sind sie also nach Leipzig gereist; sein Sohn Ahron, der mit nach Frankfurt gereist war, ist bei dem Vater geblieben. Aber ehe die andern nach Leipzig kamen,

---

[37]) Die Großmagd, die auf Landgütern die wichtigsten Dienste und die Oberaufsicht versieht, kommt hier auch in einem städtischen Haushalt vor. Landau, a. a. O. S. 54.

[38]) Abraham Hameln lebte in Hannover, s. S. 40.

haben sie leider die traurige Nachricht vernommen, daß Jochanan tot ist. Nun kann man wohl denken, was für ein Schrecken unter den Leuten gewesen ist. In Leipzig hat sich gleich danach auch Mendele, der Sohn des gelehrten Michel Speyer aus Frankfurt, gelegt und ist nach 7—8 tägiger Krankheit leider auch gestorben. Was für ein Schrecken und was für eine Bestürzung darüber in Leipzig gewesen ist, kann man sich leicht denken. Wir haben alle die traurige Nachricht nach Hamburg bekommen. Nicht genug, daß sie das Leid vor sich sehen mußten, daß der junge, wackere Mensch, der noch nicht 24 Jahre alt war, so jämmerlich von der Welt gekommen ist — sein Schwiegervater Moses, der Sohn des Nathan, der auch in Leipzig war, hat nicht einmal gewußt, wie er ihn zu einem jüdischen Begräbnis bringen sollte; denn es war damals sehr schlimm und gefährlich in Leipzig[39]). Kurz — mit großer Mühe und einflußreicher Vermittlung und vielem Geld haben sie es erreicht, daß man die Leiche wegbringen durfte. So haben sie die Leiche nach Dessau gebracht, welches die nächste jüdische Gemeinde von Leipzig war — es ist sechs Meilen von Leipzig entfernt. Das hat über 1000 Taler gekostet und sie haben noch Gott gedankt, daß sie die Leiche aus Leipzig herausbekommen haben.

Unterdessen sind mein seliger Mann und Loeb Goslar auch in Leipzig fast todkrank geworden und haben sich mitten aus der Messe in ihrer Krankheit nach Halberstadt bringen lassen. Mein seliger Mann hat Moses Schnauthan und Isachar Cohen bei sich gehabt. Als sie

---

[39]) Siehe S. 84.

nach Halberstadt kamen, war mein Mann so krank, daß man ihn schon aufgegeben hat. Also hat Isachar an mich geschrieben und mich getröstet, ich sollte mich nicht erschrecken, es wäre nicht so gefährlich, und er hat meinen Mann so lange gedrängt, bis er den Brief unterschrieben hat. Aber da hat einer eine Unterschrift sehen sollen! Kein Mensch hat einen Buchstaben erkennen können. Nun kann man sich wohl denken, wie mir und den Kindern zumute war. Den Brief habe ich am ersten Tag des Wochenfestes bekommen. Am Tage vor dem Feste waren alle unsere Familienväter von Leipzig heimgekommen, nur mein Mann nicht; es war auch nicht einmal ein Brief von ihm da. Alle Familienväter sind gleich nach ihrer Ankunft, ehe sie noch in ihre Häuser gingen, zu mir gekommen und haben mir zugeredet, daß ich mich beruhigen sollte; es würde alles gut werden. Aber was hat es helfen können? Man kann sich denken, was für Festtage wir verbracht haben. Während des Festes habe ich ja nichts tun können. Aber gleich am Tage danach habe ich meinen Sohn Mordechai und Jakob, den Sohn des Chaim Polak, und Chawa nach Halberstadt geschickt, ob sie meinen Mann noch lebendig fänden. Ich habe — Gott sei es nicht vorgehalten —fasten und beten lassen und sonstiges mit Buße, Gebet und Almosen[40]) getan, so gut ich konnte. Gott hat sich auch erbarmt und hat meinem Mann geholfen, daß er ein bißchen zurechtgekommen ist und einen Wagen für sich hat mieten lassen. Isaak Kirchhain, bei dem er war, hat

[40]) Das sind die drei Dinge, die nach jüdischer Anschauung (vgl. das Ritual des Neujahrs- und des Versöhnungsfestes) imstande sind das dem Menschen durch seine Sünden drohende böse Verhängnis abzuwenden.

ihm ein Bett mitgegeben, so daß er sich im Wagen niederlegen konnte, und außerdem noch einen Wagen, in dem seine Wärter gewesen sind. Bei ihm in seinem Wagen hat nur noch einer gesessen, der nach ihm gesehen hat. So ist mein Mann krank und kümmerlich nach Hause gekommen. Aber wir haben alle den lieben Gott höchlich gelobt und ihm gedankt, „daß er in uns und nicht der Erde gegeben hat' [0a]). Der gütige Gott hat ihm sein Leben noch sechs Jahre verlängert[41]) und ihn noch zwei Kinder verheiraten lassen, wie später folgen wird.

Aber ich habe vergessen von dem Tode meines seligen Schwiegervaters zu schreiben, der viel früher war, wohl mehr als drei Jahre[42]), bevor mein Mann krank aus Leipzig gekommen ist. Damals schrieb man meinem seligen Manne: „Siehe, dein Vater ist krank[43])." Da hat er all seine Geschäfte liegen lassen und ist nach Hannover gereist, um seinen Vater in seiner Krankheit zu besuchen. Er ist wohl drei Wochen dort geblieben. Mein Schwiegervater als ein Mann von 80 Jahren, dem seine Kräfte ohnedies vergangen waren, hatte gemeint, er würde sofort sterben, wenn er nur meinen Mann wiedergesehen hätte. Denn mein Mann war sein jüngstes

---

[40a]) Segensspruch über einen von schwerer Krankheit Genesenen. Talmud Berachot 54 b.

[41]) Der erzählte Vorfall gehört also, wenn Glückel sich richtig erinnert hat, in das Jahr 1683.

[42]) Nach dem Memoirbuche von Hannover, das von Kaufmann (S. 180, Anm. 6) zitiert wird, starb Joseph Hameln den 27. Schewat 5437 = 30. Januar 1677. Glückel hat also hier die Zeit zwischen diesem Todesfalle und der schweren Erkrankung ihres Mannes zu kurz angegeben.

[43]) Zitat aus 1. B. Mos. 48,1.

Kind und er liebte ihn sehr, „denn er war ihm ein Sohn des Alters[44])". Aber als mein Schwiegervater sah, daß sein Sohn Chaim drei Wochen bei ihm war und daß es Gott noch nicht gefiel ihn zu sich zu nehmen, da sagte mein Schwiegervater: „Mein Sohn, ich habe dich hierherkommen lassen und bin der Meinung gewesen, daß du bei meinem Ende sein sollst. Aber du bist ein großer Geschäftsmann und bist jetzt schon drei Wochen bei mir gewesen; du hast das Deinige getan. Ich befehle mich Gott; reise du in Gottes Namen wieder heim nach deinem Hause!" Wenn auch mein Mann sich geweigert hat und bei ihm bleiben wollte, so hat doch sein Vater ihm ausdrücklich befohlen heimzureisen; die andern Kinder, die bei ihm waren, sind auch wieder in ihre Heimat gereist.

Ehe aber mein Mann nach Hause kam, ist bei uns folgendes passiert. Gegenüber meinem Bett hat noch ein kleines Kinderbett gestanden. Damals lag meine Tochter Hanna, ein Mädchen von ungefähr elf Jahren, darin. Nun bin ich des Morgens zum Frühgebet aufgestanden und nach dem Bethaus gegangen. Unterdessen kommt die kleine Hanna ganz erschrocken aus ihrer Kammer gelaufen und kann sich vor Schrecken nicht regen. Das Gesinde fragt: Hanna, was fehlt dir? Warum siehst du so erschrocken aus? Da sagt das Kind: „Ach Gott, ich bin aufgewacht und habe sehen wollen, ob die Mutter noch liegt; da habe ich einen alten Mann in dem Bett liegen sehen mit einem großen Bart; ich habe mich sehr erschrocken und bin aus dem Bett gesprungen und die Treppe heruntergelaufen und habe mich dabei

---

[44]) Zitat aus 1. B. Mos. 37, 3.

nach dem Bett umgesehen. Da hat der alte Mann seinen Kopf aus dem Bett emporgehoben und sich immer nach mir umgesehen."

Als ich aus dem Bethaus heimgekommen bin, ist noch ein Geflüster und ein Geschwätz unter meinem Gesinde gewesen; ich habe gefragt und wollte wissen, was vorgegangen ist, aber keiner wollte mir etwas sagen. Zwei Tage danach ist mein seliger Mann heimgekommen und er war kaum acht Tage wieder zu Hause, da bekam er die Nachricht, daß sein Vater, der fromme Rabbi Joseph, gestorben sei.

Meines Mannes Trauer und Schmerz ist nicht zu beschreiben. Gleich nach den sieben Trauertagen hat er sich zehn Talmudgelehrte gedungen und ein eigenes Zimmer in seinem Hause eingerichtet, worin man nur gemeinschaftlichen Gottesdienst abgehalten und Tag und Nacht nichts andres getan als Thora gelernt hat. Mein seliger Mann ist das ganze Trauerjahr nicht aus dem Hause gekommen (d. h. nicht weggereist) um nur keinen Kaddisch[45]) zu versäumen. Zwölf Wochen nach dem Tode meines Schwiegervaters war mein Schwager Isaak Hameln in Wesel, wo sein Sohn Samuel Hochzeit machte. Von da aus reiste er nach Hannover, um das Grab des Vaters zu besuchen und die anderen Brüder kamen auch dorthin und schrieben an meinen Mann, er solle auch sogleich nach Hannover kommen. So ist er denn am anderen Tag in der Frühe aufgestanden und nach Harburg gefahren. Er hatte so viele Leute bei sich, daß er

---

45) Kaddisch ist ein in aramäischer Sprache abgefaßtes Gebet, das zu Ehren verstorbener Eltern von deren Söhnen während des Trauerjahres bei jedem Gottesdienste vorgetragen wird.

Gebetsversammlung halten konnte[46]), und hat auf der ganzen Reise kein Kaddischgebet versäumt, wenn es ihn auch viel Geld gekostet hat.

Als er nach Hannover kam, hat er das Testament gelesen. Es war wunderbar zu sehen, mit welcher Gottesfurcht und Weisheit es abgefaßt war. Sie haben auch erzählt, wie mein Schwiegervater als ein wahrer Weiser [46a] gestorben und ganz sanft „wie im Kusse') eingeschlummert ist — wie auch alle seine frommen Kinder so gestorben sind. Die Hinterlassenschaft meines Schwiegervaters haben seine Kinder ganz nach seiner letztwilligen Bestimmung geteilt; keiner hat gegen den andern ein ungebührliches Wort geredet. Mein Mann ist nur acht Tage in Hannover geblieben und hat seine liebe Mutter getröstet, so gut er konnte. Obwohl er seine Mutter sehr gebeten hat, mit ihm nach Hamburg zu ziehen, so hat doch die fromme Frau durchaus nicht gewollt und sich von ihrem frommen Manne auch im Tode nicht trennen wollen. Zwei Jahre darauf ist sie auch gestorben und ist neben meinem Schwiegervater beerdigt worden. Sie ist 82 Jahre alt geworden. Die beiden sind ein so liebes, gottgesegnetes Ehepaar gewesen, wie man seinesgleichen nicht findet. Gott möge uns ihr Verdienst genießen lassen! Wenn wir (mein Mann und ich) doch unsere Jahre in so gutem Alter gemeinsam zugebracht hätten! Aber es hat dem Höchsten anders gefallen.

---

[46]) Im Original: daß er Minjan gehabt hat. Minjan ist die vorschriftsmäßige Anzahl von zehn Männern, die zur Abhaltung eines jüdischen Gottesdienstes nötig sind.
[46a]) Gebräuchliche Wendung beim Sterben der Frommen. Vgl. Raschi zu IV. B. M. 20, 1 (beim Tode Mirjams).

Nach dieser Zeit ist mein Mann nach Amsterdam gereist. Dort ist ihm für unsere Tochter eine Heirat mit Moses Krumbach[47]) vorgeschlagen worden. Mein Mann hat sich zu dieser Heiratspartie etwas zu schnell entschlossen. Nachdem die Verlobung geschehen war, hat es mir mein Mann [erst] geschrieben. Das Verlöbnis hat in Cleve bei Elias Gomperz, dem Vater meines Schwiegersohnes (Koßmann Gomperz), stattgefunden; denn dieser hatte Vollmacht von Abraham Krumbach, in seinem Namen abzuschließen. Aber bevor ich die briefliche Nachricht von meinem Manne bekommen habe, daß meine Tochter Esther verlobt sei, habe ich von verschiedenen Seiten Briefe gehabt, worin man uns gemahnt hat die Partie nur ja nicht zu machen; denn der junge Mann hätte viele Fehler. Aber keinen Tag danach habe ich einen Brief von meinem Mann bekommen (worin er schrieb), daß er das Verlöbnis abgeschlossen hätte und sich sogleich auf den Weg hierher machen wolle. Man kann sich nun denken, wie mir zumute war und welche Freude ich mit der Partie gehabt habe. Ich habe aber nichts tun können, bis mein Mann nach Hause gekommen ist.

Eine Woche danach kam mein Mann nach Hause und meinte, ich würde ihn mit großer Freude empfangen und

---

[47]) Moses Krumbach-Schwab war der Sohn des hochangesehenen Gemeindevorstehers Abraham Kr.-Schw. und der Agathe (Jachet), einer Tochter des berühmten Elias Gomperz aus Cleve. Die beiden Ehegatten errichteten später in gemeinsamer Stiftung eine reich fundierte Talmudklause in Metz, aus der nachmals das im Jahre 1859 nach Paris verlegte Rabbinerseminar hervorging. Siehe Kaufmann, Einleitung zu Glückel, S. XX. Kaufmann-Freudenthal, Familie Gomperz, S. 280 ff.

wir würden uns beide zusammen mit der Partie sehr freuen. Statt dessen bin ich ihm mit großer Schwermut entgegengekommen und habe kaum meinen Mund aufmachen können. Mein Mann konnte mir wohl ansehen, daß mir etwas fehlte; aber wir beide wollten uns unser glückliches Zusammensein nicht zerstören. So vergingen einige Tage, ohne daß wir miteinander von der Partie sprachen. Unterdessen bekam mein Mann einen Brief von einem sehr guten Freunde, der ihm schrieb, er hätte gehört, wir wollten diese Partie machen; wir sollten es nur ja nicht tun oder wir sollten wenigstens den jungen Mann erst sehen. Mein Mann erschrak darüber sehr und sagte zu mir: Glückelchen, du mußt auch davon wissen; denn ich habe es an deinem Unmut gemerkt. Darauf zeigte ich meinem Mann alle Briefe, die ich vor seiner Rückkehr nach Hause bekommen hatte. Mein Mann erschrak und betrübte sich darüber sehr; denn es gab keinen Fehler, den man nicht von dem Jungen geschrieben hätte. Wir wußten uns keinen Rat zu geben; denn die Partie war schon abgemacht. So habe ich denn an Frau Jachet, die Mutter unsres zukünftigen Schwiegersohnes, geschrieben; ich erinnere mich noch genau an die Ausdrücke, die ich damals brauchte. Zuerst habe ich ihr und allen freundlich Glück gewünscht; dann habe ich geschrieben: es wären uns von einigen Seiten Briefe zugekommen, die uns mitteilten, daß der Bräutigam einige Fehler hätte. Wir wollten annehmen, daß es Lüge sei, und in diesem Falle bäten wir sehr, sie sollten doch wie üblich den Bräutigam zum Verlobungsmahl zu seiner Braut schicken, und wenn wir dann sähen, wie wir wohl nicht anders hofften, daß es Verleumder und Lügen-

158

krämer seien (die das Schlechte aufgebracht hätten), so
würden wir den Bräutigam mit größter Freude und in
aller Vergnüglichkeit empfangen, und es würde an feinen
Geschenken und an aller Ehrenbezeigung nicht fehlen.
Sollte es aber — was Gott verhüten wolle — Wahrheit
sein, so bäten wir, ihn nicht zu schicken; denn wir würden unser Kind nicht so scheußlich betrügen. Wenn sie
aber gedächten ihren Sohn doch zu schicken, weil wir
ohnedies mit ihnen schon nahe befreundet und verschwägert wären, und meinten, daß wir die Fehler nicht be-
achten und geschehen lassen würden, was schon geschehen ist, so sollten sie es ja nicht tun. Wenn die Angaben über ihren Sohn — Gott behüte — wahr wären,
so müßte man es von beiden Seiten verschmerzen und
sie könnten alle Fehler in der Welt meiner Tochter an-
hängen — und solche Wendungen mehr.

Nun kann man sich wohl denken, wie der vornehmen Frau Jachet dieser Brief in der Nase gekribbelt
hat. Sie hat [in einem Brief] voll Geringschätzung und
Zorn darauf erwidert: Sie hätte die Absicht gehabt, ihren
Sohn sofort zu seiner Braut zu schicken; aber da sie
nun sehe, was wir schreiben, so müßten wir, wenn wir
ihren Sohn sehen wollten, selbst kommen oder einen
nach Metz schicken. Nun ist eine lange Zeit mit eitel
verdrießlichem Briefwechsel hingegangen und wir haben
zu keinem Entschluß kommen können. Ueberdies ist gerade damals ein großer Krieg zwischen dem französischen
König und dem deutschen Reich gewesen[48]), so daß
einer nicht gut zu dem andern hat kommen können.

***

[48]) Gemeint ist Ludwigs XIV. pfälzischer Raubkrieg, der
im Jahre 1688 begann. Metz gehörte damals schon lange zu
Frankreich.

Unterdessen haben wir die Hochzeit meiner Tochter Hanna mit aller Vergnüglichkeit gefeiert. Ich habe auch vergessen zu erwähnen, daß schon lange zuvor die Hochzeit meines Sohnes Nathan mit Mirjam, der Tochter des verstorbenen Elia Ballin, in Freuden gefeiert worden war. Mein Schwiegersohn Kosmann [Gomperz] und meine Tochter Zipora sind auch hingekommen und wir haben ihnen alle ihre Unkosten erstattet und noch Geschenke dazu gegeben. Auch Jakob Hannover[49]) ist mit seiner Frau Süße zu dieser Hochzeit gekommen und sonst noch viele fremde Leute, so daß es eine sehr vornehme Hochzeit gewesen ist. Mir sind in demselben Jahre mehr als 10 000 Reichstaler Banco aus Händen gegangen. Gepriesen sei der getreue Gott, der uns unsere Schäden allemal so reichlich wieder ersetzt hat! Hätte mir Gott nur die Krone meines Hauptes (= meinen Mann) gelassen, so wäre kein glücklicheres Ehepaar in der Welt gewesen als wir. Aber wegen unserer großen Sünden und um uns alles erleiden zu lassen, was der gnädige Gott über uns beschlossen, hat er meinen Mann zu sich in das ewige, glückliche Leben genommen und uns in dieser vergänglichen, mühseligen Welt gelassen. Wir wollen den Schöpfer bitten, daß unser Ende nach seinem Willen und Wohlgefallen sein soll und daß er uns, wenn es ihm beliebt, zu sich in den Garten Eden bringen möge. Amen!

[49]) Jakob war der Sohn von Glückels Schwager Leffmann Behrens, s. S. 66. Seine Gattin Süße war eine Tochter von Elias Cleve-Gomperz. Siehe Kaufmann-Freudenthal, Familie Gomperz, S. 242.

G. Solon Sui.

Als mein Mann, wie ihr schon gehört, von Hannover wiederkam und der Nachlaß von seinem Vater geteilt war, ist es etwa zwölf Wochen nach dem Tode meines Schwiegervaters gewesen. Ich war damals guter Hoffnung mit meinem Sohne Joseph. Die ganze Zeit meiner Schwangerschaft hat mein Mann immer gehofft, daß ich einen Sohn bekommen werde, damit er den Namen seines seligen Vaters erneuern könne — wie es dann auch Gottlob geschehen ist.

Ich will, meine lieben Kinder, hierbei ein Exempel schreiben, das Wahrheit ist. Wenn junge Weiber, die guter Hoffnung sind, Früchte oder sonst irgend etwas Eßbares sehen und nur irgend ein Verlangen danach haben, so sollen sie sogleich davon essen; denn es könnte sonst — Gott behüte — eine Lebensgefahr für sie sein und das Kind im Mutterleib könnte dadurch entstellt werden — wie ich das an mir selbst erfahren habe. Ich habe vorher immer darüber gespottet und gelacht, wenn ich gehört habe, daß eine Frau Gelüste nach etwas hatte und davon Schaden gehabt hat. Ich habe ganz und gar nicht daran geglaubt; vielmehr bin ich oft, wenn ich guter Hoffnung war, über den Markt gegangen und habe allerlei schöne Früchte gesehen und wohl darauf gemerkt, aber wenn sie mir zu teuer waren, habe ich sie stehen lassen und es hat mir auch in Wahrheit nichts geschadet. Aber es sind nicht alle Zeiten gleich; das bin ich eines Tages gewahr geworden, als ich mit meinem Sohn Joseph im neunten Monat der Schwangerschaft war. Meine Mutter hatte damals bei einem Advokaten zu tun, der auf dem Pferdemarkt[49a]) wohnte; da bat

---

[49a]) Straße in Hamburg.

mich meine Mutter, ob ich nicht mit ihr gehen könnte. Obwohl der Weg von meinem Hause aus sehr weit und es schon kurz vor der Zeit des Nachmittagsgebetes[50]) war — es war damals der Anfang des Monats Kislev — so wollte ich es doch meiner Mutter nicht abschlagen; denn ich war noch ganz frisch. So bin ich denn mit meiner Mutter in die Stadt hinein gegangen. Gegenüber dem Hause des Advokaten wohnte eine Frau, die Mispeln zu verkaufen hatte. Ich habe die Mispeln allezeit sehr gern gegessen; so sagte ich denn zu meiner Mutter: „Vergiß doch nicht, wenn wir wieder zurückgehen, will ich einige von den Mispeln kaufen." Wir gingen nun zu dem Advokaten und verrichteten dort, was wir zu tun hatten. Als wir aber fertig waren, ist es sehr spät und fast Nacht gewesen, so daß wir unseres Weges gegangen sind und beide die Mispeln vergessen haben. Wie ich nun nach Hause komme, fange ich an an die Mispeln zu denken, und ich denke bei mir und es tut mir leid, daß ich vergessen habe sie zu kaufen. Ich habe es aber eben nicht sehr beachtet, nicht mehr, als wenn einer etwas gern ißt, das er gerade nicht hat. Abends habe ich mich gutes Muts schlafen gelegt; aber nach Mitternacht habe ich Geburtswehen bekommen und die Hebamme holen lassen müssen und habe einen Jungen bekommen.

Man hat meinem Manne sogleich die Botschaft gebracht und er hat eine große Freude gehabt, daß er den Namen seines frommen Vaters wieder hatte. Aber

---

[50]) In jener Jahreszeit — gegen Ende November oder Anfang Dezember — etwa eine Stunde vor Eintritt der Dunkelheit.

die Frauen, die in meinen Kindsnöten bei mir waren, haben arg die Köpfe zusammengesteckt und viel miteinander geflüstert. Ich habe das gemerkt und habe wissen wollen, was vorgeht. Endlich hat man mir gesagt, daß das Kind über seinen ganzen Leib und Kopf voll brauner Flecken wäre. Sie mußten mir ein Licht an mein Bett bringen, daß ich es sehen konnte. Da habe ich gesehen, daß das Kind nicht allein voll von solchen Flecken war, es hat auch dagelegen wie ein Häufchen Lumpen und hat nicht Hand noch Fuß gerührt, als wenn ihm Gott behüte sogleich die Seele ausgehen sollte. Es hat auch nicht saugen oder nur seinen Mund auftun wollen. Mein Mann hat es auch gesehen und sich sehr darüber betrübt. Das alles ist Mittwoch Nacht gewesen, am Donnerstag danach hätte die Beschneidung sein sollen; aber wir haben gar keine Wahrscheinlichkeit dazu gesehen; denn das Kind ist alle Tage schlaffer geworden[51]). So ist der Sabbat gekommen; wir haben zwar Freitag Abend die Sochor-Feier[52]) gemacht, haben aber keine Besserung an dem Kind verspürt. Am Sabbat-Ausgang, als mein Mann das Habdalah-Gebet[53]) verrichtet hatte, war meine Mutter bei mir. Da sagte ich zu meiner Mutter: Ich bitte dich, laß meine Sabbatfrau[54]) zu mir

---

[51]) Die Beschneidung ist bei einem gesunden Kinde am 8. Tage nach der Geburt vorzunehmen; bei einem kranken oder schwachen Kinde muß sie so lange verschoben werden, bis es die nötige Kraft erlangt hat.

[52]) Häusliche Feier (Bewirtung mit Wein und Früchten u. dgl.) am ersten Freitag-Abend nach der Geburt eines Sohnes.

[53]) Segenssprüche über Wein, Gewürze und Licht zu Ehren des scheidenden Sabbat.

[54]) Sabbatfrau ist eine christliche Frau, die in jüdischen Häusern am Sabbat Lichter anzündet oder auslöscht, Oefen heizt usw. Vgl. Schudt, Jüdische Merkwürdigkeiten II, 267 ff.

kommen; ich will sie wegschicken. Meine Mutter fragt mich, warum ich sie wegschicken will. Da sage ich zu ihr: „Ich habe mir die ganze Zeit überlegt, warum das Kind die Flecken hat und warum es so schlaff ist. Da habe ich mir gedacht, ob nicht schuld daran ist, daß ich nach den Mispeln Verlangen hatte und sie nicht bekommen konnte. Wirklich bin ich ja in derselben Nacht ins Kindbett gekommen. Ich will die Frau hinschicken; sie soll mir für ein paar Schilling Mispeln holen, ich will dem Kinde davon ein bißchen in den Mund streichen; vielleicht wird Gott sich erbarmen und seine Hilfe geben, daß es besser wird." Meine Mutter zürnte sehr über mich und sagte: „Ewig hast du solche Possen in deinem Kopf. Es ist ein Wetter, als wenn Himmel und Erde zusammengehn wollten, und die Frau wird gewiß in dem Wetter nicht hingehn; es sind auch bloß Torheiten." Ich sagte aber: „Liebe Mutter, tut mir den Gefallen und schickt die Frau hin; ich will ihr geben, was sie verlangt, wenn ich nur die Mispeln bekomme; mein Herz ist sonst nicht ruhig." So haben wir denn die Frau rufen lassen und sie hingeschickt etliche Mispeln zu holen. Die Frau ist heimgelaufen; es ist ein weiter Weg und ein Wetter in der Nacht gewesen, daß man keinen Hund hinausjagen sollte. Die Zeit hat mir gar lang gewährt, bis die Frau wiedergekommen ist, wie es gewöhnlich geht, wenn man ein Ding gern haben will, da währt einem jeder Augenblick eine Stunde lang. Endlich ist die Frau gekommen und hat die Mispeln gebracht. Nun weiß man wohl, daß die Mispeln kein Essen für so ein Kind sind; denn sie schmecken säuerlich. Aber ich habe doch meiner Wartefrau befohlen, sie solle das Kind aufwickeln, sich

164

mit ihm vor den Ofen setzen und ihm ein bißchen von
den weichen Mispeln in den Mund streichen. Obschon
mich alle wegen meiner Torheit ausgelacht haben, so
habe ich doch darauf bestanden und sie hat also tun
müssen. Wie nun die Wartefrau dem Kinde von den
weichen Mispeln ins Mäulchen streicht, tut das Kind sein
Mäulchen so begierig auf, als wenn es alles mit einem
Male hineinschlucken wollte, und saugt begierig das
Weiche von einer ganzen Mispel ein, während es vorher
nicht sein Mäulchen öffnen wollte um ein Tröpfchen
Milch oder sonst ein Zuckerpäppchen, wie man den
Kindern macht, zu sich zu nehmen. Danach gibt mir
die Wartefrau das Kind auf mein Bett um zu sehen,
ob es saugen will. Sobald nun das Kind an die Brust
kommt, fängt es an stracks zu saugen wie ein Kind von
einem Vierteljahr und von da an bis zur Beschneidung
sind ihm alle die Flecken von seinem Körper und seinem
Gesicht weggegangen bis auf einen Flecken, der ihm an
der Seite stehen geblieben ist, so groß wie eine breite
Linse. Bei der Beschneidung war das Kind frisch und
gesund und wohlgestaltet; man hat Gottlob zur rechten
Zeit die Beschneidung vollziehen können [54a] und es war
eine gar vornehme Beschneidungsfeier, wie sie in
langer Zeit in Hamburg nicht gewesen ist. Obwohl wir
damals durch den Bankerott eines Portugiesen Isaak
Vas[55] 1000 Mark Banco verloren haben, so hat doch
mein Mann solches nicht geachtet gegenüber der Freude,
die ihm durch die Geburt des Sohnes zuteil geworden

[54a] Im Original: „Man hat . . . das Kind gejüdischt.“

[55] Grunwald, Portugiesengräber auf deutscher Erde, erwähnt (S. 126) einen Portugiesen Isaak Vas de Miranda, der
am 15. Cheschwan 5489 = (1728 gestorben ist.

war. Ihr seht also daraus, liebe Kinder, daß es nicht bloße Torheit ist mit Weibergelüsten und daß man solches nicht allezeit verachten soll.

Nach dieser Zeit bin ich wieder mit einem Kinde guter Hoffnung geworden und es ist mir sehr übel ergangen. Als ich im siebenten Monat war, habe ich ein Fieber bekommen, das ganz unnatürlich war. Wenn ich es am Morgen bekommen habe, habe ich vier ganze Stunden Kälte gehabt; danach habe ich vier Stunden Hitze bekommen und danach vier Stunden — mit Verlaub zu sagen — Schweiß, was mir noch ärger als Hitze und Kälte gewesen ist. Man kann sich wohl denken, wie mich das abgemartert hat. Ich habe keinen Bissen essen können, obschon man mir die auserlesensten Gerichte gebracht hat. Einmal, an einem sehr schönen Sommertage, bittet mich mein Mann, ich sollte doch mit ihm ein wenig auf den Wall gehen, der nicht weit von unserem Hause war, um mich ein wenig zu divertieren; vielleicht würde mir dann das Essen besser schmecken. Ich sagte zu ihm: Ihr wißt ja wohl, daß ich nicht die Kraft habe zu gehen. Darauf sagte mein lieber Mann: Ich und die Wärterin wollen dich führen. So habe ich mich überreden lassen und habe mich so auf den Wall führen lassen, wo ich mich im grünen Gras niedersetzte. Unterdessen hat mein Mann den Todros bestellt, der Koch bei Texeira[56]) war, und hat

---

[56]) Kaufmann will aus dem Worte „Discheri" den Namen eines sonst unbekannten Gasthauses „Die Schere" herauslesen. Gemeint ist Manuel Texeira, der schwedische Resident in Hamburg, der daselbst ein glänzendes Haus führte. Siehe A. Feilchenfeld, Anfang und Blütezeit der Portugiesengemeinde in Hamburg. Zeitschrift des Vereins für Hamburgische Geschichte X, 226.

eine Mahlzeit herrichten lassen, die auf eine königliche Tafel hätte kommen dürfen. Als sie fertig war, wurden wir heimgerufen und mein Mann dachte, wenn ich nach Hause käme und meinen Tisch gar schön ohne mein Vorwissen gedeckt und so feine Speisen darauf fände, würde ich Appetit zum Essen bekommen. Aber — mein Gott und Herr — sobald ich ins Haus und in das Zimmer gekommen bin, worin das Essen war, hat mich sogleich ein Ekel befallen, wie ich nur das Essen gerochen habe, und ich habe gebeten um der Barmherzigkeit willen mich oder das Essen wieder aus dem Zimmer zu tun.

So habe ich mich zwei ganze Monate gequält und gar keine Kraft in mir gehabt, so daß ich oft dachte: „Lieber Herr, wenn meine Zeit kommen wird, daß ich mein Kind haben soll, so habe ich ja weder Kraft noch Macht mir zu helfen." Aber als meine Zeit gekommen war, da hat mir der getreue Gott so gnädiglich geholfen, daß ich das Kind fast ohne Schmerzen gehabt habe. Es ist nun zwar ein schönes, wohlgestaltetes Kind gewesen; aber es hat gleich das hitzige Fieber so wie ich gehabt, und obschon wir Doktoren und alle menschliche Hilfe angewendet haben, so hat solches doch alles nichts geholfen. Das Kind hat sich vierzehn Tage lang in dieser Welt gequält; dann hat Gott es zu sich genommen und mich als eine betrübte Wöchnerin ohne Kind zurückgelassen. Ich habe noch zwei- oder dreimal einen Anstoß von dem Fieber gehabt; aber bevor ich noch aus dem Wochenbett gekommen bin, bin ich wieder frisch und gesund gewesen.

Danach bin ich mit meiner Tochter Hendelchen ins Kindbett gekommen, zwei Jahre danach mit meinem Sohn Samuel, dann mit meinem Sohn Moses, meiner Tochter Freudchen und meiner Tochter Mirjam; diese beiden Jüngsten haben ihren Vater nicht viel gekannt.

Was soll ich viel schreiben, was in der Zwischenzeit passiert ist? Ich habe alle zwei Jahre ein Kind gehabt und mich sehr gequält, wie es natürlich ist, wenn man so ein Häuschen voll Kinder — Gott behüte sie — beisammen hat, und habe mir immer gedacht, daß kein Mensch eine schwerere Last hätte und sich mehr mit Kindern quälen müßte als ich. Aber ich Unverständige habe nicht gewußt, wie wohl mir gewesen ist, wenn ich meine Kinderchen „wie Oelbaumschößlinge um meinen Tisch"[57]) sitzen hatte.

Nun, meine herzlieben Kinder, da seht ihr die Geschichte eures verstorbenen Vaters Rabbi Chaim Hameln! Wie gut und schön wäre es gewesen, wenn Gott uns zusammen gelassen hätte, daß wir unsere Kinderchen (gemeinsam) unter den Trauhimmel hätten führen können. Aber was soll ich sagen? Meine Sünden haben dies bewirkt; ich Sünderin bin es nicht wert gewesen.

Mein Sohn Mordechai ist nun herangewachsen; er ist ein sehr schöner Junge geworden und ein wohlgeratenes, feines Kind. Gott soll es ihm bezahlen, wie er Vater und Mutter geehrt hat! In summa, er war in allen Dingen wohl geraten. Einmal war er mit meinem seligen Mann in Leipzig, da hat mein Mann die Kolik bekommen. Da hat alle Welt in Leipzig nicht genug Wunder davon zu erzählen gewußt, was der Junge da

---

[57]) Zitat aus Psalm 128,3.

an seinem Vater getan hat. Er hat die ganze Nacht
bei ihm gewacht und hat nicht gegessen noch getrunken.
Es war zwar seine Schuldigkeit an seinem Vater so
zu tun; aber mein Sohn ist noch gar jung gewesen. Der
liebe Gott hat ihm geholfen, daß sie glücklich und gesund zusammen wieder heimgekommen sind. Mein seliger
Mann war leider nicht stark; darum hat er sehr geeilt
seine Kinder zu verheiraten und den Tag gefürchtet,
der uns leider begegnet ist. Mein Sohn Mordechai ist
also früh verlobt worden; seine Braut war die Tochter
des angesehenen Vorstehers Moses, des Sohnes des
Nathan[58]). Mein Mann hat ihm 2000 Reichstaler und
Moses, der Sohn des Nathan, hat seiner Tochter 3000
Reichstaler in dänischen Kronen mitgegeben. Die Hochzeit haben wir beide auf gemeinsame Kosten gemacht;
sie hat uns zusammen über 300 Reichstaler gekostet. Wir
haben ihnen (dem jungen Paare) zwei Jahre lang Kost
gegeben und sie bei uns gehabt. Aber kein halbes Jahr
danach ist leider meines Mannes Zeit gekommen und
unser Maß von Sünden voll gewesen, so daß Gott meinen
frommen Mann, unseres Hauptes Krone, von uns genommen hat. Im Jahre 5449 (= 1689) ist Gottes Zorn
über uns gekommen und er hat mir mein Liebstes entrissen. Mein seliger Mann hat mich mit acht unver-
sorgten Kindern zurückgelassen und auch die vier, die
schon verheiratet waren, hätten ihren treuen Vater
noch sehr nötig gehabt. Nun, was soll ich sagen? Gott
hat Sünden an uns gefunden, daß ich einen so lieben
Mann und meine Kinder einen so vortrefflichen Vater
haben verlieren müssen und wir wie Schafe ohne Hirten

---

[58]) Schon oben (S. 151) erwähnt.

zurückgeblieben sind. Ich hatte mir immer gedacht, ich würde das Glück haben, daß Gott mich zuerst von uns beiden zu sich nähme. Denn ich war bei Lebzeiten meines Mannes immer kränklich gewesen, und wenn mir etwas fehlte, hat der treue Mann sich immer gewünscht früher zu sterben. Er sagte immer: „Was sollte ich [dann] mit den lieben Kindern tun?" — die er doch so überaus herzlich geliebt. Aber augenscheinlich ist es seine Frömmigkeit gewesen, [die bewirkt hat,] daß Gott ihn früher von der Welt genommen und daß er in Reichtum und Ehre gestorben ist und nichts Böses vor sich gesehen hat. Er hat großen Reichtum gehabt und hat seine Kinder in Ehre und Reichtum verheiratet und er ist selbst ein wackerer Mann von sehr gutem Rufe gewesen. So ist er in Ehre und Reichtum von dieser Welt geschieden und hat seine Kinder so zurückgelassen, daß sie ehrlich durchkommen konnten. Man kann also von ihm sagen, daß er glücklich gestorben ist, wie Solon in seiner Erzählung gesagt hat.

Mich hat er leider in Elend zurückgelassen und es ist mir „jeden Morgen neues Leid"[59]) zugekommen. Darüber werde ich in meinem fünften Buch berichten, welches leider ein Buch bitterer Wehklagen wie das Klagelied um Zion sein wird. Wenn mir mein seliger Mann auch genug Geld und Gut zurückgelassen hat, so ist dies doch gegen den großen Verlust gar nicht zu rechnen gewesen. Jetzt wollen wir das vierte Buch schließen — Gott möge uns wieder erfreuen, wie er uns Leiden gebracht hat, und du, einziger Gott, wollest dich meiner Waisen erbarmen! Amen!

---

[59]) Zitat aus Klagelieder 3,23.

Fünftes Buch.

Tod Chajim Hamelns. Schicksale Glückels und ihrer Kinder in ihrem Witwenstande.

Nun will ich das fünfte Buch anfangen zu meiner großen Betrübnis, meine herzlieben Kinder, und will von Anfang bis zu Ende von der Krankheit eures lieben Vaters erzählen bis zu seinem Tode. Es war am 19. Tebet 5449 (= Januar 1689), da ist euer lieber Vater gegen Abend noch in die Stadt gegangen; denn ein Kaufmann hatte ihn bestellt, der mit ihm Geschäfte machen wollte. Wie er nun in die Nähe des Hauses dieses Kaufmanns kommt, ist er über einen spitzigen Stein gefallen und hat sich leider eine solche Verletzung zugezogen, daß wir alle noch darüber zu klagen haben. So ist er ganz elend heimgekommen; ich bin gerade im Hause meiner Mutter gewesen und man hat mich heimgerufen. Wie ich nach Hause komme, steht mein Mann am Ofen und ächzt. Ich bin erschrocken und habe gefragt, was ihm fehlt. Da sagt er: Ich bin gefallen und fürchte, daß es mir viel zu schaffen machen wird. Er hat sich leider nicht regen können und ich mußte ihm alles aus den Taschen nehmen. Denn wenn er in die Stadt ging, nahm er sich alle Taschen voll Juwelen mit. Wir haben nun — Gott sei's geklagt — seine Verletzung nicht verstanden; denn er hat schon seit vielen Jahren einen Bruch gehabt und beim Fallen ist er leider auf die Bruchstelle gefallen und die Gedärme haben sich ineinander verschlungen. Nun hatten wir allezeit ein Bett in der Stube liegen; aber er wollte es nicht benutzen und wir mußten ihn nach der Kammer hinaufbringen. Dabei war damals eine Kälte, daß Himmel und Erde zusammenfrieren wollten. Wir sind die ganze Nacht bei ihm gewesen und haben ihm getan, was wir konnten. Aber wir konnten es nicht länger aushalten und es war ihm auch sehr schädlich in der Kälte zu liegen. Endlich hat er selbst gesehen, daß es ihm nicht gut war; da haben wir ihn heruntergebracht. Wir hatten uns schon bis nach Mitternacht so gequält und es war immer noch keine Besserung. Ich habe mein trauriges Leid wohl vor mir gesehen und habe ihn um des Himmels willen gebeten, er solle sich einen Doktor rufen lassen und Leute zu sich bestellen. Darauf sagte er: „Ehe ich es Leuten offenbaren wollte, wollte ich lieber sterben." Ich habe vor ihm gestanden und geweint und geschrieen und gesagt: „Was redet Ihr da? Warum sollen es die Leute nicht wissen? Ihr habt es ja nicht von Sünde oder Schande bekommen." Aber all mein Reden hat nichts helfen wollen; denn er hat sich die Narrheit eingebildet, daß so etwas seinen Kindern schaden könnte; man würde sagen, daß ein solches Leiden erblich wäre. Denn er hat seine Kinder so sehr geliebt. Also haben wir uns die ganze Nacht mit ihm geplagt und ihm allerhand Sachen aufgelegt. Aber es ist leider zusehends ärger geworden. Wie es nun Tag geworden ist, habe ich zu ihm gesagt: Gelobt sei Gott, daß es nun Tag ist; ich will nun nach einem Doktor und einem Bruchschneider schicken. Aber er hat es nicht leiden wollen und hat gesagt, man solle Abraham Lopez[1]) rufen lassen — das war ein Portugiese, der zugleich Balbier und Doktor war. Ich habe sogleich nach ihm geschickt. Wie er gekommen ist, hat er die Wunde gesehen und gesagt: „Sorget nicht, ich will ihm etwas auflegen, daß es bald besser wird; ich habe solche Leute schon zu Hunderten gehabt und ihnen geholfen." Dieses war am Mittwoch früh; der Lopez hat ihm also von seinen Sachen aufgelegt, in der Meinung, daß es ihm helfen sollte. Aber — daß sich Gott erbarme — wie es um Mittag war, sagte der Lopez: Ich sehe wohl, meine Kur will ihm nicht helfen; ich will hingehen und einen Bruchschneider holen, der sehr geschickt ist. Dann kam der Bruchschneider und hat ihm den ganzen Tag etwas aufgelegt, in der Meinung, die wunde Stelle zu erweichen. Aber je länger es dauerte, desto ärger wurde es. Am Donnerstag habe ich noch einen Bruchschneider und zwei Doktoren holen lassen; einer von ihnen war Doktor

---

[1]) Abraham Lopez, gestorben 1700. Siehe Grunwald, Portugiesengräber auf deutscher Erde, S. 115. Die Ausübung der Chirurgie war in dieser Familie nicht vereinzelt. Der Küster der portugiesischen Synagoge Bet Israel in Hamburg, Samuel Lopez (gest. 1676), war zugleich von der Gemeinde angestellt, um die Armen der Gemeinde zur Ader zu lassen. Siehe Cassuto, Aus dem ältesten Protokollbuch der jüdisch-portugiesischen Gemeinde in Hamburg (Jahrbuch der jüdisch-literarischen Gesellschaft 1908), S. 19.

Fonseca[2]). Als ich mit ihm geredet und ihm alle Umstände erzählt habe, sagt er: „Wir haben hier einen kurzen
Prozeß; denn die Gedärme sind leider alle ineinander-
geschlungen, da kann er keinen offenen Leib haben."
Und was unten hätte herausgehen sollen, das hat er
— Gott sei's geklagt — oben ausgebrochen. Alles was
man angewendet hat, hat nichts geholfen, und doch
hat er nichts Fremdes bei sich haben wollen und uns
gebeten alles geheim zu halten. Aber ich habe mein Leid
wohl verstanden und habe vor mir gesehen, daß ich in
große Betrübnis kommen werde. So ist Donnerstag der
Tag und die Nacht auch in so betrübten Nöten hingegangen. Am Freitag bringt der Lopez einen Arzt von
Berlin, der viele Jahre Leibarzt des Kurfürsten gewesen
ist. Der gibt ihm auch etwas ein und legt ihm Pflaster
auf; aber es hat leider alles nichts geholfen. Am Sabbat
morgens hat es mein Schwager Joseph erst erfahren, der
damals mit meinem seligen Mann uneins war. Er kam
nun zu uns ins Haus und bat, man solle ihn doch in
die Stube hineinlassen. Als mein Mann es hörte, sagte er:
Laßt ihn hereinkommen! Wie er hereingekommen ist, hat
er leider sogleich seinen Zustand gesehen. Da hat er
seinen Kopf gegen die Wand gestoßen, sich Hände voll
Haare aus seinem Kopf gerissen und mit bitterlichem

---

[2]) Aus der hochangesehenen Familie Fonseca sind eine
Reihe von Aerzten hervorgegangen. (S. das Verzeichnis der
Grabinschriften bei Grunwald, S. 104.) Ein Dr. Josua Fonseca,
gestorben 1701, im portugiesischen Protokollbuch zum Jahre
1656 als Nachfolger seines Vaters erwähnt, würde am besten
hierher passen. Kaufmann vermutet, daß dessen Sohn Abraham
Fonseca, promoviert in Leyden 1712, mit einer Abhandlung
de peste, gestorben 1727, hier gemeint sei.

174

Weinen gerufen: „Wehe mir, daß ich einen solchen Schwager verlieren soll!" Dann hat er sich über das Bett des Kranken geworfen und ihn mit bitteren Tränen um Verzeihung gebeten. Mein seliger Mann hat ihm mit frischem Herzen erwidert: „Mein lieber Schwager, ich verzeihe Euch und allen Menschen; ich bitte Euch auch um Verzeihung." Darauf hat mein Schwager Joseph ihn zu beruhigen gesucht und gesagt, er solle sich nur gedulden; Gott werde ihm seine Hilfe schicken. Mein Mann sagte darauf, er sei mit allem, was Gott tue, zufrieden. Er hat sich mir gegenüber leider nicht halb über seine Krankheit ausgesprochen; aber mein Sohn Loeb, der damals ein junger Mann von 16 Jahren war, hat immer bei ihm sein müssen. Wenn ich herausgegangen bin, hat er den Jungen zu sich genommen und mit ihm geredet und ihn vermahnt; der Junge hat dabei sehr geweint. Aber sobald mein Mann gemerkt hat, daß ich in die Stube gekommen bin, hat er zu meinem Sohn Loeb gesagt: „Schweige um Gottes Barmherzigkeit willen! Die Mutter kommt herein; daß sie dich nur nicht weinen sieht!" Er lag leider schon in Todesnöten und hatte noch Sorge mich nicht zu betrüben.

Am Sabbat morgens, nach dem Essen, ist meine Mutter zu ihm gekommen; sie hat sich über ihn geworfen, hat ihn unter Tränen geküßt und gesagt: „Mein Sohn, wollt Ihr uns denn so verlassen? Wollt Ihr mir nichts befehlen?" Darauf sagte er: „Meine liebe Schwiegermutter, Ihr wißt, daß ich Euch wie eine Mutter geliebt habe. Ich weiß Euch nichts zu befehlen; tröstet nur mein Glückelchen." Das ist sein letztes Wort gewesen, das er mit meiner Mutter geredet hat. Danach sind noch mehr Doktoren und Bruchschneider gekommen; aber es war alles umsonst. Am Ausgang des Sabbat ist keiner mehr bei ihm gewesen als ich und Abraham Lopez. Um Mitternacht hat Lopez noch nach dem Bruchschneider geschickt; denn er meinte, daß die Wunde sich jetzt (zur Operation) eignete. Als der Bruchschneider gekommen ist, hat er gleich gesehen, daß hier keine Heilung mehr möglich war, und ist wieder weggegangen. Da sagte ich zu ihm: „Mein Herz, soll ich dich anfassen?“ Ich durfte nämlich damals nicht mit ihm in Berührung kommen[3]). Er sagte darauf: „Gott bewahre, mein Kind, es wird ja nicht so lange dauern, daß du dein Tauchbad nehmen wirst.“ Er hat es aber leider nicht mehr erlebt.

Ich ließ dann auf Lopez' Rat den Feibusch Levi rufen, der sehr tüchtig in der Behandlung von Kranken war. Als dieser um 2 Uhr nachts kam, ließ ich auch unseren Hauslehrer, der ein sehr wackerer Mann war, herbeikommen. Feibusch ging sogleich zu meinem Mann herein und sagte: „Rabbi Chaim, wollt Ihr nichts befehlen[4])?“ Da antwortete er: „Ich weiß nichts zu befehlen; meine Frau weiß von allem; laß sie tun, wie sie vorher zu tun pflegte[5]).“ Dann sagte er zu Feibusch,

---

[3]) Zu gewissen Zeiten ist nach den talmudischen Vorschriften jede Berührung der Ehegatten untereinander verboten, bis die Frau das vorschriftsmäßige Tauchbad genommen hat.

[4]) d. h. Wollt Ihr keine letzwillige Verfügung über Euer Vermögen und die Zukunft Eurer Kinder treffen?

[5]) Glückel sollte also die ganze Hinterlassenschaft verwalten und die Vormundschaft über die unmündigen Kinder selbst führen. Siehe S. 181.

CEREMONIE NUPTIALE
des
JUIFS PORTUGAIS.

A. la Mariée venant se marie.
B. la Mariée voilée.
C.C. les personnes servant de Barons à la Mariée.
D.D. les Personnes servant de l'erreur au Mari.
E. L'Echet. F. les Chantres.
G. Celui qui sert les honneurs que les Juives portent.

man solle ihm das Werk des gelehrten Rabbi Jesaja geben[6]). Aus diesem hat er etwa eine halbe Stunde gelernt; dann sagte er zu Rabbi Feibusch und unserem Hauslehrer: „Wißt ihr nicht, wie es mit mir steht? Laßt meine Frau und meine Kinder herausgehen; es ist hohe Zeit." Da hat uns Reb Feibusch förmlich mit Gewalt herausgestoßen. Darauf hat Reb Feibusch noch das eine oder andere mit ihm reden wollen; aber er hat ihm nichts mehr geantwortet und hat nur in sich hinein geredet; man hat nur gesehen, daß seine reinen Lippen sich regten. Das hat ungefähr eine halbe Stunde gedauert: da sagte Feibusch zu Abraham Lopez: „Lege dein Ohr einmal auf Chaim Hamelns Mund, ob du hören kannst, was er sagt." Lopez tat so und hörte nach einer kleinen Weile, wie er die Worte sagte: Höre, Israel, der Ewige ist unser Gott, der Ewige ist der einig-einzige[7]). Damit ist ihm der Atem stehengeblieben und er hat seine reine Seele ausgehaucht. So ist er in Heiligkeit und Reinheit gestorben und an seinem Ende hat man gesehen, was er gewesen ist.

Was soll ich, meine lieben Kinder, viel von unserem bitteren Schmerz schreiben? Solch einen Mann zu verlieren! Ich bin in so großen Würden bei ihm gewesen und bin nun mit acht verwaisten Kindern zurückgeblieben, von denen meine Tochter Esther eine Braut war. Möge Gott sich unser erbarmen und der

---

[6]) Gemeint ist das wegen der daraus hervorleuchtenden tiefinnerlichen Frömmigkeit damals vielgelesene und hochverehrte Werk des Frankfurter Rabbiners Rabbi Jesaia Hurwitz mit dem Titel: Schne luchot habrit (= zwei Tafeln des Bundes).

[7]) Diese Worte des Glaubensbekenntnisses soll der fromme Israelit in seiner Sterbestunde sprechen.

Vater meiner verwaisten Kinder sein; denn er ist ja Vater der Waisen[8]). Jetzt habe ich niemanden mehr, dem ich mein Leid klagen, niemanden, auf den ich mich stützen könnte, als nur unseren Vater im Himmel. Alle meine Sorgen hat mir der liebe Freund ausreden können und durch seinen Zuspruch kam mir alles leichter vor. Wer aber ist nun mein Tröster, wer spricht mir nun meine schweren Gedanken aus meinem betrübten Herzen wie mein lieber, herziger Freund? Ich glaube, ich werde den lieben Freund wohl alle meine Tage beweinen müssen.

Am Sonntag, den 24. Tebet 5449 (d. i. am 16. Januar 1689), ist er in allen Ehren begraben worden[9]).

Der Schrecken und Schmerz über seinen schnellen Tod war in der ganzen Gemeinde unbeschreiblich groß. Ich habe mich mit meinen Kinderchen rund um mich her zur Abhaltung der sieben Trauertage hingesetzt[10]); es muß ein trauriger Anblick gewesen sein mich betrübte Witwe mit meinen zwölf Waisenkindern so sitzen zu sehen. Wir haben sogleich die nötige Anzahl von Leuten für den täglichen Gottesdienst im Trauerhause bekommen und haben Thoragelehrte bestellt um während des ganzen Jahres Tag und Nacht im Hause Thora zu

---

[8]) Die folgenden 3 Sätze sind aus Seite 84/85 der Kaufmannschen Ausgabe entnommen.

.   [9]) Der Grabstein Chajim Hamelns befindet sich auf dem alten israelitischen Friedhof an der Königsstraße zu Altona (Verzeichnis Nr. 870). Die Inschrift zeugt von der großen Verehrung, die ihm gezollt wurde, namentlich aber von der Liebe und Anhänglichkeit der hinterbliebenen Gattin.

[10]) Nach den israelitischen Trauergebräuchen setzen sich die Leidtragenden während der ersten 7 Tage nach der Bestattung auf die Erde oder auf niedrige Sitze, um ihre Trauer zu bekunden und empfangen so die Trostbesuche ihrer Freunde und Bekannten.

lernen und die Kinder haben dem verstorbenen Vater fleißig das Kaddisch-Gebet[11]) nachgesagt. Alle unsere Bekannten, Männer und Frauen, sind an jedem Tage [der Trauerzeit] gekommen um uns zu trösten und an unseren Tränen hat es nicht gefehlt. Meine Kinder, Geschwister und andere Freunde haben mich getröstet, so gut sie konnten. Aber jeder ist dann mit den lieben Seinen in sein Haus gegangen und ich bin mit meinen Waisenkindern in Schmerz und Sorge sitzen geblieben.

Ich bin leider „vom Himmel zur Erde geworfen"[11a]) worden. Ich habe den lieben Mann dreißig Jahre lang gehabt und alles Gute von ihm gehabt, was sich eine ehrliche Frau nur wünschen mag. Er hat mich sogar nach seinem Tode wohl bedacht, so daß ich in Ehren hätte zurückbleiben können. Nun, meine herzlieben Kinder, unser getreuer Freund ist als ein Frommer gestorben; er hat nur vier Tage gelegen und ist bis zu seinem letzten Atemzuge bei vollem Verstand gewesen. „Möge mein Ende so sein wie das seinige!"[11a]) Sein Verdienst möge mir und seinen Söhnen und Töchtern beistehen! Er hat das Glück gehabt in Reichtum und Ehre von dieser sündigen Welt zu scheiden und hat keinen Kummer und kein Unglück bei seinen Kindern gesehen. Darauf paßt der Spruch: Vor dem Unglück wird der Fromme dahingerafft[11a]). Aber ich bin mit meinen ledigen und meinen verheirateten Kindern in Kummer und Schmerz zurückgeblieben und Kummer und Schmerz sind mit jedem Tage größer geworden. „Meine Freunde und Verwandte standen von fern"[11a]). Ja,

---

11) Siehe S. 155, Anm. 45.
11a) Biblische Wendungen aus: Klagel. II, 1. IV. B. M. 23, 10. Jesaia 57, 1. Psalm 38, 12.

meine Sünden haben das alles bewirkt; darum muß ich immer weinen und ich werde ihn mein ganzes Leben nicht vergessen.

Meine liebe Mutter und meine Geschwister haben mich getröstet; aber mit solcher Tröstung ist mein Leid nur alle Tage größer geworden und es ist damit nur Oel ins Feuer gegossen worden, so daß die Flamme noch größer geworden ist. Solcher Zuspruch und solche Tröstungen haben zwei bis drei Wochen gedauert; dann hat man mich nicht mehr gekannt und gerade diejenigen, denen wir große Wohltaten erwiesen hatten, haben sie uns mit Bösem vergolten, wie es so der Lauf der Welt ist. Wenigstens habe ich mir solches eingebildet; denn das Gemüt einer betrübten Witwe, die so ein Königreich plötzlich verliert, bildet sich leicht auch mit Unrecht ein, daß jeder einem nicht wohl tut. Gott möge es mir verzeihen! Meine herzlieben Kinder, an dem Tage, da ich den herzigen, lieben Freund noch tot vor mir liegen hatte, ist mir noch nicht so weh gewesen wie nachher. Da wurde mir alle Tage weher und mein Leid ist immer größer geworden. Aber der große, gütige Gott hat mich in seiner Barmherzigkeit zur Geduld geführt, so daß ich für meine Waisen gesorgt habe, so viel solches von einer schwachen Frau, die leider voller Gebresten[12]) und Sorgen ist, sich tun läßt.

Nach den dreißig Trauertagen ist kein Bruder, keine Schwester und kein sonstiger Verwandter zu uns gekommen, der uns gefragt hätte: Was macht ihr oder wie kommt ihr zurecht? Wenn wir zeitweise zusammen-

---

[12]) vgl. Schillers Tell I, 2: „Auf deinem Herzen drückt ein still G e b r e s t e n."

gekommen sind, bevor die dreißig Trauertage aus waren, so sind ihre Reden unnütz gewesen und haben mir und meinen Waisenkindern wenig helfen können.

Vormünder hat mein seliger Mann nicht einsetzen wollen, wie schon [bei dem] erwähnt, was er Reb Feibusch gesagt hat[12a]). Nach den dreißig Tagen bin ich nun über mein Buch gegangen und habe nachgesehen. Da habe ich gefunden, daß wir 20 000 Reichstaler Schulden hatten. Das habe ich zwar gewußt und es war mir auch nicht bange dabei; denn ich wußte, daß ich die Schulden zahlen könnte und noch so viel übrig behalten würde um nebst meinen Kindern damit auszukommen. Es ist aber doch für eine betrübte Witwe eine schwere Sache so eine große Summe schuldig zu sein und nicht einmal 100 Reichstaler bar im Hause zu haben. Meine Söhne Nathan und Mordechai sind mir als ehrliche Kinder zu Hilfe gekommen; aber sie waren noch sehr jung. So habe ich denn alles zusammengenommen, meine Bilanz gemacht und mich entschlossen einen Ausruf zu machen[13]), wie es dann auch geschehen ist.

Meine lieben Kinder, ihr habt gesehen, wie euer lieber, frommer Vater seinen Abschied von dieser sündigen Welt genommen hat. Er war euer Hirt, euer Freund. Nun, liebe Kinder, denkt nun ein jeder an sich selbst; denn ihr habt jetzt keinen Menschen, keinen Freund, auf den ihr euch verlassen könnt, und wenn ihr auch viele Freunde hättet und sie in der Not

---

[12a]) s. S. 176.
[13]) d. h. die vorhandenen Warenbestände durch eine Auktion zu verkaufen

brauchtet, so könntet ihr euch doch nicht auf sie verlassen; denn wenn man die Freunde nicht braucht,
dann will einem ein jeder gern Freund sein; wenn man
sie aber nötig hat, dann [sind sie nicht zu finden].

Also, meine lieben Kinder, haben wir uns auf keinen
Freund zu verlassen als auf Gott; der soll uns beistehen und helfen, und wenn ihr auch euern getreuen,
frommen Vater verloren habt, so lebt doch euer himm-
lischer Vater immer und ewig, der euch nicht verlassen
wird, wenn ihr ihm treulich dient. Wenn euch aber —
Gott behüte — eine Strafe zukommen sollte, so ist keiner
daran schuld als ihr selbst und eure Taten.

Ich komme jetzt wieder darauf zurück, wie euer
Vater in Heiligkeit und Reinheit gestorben ist.

Nun habe ich auch geschrieben, wie ich meine Bilanz
gemacht habe. Ich bin dann zu meinem Schwager Joseph
gegangen und habe ihn gebeten meine Sachen anzusehen,
ob ich die einzelnen Stücke zu billig oder zu teuer angesetzt hätte. Er sah sich alles an und sagte: „Ihr habt
alles zu billig angesetzt; wenn ich meine Waren so billig
ansetzen wollte, so müßte ich Bankerott machen.“ Ich
sagte ihm aber: „Mir deucht, daß es besser ist die
Sachen billig anzusetzen und sie dann teuer zu verkaufen als umgekehrt. Ich habe meine Bilanz so gemacht, daß ich auch, wenn es so billig verkauft wird,
wie es angesetzt ist, doch ein gutes Kapital für meine
Waisenkinder behalte.“ So habe ich denn eine Auktion
veranstalten lassen und sie ist sehr glücklich von statten
gegangen. Es ist alles ganz gut verkauft worden, und
obwohl man [den Käufern] eine halbjährige Frist gegeben hat, so ist es doch alles gut eingegangen und

Gottlob kein Verlust eingetreten. Sobald Geld eingegangen war, habe ich sofort bezahlt, was wir schuldig
waren, und hatte innerhalb eines Jahres alles abgezahlt.
Was weiter an Barschaften vorhanden war, habe ich
dann auf Zinsen ausgeliehen.

Wie schon erwähnt, war meine Tochter Esther damals schon lange Braut, so daß wir von der Verlobung
nicht gut abgehen, aber auch nicht recht damit vorwärtskommen konnten. Nach den dreißig Trauertagen
schrieb ich an die Mutter des Bräutigams nach Metz,
stellte ihr meinen betrübten Witwenstand vor und bat
sie, damit wir einander nicht länger aufhielten, den
Bräutigam hierher zu schicken um zu sehen und gesehen
zu werden. Aber sie antwortete mir: Da ich so viel über
ihren Sohn geschrieben und man ihr so viel Schlechtes
über meine Tochter gesagt habe, so wolle sie den
Bräutigam nicht schicken. Wenn ich meinte, daß solche
Verleumder die Wahrheit sprächen, so möchte ich jemanden von meinen Freunden nach Metz schicken und
den Bräutigam ansehen lassen. Ueberdies wäre es, weil
damals ein großer Krieg zwischen dem König von
Frankreich und den Deutschen war, für sie zu gefährlich
den Bräutigam zu schicken. So ist länger als ein Jahr
mit solchem verdrießlichen Hin- und Herschreiben dahingegangen[14]).

Unterdessen ist mein Sohn Loeb auch ein großer,
hübscher junger Mann geworden und es sind ihm viele
vornehme Partien angetragen worden. Mein Schwager

---

[14]) Glückel hat über die ersten schriftlichen Verhandlungen
mit der Familie Krumbach-Schwab (S. 159) fast genau mit denselben Worten berichtet.

Joseph hat selbst mit mir geredet, er wollte ihm seine Tochter geben; er sollte fordern, was er haben wollte. Aber mein Sohn Loeb hatte keine Lust dazu; er hatte mehr Lust zu der Partie in Berlin, die mein und unser aller Unglück geworden ist. Doch ich beschuldige niemanden. Der Höchste hat solches über uns beschlossen und hat meinen frommen Mann von dieser sündigen Welt hinweggenommen, damit er nichts Böses an seinen Kindern erleben sollte.

Mein Sohn Loeb war damals noch jung und hat sich von bösen Leuten verführen lassen viel Kinderei und Torheit zu treiben. Nun habe ich mir gedacht: Wenn ich meinen Sohn nach Hamburg gebe (d. h. wenn ich ihn in Hamburg verheirate), dann ist die Verführung gar groß; ich bin eine Witwe und die Leute hier sind große Geschäftsleute und können nicht gut auf meinen Sohn achten. Da hat mir mein Schwager Elia Ries vorgeschlagen meinen Sohn mit der Tochter seines Bruders Hirschel Ries[15]) in Berlin zu verheiraten. Diese Partie hat mir leider sofort gefallen; ich habe mir gedacht, der Mann hat wenig Kinder und hat sein Geschäft meist im Hause; er ist auch ein strenger Mann und wird gewiß auf meinen Sohn gut acht geben. So habe ich denn meinen Sohn mit seiner Tochter verlobt und meinte, ich hätte es sehr gut getroffen. Als nun die Hochzeit herankam, bin ich mit dem Bräutigam und meinem andern Sohn Samuel, meinem Schwager

---

[15]) Hirschel Ries war ein Sohn des (S. 147 erwähnten) Model Ries und ein Bruder des Elia Ries, der mit einer Schwester Glückels verheiratet war (s. S. 103). Er gehörte zu den ersten eingewanderten Wienern in Berlin. Siehe Kaufmann, Die letzte Vertreibung, S. 212.

CEREMONIE NUPTIALE
des
JUIFS ALLEMANDS.

A. le Marié tenant l'Epouse à la Mariée, tous deux sous le Talet.
B. B. les 2 Ministres de la Mariée.
C C. les 2 Parrains de la Mariée.
D. le Rabin.
E. le derrière de la Synagogue.
F. le Chantre tenant la Bouteille pour faire Boire les Epoux.
G. deux garçons avec des Batons, avec qui marche et devant les Mariés.

Elia Ries und Isachar Cohen nach Berlin gereist. Dort war ich bei Benjamin Mirels[16]) zu Gast. Die Ehre, die mir von Hirschel Ries, seinem Onkel Benjamin Mirels und von allen Leuten in Berlin erwiesen wurde, kann ich nicht beschreiben. Besonders wurde ich auch von dem reichen Juda Berlin und seiner Frau sehr geehrt. Wenn Juda Berlin auch mit allen Wienern uneinig war[17]), so hat er mir doch am Sabbat die feinsten Konfitüren geschenkt, die man nur finden konnte, und mir eine große Mahlzeit gegeben. Kurz — ich hatte dort mehr Ehre, als ich verdiente.

So ist die Hochzeit in großer Freude und Ehre gefeiert worden. Einige Tage nach der Hochzeit sind wir allesamt fröhlich wieder nach Hamburg gereist. Bevor ich von Berlin wegfuhr, habe ich noch mit Hirschel Ries gesprochen und ihn gebeten, er möchte doch gut nach meinem Sohn sehen; denn er wäre ein junges

---

[16]) Benjamin Mirels, Bruder der Pessel Ries-Neumark, der Mutter des Hirschel R., war seit 1673 Vorsteher der aufgenommenen Judenschaft in Berlin; er starb 1691. Siehe Kaufmann, a. a. O., S. 213.

[17]) Die in Berlin 1670 eingewanderten Wiener Exulanten, kurz „die Wiener" genannt, insbesondere die Familien Ries und Veit, bemühten sich mit Erfolg um die Gunst der kurfürstlichen Regierung und zogen sich dadurch, wie leicht erklärlich, die Feindschaft des dem gleichen Ziele zustrebenden Jost Liebmann zu. Wegen der Konzession zur Errichtung von Synagogen gerieten später Koppel Ries, ein Bruder des Hirschel Ries und Jost Liebmann in erbitterten Streit. Aber auch abgesehen von diesen Differenzen galten die „Wiener" in Berlin, trotz der vielen vortrefflichen Männer, die aus ihrer Mitte hervorgegangen waren, in der ersten Zeit noch als Fremde, auf die die Einheimischen oder aus größerer Nähe Eingewanderten etwas herabsehen zu dürfen glaubten. Siehe Landshuth, Toldot Ansche Haschem, S. 6. Kaufmann, a. a. O., S. 217.

Kind, das noch nichts vom Geschäft verstünde; also sollte er (Hirschel) nach ihm sehen. Ich hätte mich darum mit ihm verschwägert, weil ich der Meinung sei, daß mein Sohn an ihm wieder einen Vater haben würde. Hirschel Ries gab mir darauf zur Antwort, ich brauchte für meinen Sohn nicht zu sorgen; ich sollte wünschen, daß ich für alle meine Kinder so wenig zu sorgen hätte wie für diesen Sohn. Aber mein Gott und Herr, wie ist das Blatt so unglücklich umgeschlagen!

Hirschel Ries hatte in den Verlobungsvertrag hineingeschrieben, er wolle dafür bürgen, daß mein Sohn drei Jahre bei ihm Kost haben und jährlich 400 Reichstaler zurücklegen sollte. Aber eines ist so wenig gehalten worden wie das andere.

Inzwischen hatten wir wegen der Heirat meiner Tochter Esther viele Briefe gewechselt und nicht zum Ziel kommen können. Da nun der Bräutigam mit seinem Vater nicht nach Hamburg kommen wollte oder konnte und ich mit meiner Tochter nicht nach Metz reisen wollte, so haben wir uns endlich dahin verglichen, daß der Vater des Bräutigams, der reiche Gemeindevorsteher Abraham Krumbach, mit seinem Sohne nach Amsterdam kommen sollte. Dorthin wollte ich mit meiner Tochter auch kommen und dort sollten Bräutigam und Braut einander sehen um dann nach beider Gutbefinden die Hochzeit dort zu halten. Darauf bin ich eingegangen und bin dann zur bestimmten Zeit mit meiner Tochter und meinem Sohne Nathan nach Amsterdam gereist. Wir hatten sehr gute Gesellschaft und die Reise war sehr schön und vergnüglich. Wir waren bei meinem Schwiegersohn Koßmann [Gomperz] in Amsterdam zu

Gast; der Bräutigam, der einige Tage früher dort war, war bei Moses Emmerich zu Gast. Gegen Abend nach dem Nachmittagsgebet kommt der Bräutigam in unser Haus. Ich habe mich sehr mit ihm gefreut und mit ihm geredet und er hat mir in jeder Beziehung gut gefallen; von allen den Fehlern, die die Leute von ihm gesagt hatten, habe ich nichts gesehen. Wir waren zwei bis drei Stunden zusammen und ich habe Gott in meinem Herzen gelobt und bin sehr zufrieden gewesen. In Amsterdam haben mein Sohn Nathan und ich alle Tage Geschäfte mit Edelsteinen gemacht. Als wir acht Tage dort waren, schrieb mir Mirjam, die Mutter meines Schwiegersohns, die Frau des verstorbenen Elia Gomperz aus Cleve, wir sollten ihr doch die Ehre antun und mit dem Brautpaar nach Cleve kommen. Da sie ja die Partie vermittelt und viele Unannehmlichkeiten davon gehabt hätten, so solle man ihr doch jetzt die Befriedigung bereiten und zu ihr kommen. Obwohl wir nun wegen unseres Geschäftes nicht gut abkommen konnten, habe ich ihr doch ihre Bitte nicht abschlagen können und wir sind zusammen nach Cleve gereist. Beim ersten Anblick haben wir uns zwar mit Freudentränen benetzt, da wir uns beide in unserm betrübten Witwenstande zum ersten Male sahen[18]. Aber nachdem die erste Betrübnis vorbei war, hat sich alles in Freude und Wonne umgewandelt und wir haben voneinander großes Vergnügen gehabt.

Meine Tochter Zipora war auch mit bei uns. Mir-

---

[18]) Elias Gomperz war in demselben Jahre wie Chajim Hameln, am 10. Tamus 5459 = 1689, in Cleve gestorben. Siehe Kaufmann-Freudenthal, Familie Gomperz, S. 37.

Jam Gomperz hat gewünscht, daß wir die Hochzeit in Amersfoort[18a]) machen sollten; aber dieser Ort war für mich nicht gut gelegen, denn wir haben wieder in Amsterdam sein müssen.

So blieben wir denn fünf Tage sehr vergnügt in Cleve; dann reisten wir sämtlich mit unserem Brautpaar wieder nach Amsterdam. Sobald wir nach Amsterdam gekommen waren, wurden Anstalten zur Hochzeit gemacht, und während wir gemeint hatten nur dreißig bis vierzig Leute zu haben, hatten wir über 400 Personen. Kurz, wir haben eine so vornehme Hochzeit gehabt, wie sie in 100 Jahren in Amsterdam nicht gewesen ist. Sie hat uns auch über 400 Reichstaler gekostet.

Nach der Hochzeit bin ich noch einige Wochen in Amsterdam gewesen und habe unsere Geschäfte besorgt. Dann haben wir uns zur Rückreise fertig gemacht. Ich habe meinen Schwiegersohn Moses gebeten, sie sollten mit uns nach Hamburg reisen; ich wollte sie freihalten; aber mein Schwiegersohn hat nicht gewollt. So sind wir von Amsterdam [weggefahren und] vergnügt in Hamburg angelangt und haben unsere Kinder und alle guten Freunde gesund gefunden.

An allen Posttagen habe ich von meinem Sohn Loeb Brief gehabt und gehört, daß er gute Geschäfte mache; auch hat ihn jedermann gerühmt, was er für ein guter Geschäftsmann wäre. Er ist nach Leipzig gereist und hat dort Waren eingekauft und hat ein großes Gewölbe in Berlin gehabt. Meine Kinder (in Hamburg) haben mit ihm Geschäfte gemacht. Ich habe verschiedene Male an seinen Schwiegervater Hirschel Ries geschrieben und

---

[18a]) kleine Stadt in Holland, in der Nähe von Utrecht.

ihn angefragt, ob er auch gut auf ihn aufpasse; denn mein Sohn sei noch ein junges Kind und sei noch in keinem Geschäft, sondern nur immer in der Schule und im Lehrhause gewesen. Hirschel Ries antwortete mir darauf mehrere Male, ich sollte mir um das Kind keine Sorge machen. Nun habe ich mich damit zufrieden geben müssen und habe gemeint, daß mit meinem Sohn Loeb alles gut bestellt sei.

Nun war meine Tochter Hendele damals eine Jungfrau, die nicht ihresgleichen hatte an Tugenden und an Schönheit. Da hat uns der Heiratsvermittler Josel wieder zu einer traurigen Heiratspartie in Berlin geraten. Dort war nämlich die Witwe des Baruch[19]), der als ein sehr angesehener und reicher Mann in Berlin gestorben war und zwei Söhne und zwei Töchter hinterlassen hatte. Der Heiratsvermittler schlug mir für meine Tochter eine Verbindung mit dem älteren Sohne vor. Er sagte mir, der junge Mann wäre ein feines Kind, er lernte gut und hätte 5000 Reichstaler bereit liegen, außerdem ein halbes Haus, das auch 1500 Reichstaler wert sei, und noch silberne Thorageräte und andere Sachen. Seine Mutter wollte ihn bei sich behalten und ihm zwei Jahre Kost an ihrem Tische geben; denn sie hatte noch das ganze Geschäft inne. Ich erwiderte dem Heiratsvermittler, daß ich die Partie nicht ausschlage; ich wollte es mir nur überlegen und ihm dann Antwort sagen. Dann habe ich meinen Schwager Joseph und andre gute Freunde gefragt; die

---

[19]) Baruch, der Sohn des Menachem Manes Rausnitz aus Wien, von den Behörden Benedictus Veit genannt, war einer der Vorsteher der in Berlin aufgenommenen Wiener Juden; er starb 1689. Vgl. Kaufmann, Letzte Vertreibung, S. 215.

haben mir alle zu der Partie geraten, aber doch alle gesagt: Du hast doch deinen Sohn Loeb in Berlin wohnen; der wird dir alles schreiben. So habe ich denn an meinen Sohn Loeb geschrieben, er sollte mir die ganze Wahrheit darüber mitteilen. Drauf hat er mir geschrieben und mir zu der Heiratspartie geraten; denn der junge Mann hätte 5000 Reichstaler und auch die übrigen Sachen, wie der Heiratsvermittler gesagt hatte. So habe ich denn meinem Sohn Vollmacht geschickt und er hat die Verlobung in Berlin abgeschlossen — zu meiner großen Betrübnis. Die Hochzeit ist auf 1½ Jahre später festgesetzt worden.

Ich meinte, daß alles gut wäre, und dachte mir: weil ich ein Kind in Berlin hätte, dem es gut ginge, wollte ich das andre Kind auch dorthin verheiraten, damit eins an dem anderen Herzensfreude hätte. Aber es ist leider ganz anders herausgekommen. Denn mein Sohn Loeb war, wie erwähnt, noch sehr jung und verstand nichts vom Geschäft. Statt daß nun sein Schwiegervater ihm eine besondere Fürsorge zugewendet hätte, hat er ihn gehen lassen wie „Schafe ohne Hirten". Mein Sohn hatte, wie schon erwähnt, ein großes Geschäft in Berlin angefangen und hatte ein großes Gewölbe mit allerhand Waren. Sein Schwiegervater Hirschel Ries hatte seinen Sohn Model mit der Tochter meines Schwagers Joseph verheiratet. Dieser Model war auch noch sehr jung und nicht gut erzogen. Seine Mitgift von 4000 Talern hat sein Vater Hirschel Ries meinem Sohn Loeb ins Geschäft gegeben. Mein Sohn hat nun den Model immer in seinem Gewölbe sitzen gehabt; es hieß, daß er mit aufpassen sollte. Aber — Gott soll sich erbarmen — wie hat er aufgepaßt! Gehilfen und Gehilfinnen haben leider alles gestohlen; auch andre nichtswürdige Leute, wie es solche in Berlin und drum herum gibt, haben sich an ihn herangemacht und scheinbar mit ihm gehandelt, dabei aber ihm das Weiße aus dem Auge herausgestohlen. Er hat viele Tausende an Polacken verborgt und das Geld ist leider alles verloren gegangen. Ich und meine Kinder haben nichts davon gewußt; wir meinten, daß er ein großes Geschäft machte und viel verdiente. Darum haben wir ihm viel kreditiert. Ich hatte damals eine Fabrik von Hamburger Strümpfen, in der ich selbst für viele Tausende [von Talern] arbeiten ließ. Da schrieb mir der Unglückssohn, ich sollte ihm für 1000 Taler und mehr Strümpfe schicken, und ich habe es auch getan.

Dann traf ich auf der Braunschweiger Messe Amsterdamer Kaufleute, die für ungefähr 800 Reichstaler Wechsel auf meinen Sohn Loeb hatten. Loeb schrieb mir nach Braunschweig, ich möchte doch seine Wechsel in Ehren bezahlen; er wollte mir das Geld nach Hamburg remittieren. Wie ich nun allezeit für meine Kinder gewesen bin, dachte ich mir, ich wollte ihm keine Schande antun lassen, daß ich seine Wechsel hätte protestieren lassen, und habe alles in Ehren bezahlt. Wie ich nun von der Braunschweiger Messe zurückkam, war ich der Meinung, Wechsel von meinem Sohn Loeb vorzufinden. Aber es war nichts vorhanden, und wenn ich meinem Sohne davon geschrieben habe, hat er mir allezeit Antworten geschrieben, die mir nicht gefallen haben. Nun, was sollte ich tun? Ich mußte mich zufrieden geben. 14 Tage danach kam ein guter Freund zu mir und sagte:

„Ich kann es dir nicht verschweigen und muß dir sagen, daß mir die Geschäfte deines Sohnes Loeb gar nicht gefallen; denn er steckt in großen Schulden. Seinem Schwager Model ist er 4000 Taler schuldig und derselbe sitzt in Loebs Gewölbe, wie es heißt um aufzupassen; aber er ist ein Kind und nicht kapabel dazu; er nascht und frißt und sauft. Ein jeder ist Herr und Meister im Gewölbe. Dein Sohn Loeb ist zu gut und fromm, läßt einen jeden schalten und walten. Zudem saugen ihn die Berliner mit Zinsen aus. Er hat auch zwei Wölfe über sich; der eine ist Wolf Mirels, der Sohn des Hamburger Rabbiners Salomon Mirels[20]); der andere ist der Schwager des gelehrten Benjamin Mirels. Dieser letztere Wolf geht ihm alle Tage in sein Gewölbe und trägt heraus, was er (Loeb) sieht und was er nicht sieht. Außerdem macht er Geschäfte mit Polacken; soviel ich weiß, ist er dabei in kurzem schon mehr als 4000 Taler losgeworden." Diese und ähnliche Mitteilungen machte mir dieser Mann; mir ging dabei fast das Leben aus und ich wurde auf der Stelle ohnmächtig. Als der Freund sah, daß ich so sehr erschrocken war, fing er an mich zu trösten und

---

[20]) Rabbi Salomon Mirels, auch Meschulam Salomon Neumark, gleichfalls aus Wien eingewandert, gehörte mit seinem Bruder Benjamin Mirels zu den Gründern und ersten Vorstehern der „heiligen Bruderschaft" in Berlin 1676. Er hatte 1678 den Auftrag, in Wien für den Großen Kurfürsten eine Anleihe aufzunehmen. Von 1680 bis zu seinem Tode 1706 war er Oberrabbiner der drei Gemeinden Altona, Hamburg, Wandsbek. Er ist auf dem alten Friedhof zu Altona beerdigt. (Grabstein 871.) Sein Sohn Wolf Mirels, Schwiegersohn des (S. 189 erwähnten) Baruch Rausnitz = Benedictus Veit, ist als Drucker hebräischer Werke bekannt geworden und 1716 in Berlin gestorben. Siehe Kaufmann, a. a. O., S. 210 ff. Landshuth, Seder Bikur Cholim, S. 36.

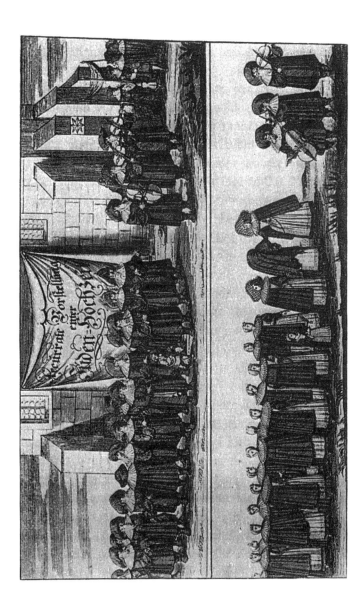

meinte, wenn man beizeiten zusehe, könnte meinem Sohn Loeb noch geholfen werden. Ich sagte das, was ich gehört hatte, meinen Söhnen Nathan und Mordechai. Diese erschraken auch sehr und sagten, sie hätten auch ein jeder mehrere Tausende von ihm zu fordern. Nun, Gott weiß, wie mir bei solchen unangenehmen Sachen zumute war. Mein Sohn Loeb war mir mehr als 3000 Taler schuldig; aber ich hätte das alles nicht geachtet, wenn nicht meine beiden frommen Kinder so tief mit darin gesteckt hätten. Was haben wir betrübten Leute nun tun sollen? Wir haben es keinem Menschen sagen dürfen.

Wir haben miteinander verabredet, daß ich mit meinem Sohn Mordechai nach der Leipziger Messe reisen wolle um zu sehen, wie alle Sachen stehen. Ich bin auch mit Mordechai dorthin gereist. Als wir dort ankamen, war mein Sohn Loeb schon dort, wie er auch sonst zu jeder Leipziger Messe reiste, und hatte viele Waren dort. Da habe ich mit ihm geredet: „So und so spricht man von dir; denke an Gott und an deinen frommen, ehrlichen Vater, daß du dich und uns alle nicht in Schande bringst!" Darauf antwortete er: „Ihr braucht nirgends für mich zu sorgen. Kürzlich — es sind noch keine vier Wochen her — hat mein Schwiegervater seinen Schwager Wolf aus Prag bei sich gehabt; der hat mit mir gerechnet und hat gefunden, daß ich gottlob ganz gut stehe." Darauf sagte ich zu ihm: „Zeige mir deine Bilanz." Er erwiderte: „Ich habe sie nicht bei mir; tue mir den Gefallen und reise mit mir nach Berlin in mein Haus; da will ich euch alles zeigen, so daß ihr vergnügt sein werdet." „Jedenfalls", habe ich zu ihm gesagt, „kaufe jetzt kein Stück Ware." Aber Isaak und

Simon, der Sohn des Rabbi Man, von Hamburg sind
hinter meinem Rücken hingegangen und haben ihm für
mehr als 1400 Taler Waren verkauft und geborgt. Als
ich es gewahr wurde, bin ich zu ihnen gegangen und
habe sie um des Himmels willen gebeten, sie sollten doch
den Kauf zurückgehen lassen; denn mein Sohn sollte
sich von dem Warenhandel zurückziehen, weil es sein
Verderben wäre. Aber es hat mir alles nichts helfen
wollen und sie haben meinen Sohn gezwungen die Waren
zu nehmen.

Nach der Leipziger Messe bin ich mit meinem Sohn
Mordechai, mit Hirschel Ries und allen Berlinern nach
Berlin gereist. Als ich im Hause meines Sohnes in Berlin
war, sagte er mir: „Es fehlt mir nichts anderes, als daß
ich zu viel Geld in Waren hineingesteckt habe." Darauf
sagte ich zu ihm: „Du bist mir mehr als 3000 Taler
schuldig; ich will meinetwegen dafür lauter Waren
von dir annehmen (für so viel), wie sie dich gekostet
haben." „Wenn du das tun willst, liebe Mutter," antwortete er, „so kann ich aus aller meiner Not herauskommen und keiner braucht durch mich zu kurz zu
kommen."

Am anderen Tage bin ich mit meinem Sohn in
sein Gewölbe gegangen; dort ist wirklich eine viel zu
große Menge von Waren gewesen. Er hat mir nun für
3000 Taler Waren gegeben, so wie sie ihn gekostet
haben. Nun kann man sich wohl denken, was ich für
ein Gesicht gemacht habe[21]); aber ich wollte alles nicht

---

[21]) Es war ihr nicht sehr wohl zumute, daß sie statt
des baren Geldes, das sie zu fordern hatte, eine so große
Masse von Waren mitnehmen sollte.

achten und meinte nur meinem Kinde zu helfen. So haben wir denn die Waren alle in Ballen eingepackt um sie nach Hamburg zu schicken. Nun standen die zwei Ballen mit Waren, die mein Sohn in Leipzig von den Hamburger Kaufleuten Isaak und Simon gekauft hatte, noch zugepackt in seinem Gewölbe, und ich sagte zu meinem Sohne: „Die beiden Päckchen mit Waren schicke den Leuten zurück; ich will schon dafür sorgen, daß sie die Waren wiedernehmen, wenn es mich auch Geld aus meiner Tasche kosten sollte. Nun habe ich das Meinige," habe ich zu meinem Sohn gesagt, „wie bekommen nun meine Söhne Nathan und Mordechai das Ihrige?" Da hat er Wechsel und polnische Membranen[22]) über 12 000 Reichstaler genommen und sie meinem Sohn Mordechai gegeben; davon sollte er bezahlt werden. Dann sind wir zusammen heimgegangen, nachdem wir den ganzen Tag in seinem Gewölbe gesessen waren. Das Nachtessen hat mir nicht gut geschmeckt, wie sich wohl denken läßt.

Am anderen Morgen in aller Frühe kommt mein Sohn Loeb zu mir in meine Kammer und sagt, sein Schwieger-vater hätte mit ihm geredet, er wollte die Waren nicht aus Berlin herauslassen, da mein Sohn Loeb seinem Sohn Model 4000 Taler schuldig wäre; die sollte ich ihm bezahlen, dann könnte ich die Waren hinschicken, wohin ich wollte. Solches hat mir mein Sohn Loeb mit schreienden (= weinenden) Augen gesagt. Da ist ein großer Schrecken und eine Todesangst über mich ge-kommen. Ich konnte nicht aufstehen, und so lange ich in dem Unglücksort Berlin war, konnte ich nicht aus

---

[22]) Membranen = Pergamente mit Schuldverschreibungen. Vgl. Kaufmann, Letzte Vertreibung, S. 52, Anm. 1.

meinem Bett herauskommen. Da habe ich Hirschel Ries kommen lassen und ihm gesagt, was er mir da tut, ob er denn mich und mein Kind auf einmal schlachten wolle. Aber was soll ich viel schreiben? Zehn Bogen würden nicht ausreichen[23]). Ich habe Hirschel Ries einen Wechsel geben müssen, daß ich binnen vierzehn Tagen in Hamburg 2500 Reichstaler zahlen wolle. Dabei hat mir Hirschel Ries noch gesagt: „Ich hoffe nicht, daß einer dabei zu kurz kommt; denn er behält noch so viele Waren in seinem Gewölbe übrig. In Frankfurt a. d. Oder hat er auch noch für ungefähr zweitausend Taler Waren stehen, außer den vielen Wechseln und Membranen, die dein Sohn Mordechai in Händen hat, damit ihr davon bezahlt werden könnt." Was sollten wir nun tun? Wir mußten uns alles gefallen lassen; ich habe den Wechsel unterschrieben, dann habe ich meine Waren nach Hamburg geschickt. Ich bin dann mit Hirschel Ries in Loebs Gewölbe gegangen und habe ihm die beiden Päckchen mit Waren von Isaak und Simon gezeigt und ihm gesagt, er sollte sie sogleich an die Leute schicken, damit mein Sohn aus seiner Verpflichtung herauskäme. Die Wechsel und Membranen, die mein Sohn Mordechai in Händen hatte, konnten uns wenig nützen; wir haben sie Hirschel Ries gegeben und der hat meinem Sohn Mordechai durch Handschlag versprochen, was davon einkommt, uns sofort nach Hamburg zu remittieren. Nun war mein Sohn Loeb dem Loeb Beschere und dem Loeb Goslar ungefähr 2000 Taler schuldig; darum hat er mir diese Wechsel geschickt um [sie an] sie zu bezahlen. Ich hätte nun

---

[23]) Glückel gebraucht hier das Wort klecken = ausreichen, langen. Vgl. Heyne, Dtsch. Wörterb., II 367. Grimm, V 1056.

die Wechsel wohl behalten können um uns davon bezahlt zu machen. Aber ich dachte mir, wenn ich das täte, wäre mein Sohn gewiß bankrott; ich habe ihnen also die Wechsel gegeben. Wir sind nun mit traurigem, verbittertem Gemüt heimgereist. Ich habe kaum mehr die Seele in mir gehabt. Mein liebes, frommes Kind Mordechai hat mir zwar meine Traurigkeit auszureden gesucht; aber Gott weiß, daß ihm noch viel weher als mir war, wie es sich leider auch gezeigt hat.

Nun war die Messe in Frankfurt an der Oder nahe und wir haben alle unsere Hoffnung darauf gesetzt, daß wir von dort Ersatz bekommen würden. Aber statt dessen ist ihm sein Schwiegervater in sein Gewölbe eingefallen und hat alles, was er hatte, an sich genommen — nicht nur alle seine Waren, auch alle seine Wechsel und die zwei Päckchen mit Waren (die zur Rücksendung nach Hamburg bestimmt waren). Es ist ihm und uns auch nicht ein Pfennig geblieben. Ja noch mehr — mein Sohn war einem Kaufmann 1000 Taler schuldig, wofür er ihm Wechsel auf Hamburg geben sollte. Aber der Kaufmann war dies alles gewahr geworden und wollte nicht von ihm weichen; er wollte ihn in Berlin einsperren lassen. Was sollte mein Sohn nun tun? Sein Schwiegervater hätte ihn im Gefängnis verrotten und verfaulen lassen, ehe er ihm mit hundert, geschweige mit tausend Talern geholfen hätte. Mein Sohn redete also mit dem Kaufmann: „Du siehst ja wohl, daß hier nichts zu bekommen ist; ich will mit dir nach Hamburg reisen. Meine Mutter und meine Brüder werden mich nicht verlassen. Du kannst mich doch in Hamburg auch verhaften lassen." Dann schrieb mein Sohn mir zugleich: „Ich werde am

Freitag bei dir sein; ich kann dir die Ursache nicht schreiben, ich werde dir alles mündlich sagen."

Diesen Brief habe ich einen Tag vor seiner Ankunft bekommen. Es läßt sich denken, wie mir zumute war und daß ich nichts Gutes davon erwarten konnte, da ich wohl wußte, daß sein Schwiegervater ihm alles genommen hatte und daß er in Hamburg viel schuldig war und nichts zu bezahlen hatte. Aber ich bin bald aus meinem Traum herausgerissen worden. Am Freitag in der Morgenfrühe bekam ich eine Botschaft, mein Sohn Loeb wäre im Hause des Kaufmannes; ich oder eines meiner Kinder sollte zu ihm kommen. Ich erschrak über die Maßen und konnte nicht einen Schritt gehen. Mein Sohn Mordechai ist zu ihm gegangen und hat mir die bittere, betrübte Zeitung gebracht. Nun habe ich mit meinen Schwägern Joseph und Elia (Ries) beraten, was hierbei zu tun ist. (Wir haben uns gesagt:) Wenn es länger währt und andere Kreditoren es gewahr werden, ist er sicher verloren. Endlich sind wir dabei geblieben, man solle tausend Reichstaler von der Hinterlassenschaft nehmen um ihn aus den Händen des Kaufmannes zu befreien. Er sollte noch bis gegen Abend im Hause des Kaufmanns bleiben und sich dann bis Sonntag bei mir aufhalten. Sonntag früh sollte ich ihn mit meinem Schwager Samuel Bonn[24] nach Hameln schicken; er sollte dann einige Zeit bei meinem Schwiegersohn Samuel in Hameln[25]) sein, bis man sähe, was

[24]) Samuel Bonn, der Sohn ihres Schwagers Loeb Hameln, war mit Glückels Schwester Rebekka verheiratet und dadurch auch ihr Schwager, siehe S. 148.

[25]) Samuel, der Sohn des Abraham Hameln, war mit Glückels Tochter Hanna vermählt, siehe S. 150.

man mit ihm anfangen könnte. Solches ist nun geschehen; es hat mich wieder viel Geld gekostet. Mein Sohn ist nach Hameln gereist; unterwegs mußte er sich in Hannover aufhalten. Obschon der reiche Jakob Hannover[26]) viel Mitleid mit ihm hatte, so ist dies doch ohne Wirkung geblieben und hat meinem Sohn keine Hilfe gebracht. Sie haben mir zwar von Hannover tröstlich geschrieben und mich getröstet; ich habe ihnen wieder gebührlich geantwortet und mich für ihre Tröstungen bedankt; aber damit wäre es nicht getan; sie sollten sich ins Mittel legen und helfen, daß mein Sohn wieder zurecht käme. Ich habe aber von Jakob Hannover zur Antwort bekommen: er wolle ihm mit fünfhundert Reichstalern assistieren, wenn meine Söhne Nathan und Mordechai ihm schriftlich geben wollten, daß sie die Bürgschaft für das Geld übernähmen. Hieraus ist auch wieder zu ersehen, daß man keinen für einen Freund halten soll, ohne daß man ihn erprobt hat. Ich hatte geglaubt, daß Jakob Hannover, der ein naher Freund meines Kindes ist, um der Ehre meines seligen Mannes willen ein Mehreres getan und Tausende für die Ehre seines Onkels aufgewendet hätte; aber es war, wie ich schon erwähnt habe.

Nun ist mein Sohn Loeb ein halbes Jahr in Hameln gewesen. Einige Zeit danach ist der Kurfürst von Brandenburg nach Hannover gereist. Das habe ich sofort erfahren und an meinen Schwager Leffmann Behrens in Hannover geschrieben: er möchte sehen ihm bei dem

---

[26]) Gemeint ist der Sohn des Kammeragenten Leffmann Behrens und der Jente Hameln, Jacob Cohen in Hannover, ein Neffe Glückels. Siehe S. 160, Anm. 49.

Kurfürsten ein freies Geleit zu erwirken, daß er wieder nach Berlin kommen dürfte und etwas von seinen Außenständen einziehen und auch seine Gläubiger befriedigen könnte. Denn er war bei Juden und Nichtjuden wohlgelitten und man wußte wohl, daß böse und leichtfertige Menschen — ihre Namen sollen ausgelöscht werden — ihn um das Seinige gebracht hatten, weil er viel zu gut war und einem jeden vertraute. Es sind noch einige kleine Schuldforderungen dagewesen, von denen er noch hat zupfen können, und er hat gemeint, Gott würde sich erbarmen und ihm wieder zurechthelfen. Aber es scheint, daß der Himmel auf uns viel zu sehr erzürnt war.

Mein Sohn Loeb ist nun wieder nach Berlin gereist und hat angefangen wieder ein bißchen zu quackeln[27]) und zu handeln; er hat ein Loch zugestopft und ein anderes wieder aufgemacht, wie es solche Leute tun, und hat immer gemeint sich zu helfen.

Wie erwähnt, hatte ich meine liebe, fromme Tochter zu jener Zeit nach Berlin verlobt, als ich meinte meinen Sohn dort im Wohlstand sitzen zu haben. Aber nachdem es nun so unglücklich gekommen war, ist mir Berlin sehr zuwider geworden. Außerdem sagte mir mein Sohn Loeb, daß der Bräutigam nicht so viel hätte, als sie von ihm geschrieben hatten. Obschon er (Loeb) es bezeugt hätte, so wäre er doch damals schon in seiner Notlage gewesen und die Eltern des jungen Mannes hätten ihm leider mit Geld zu seinem Untergang assistiert, so daß er an mich hätte schreiben müssen, was sie gewollt

---

[27]) quackeln = nicht wissen, was man eigentlich will. Heyne, Deutsches Wörterbuch II 1229.

hätten. Ich habe solches meinen Freunden und anderen Leuten zur Kenntnis gegeben; denn die Zeit der traurigen Hochzeit war schon herangekommen. Da haben sie mir von Berlin geschrieben, daß der Bräutigam nicht mehr als 3½ Tausend Taler und sein halbes Haus hätte. Nun habe ich die Partie nicht machen wollen, da sie mir nicht gehalten hatten, was in dem Verlobungsvertrag versprochen war. So hat das Schreiben und Mahnen länger als ein Jahr gedauert, bis ich — Gott sei es geklagt — förmlich mit den Haaren dazu gezogen worden bin und mich endlich habe resolvieren müssen mit meiner Tochter nach Berlin zu reisen und Hochzeit zu machen. Die Mitgift meiner sel. Tochter ist hier in Hamburg auf Zinsen geblieben und die Mitgift des Bräutigams ist auch in Berlin bei zuverlässigen Leuten auf Zinsen gelegt worden. Obwohl ich schon wegen meines Sohnes Loeb mit wenig Freude zu der traurigen Hochzeit gereist bin und dann auch, weil mir die Verbindung sehr zuwider war, so habe ich mich doch gezwungen und mir nichts merken lassen um meines Kindes Freude nicht zu stören. Ich war bei meinem Sohn Loeb zu Gast; seine Lage war zum Erbarmen. Er hat das Seinige getan, ist gelaufen und gerannt; aber, wie schon erwähnt, obwohl mir das Herz förmlich im Leibe zersprungen ist, habe ich mich doch nicht dem Schmerze hingeben wollen.

Also ist die Hochzeit in Freude und Lust und mit allen Ehren gefeiert worden. Der reiche Juda Berlin (= Jost Liebman) hat uns mit seiner Frau und allen seinen Hausgenossen die Ehre angetan und ist auf der Hochzeit gewesen, so daß alle Welt darüber erstaunt war; denn sie waren sonst niemals auf einer Wiener Hochzeit gewesen[28]). Er hat auch der Braut ein wertvolles Geschenk als Einwurf[29]) gegeben und uns nach der Hochzeit mit dem Brautpaar eingeladen und eine herrliche Mahlzeit angerichtet.

Als dies vorbei war, haben wir uns wieder gerüstet nach Hause zu ziehen, aber mit Elend und Schwermut, da ich doch leider die schlechte Lage meines Sohnes Loeb vor mir gesehen habe. Aber ich habe mir doch noch die Hoffnung gemacht: vielleicht wird ihm Gott wieder helfen, daß er zurechtkommen wird. So sind wir nach Hamburg gereist und ich habe meine liebe, fromme Tochter in Berlin gelassen; ich habe sie leider nimmermehr zu sehen bekommen. Der Schmerz, den meine fromme Tochter und ich beim Abschied hatten, ist nicht zu beschreiben; es war so, als wenn wir gewußt hätten, daß wir uns in dieser sündigen Welt nie wiedersehen sollten. So sind wir denn auf ewig voneinander geschieden.

Ich bin nun nach Hamburg gekommen und habe alle Posttage ziemlich vergnügte Briefe von meiner Tochter gehabt. Wenn sie auch von meinem Sohn Loeb viel Kummer und Schmerz hatte, so wollte sie doch als ein frommes, kluges Kind nichts davon erwähnen und wollte mich nicht betrüben. Sie scheint die Betrübnis in ihrem frommen Herzen allein verschlossen zu haben. Loeb hat sich bald in Berlin nicht mehr halten können. Er ist von dort weggegangen und nach Altona unter den Schutz

---

28) Siehe oben S. 185, Anm. 17.

29) Die Hochzeitsgeschenke der Verwandten und Freunde nannte man damals „Einwurf". Siehe Güdemann, Geschichte des Erziehungswesens bei den Juden, III 119. Landau, a. a. O., S. 51.

des Präsidenten[30]) gekommen. Was ich für Schmerz und Herzeleid hierdurch und von seinen Gläubigern gehabt habe, soll eine Sühne für unsere Sünde sein. Es hat mich täglich viel Geld gekostet. Mein Sohn ist todkrank geworden; ich habe alle Tage zwei Aerzte von Hamburg nach Altona geschickt, dazu seine Wärter und die übrigen Bedürfnisse; das hat mich wieder viel Geld gekostet. Endlich ist er wieder besser geworden.

Danach ist meine fromme Tochter Hendele in Berlin krank geworden und hat die Krankheit leider mit ihrem jungen Blut bezahlen müssen, zu großem Herzeleid für mich und alle, die sie gekannt haben. O, mein Gott, was für eine harte Strafe ist das gewesen! So ein liebes, wackeres Menschenkind, (so schlank) wie ein Tannenbaum, und alle Wohlkindigkeit[31]) und Frömmigkeit ist an ihr gewesen, wie sie wohl bei unseren Stammüttern sich hat finden mögen. Was für einen großen Schmerz alle Leute in ganz Berlin und besonders ihre Schwiegermutter, die sie so sehr geliebt hat, über ihren Tod gehabt haben, ist nicht zu beschreiben. Aber was hilft das alles meinem betrübten mütterlichen Herzen? Er war siebzehn Wochen nach ihrer Hochzeit. Nun, ich will meine Wunden nicht aufs neue wieder aufreißen.

Nach den sieben Trauertagen hat mein Sohn Loeb zu mir geschickt, ich möchte zu ihm kommen.

---

[30]) Altona wurde im Auftrage der dänischen Regierung von einem Präsidenten verwaltet. Loeb Hameln durfte wegen der Gläubiger in Hamburg, deren Forderungen er nicht befriedigen konnte, damals nicht wagen, das Hamburger Gebiet zu betreten.

[31]) Wohlkindigkeit = kindliche Liebe oder = kindlichfrommer Sinn.

Als ich zu ihm gekommen bin, haben wir beide geweint; mein Sohn hat mich getröstet, so gut er gekonnt hat. Dann hat er zu mir gesagt: „Liebe Mutter, was wird aus meinem traurigen Zustand? Ich bin ein junger Mann und gehe müßig herum. Meine fromme Schwester ist gestorben und hat kein Kind hinterlassen; ihr Mann muß ihre Mitgift wiedergeben, die meinen Brüdern gehört. Wenn meine Brüder noch diesmal Erbarmen mit mir haben und mir mit dem Gelde helfen wollten, daß ich mich mit meinen Gläubigern einigen und wieder nach Hamburg kommen könnte, so meine ich mich mit Gottes Hilfe wieder ernähren zu können."

Mein betrübtes Herz ist mir schwer und voll gewesen; ich habe ihm vor bitteren Tränen nicht antworten können. Dann habe ich ihm gesagt: „Was ist das doch für ein Unrecht von dir! Du weißt, wie deine frommen Brüder durch dich zu kurz gekommen sind; sie können leider den Verlust wirklich gar nicht mehr tragen; und jetzt, wo sie das traurige bißchen Geld wider ihren Willen bekommen, willst du ihnen das auch aus ihrem bitterlich betrübten Herzen reißen!" Da haben wir beide wohl eine Stunde jämmerlich geheult und geschrieen und weiter kein Wort miteinander reden können. Dann habe ich stillschweigend mein Regenkleid[32]) umgenommen und bin mit Weinen und bitteren Klagen nach Hamburg in mein Haus gegangen, habe aber keinem von meinen Kindern etwas davon gesagt. Aber mein Sohn Loeb hat nicht nachgelassen; er hat zu meinen Kindern geschickt und hat sie so viel gebeten, daß sie, die ohnedies so mitleidig waren, ihm

---

[32]) Siehe Anm. 49 zu S. 216.

zugesagt haben ihm damit auszuhelfen. Das ist auch in kurzer Zeit geschehen; er ist mit seinen Gläubigern einig geworden und ist zu mir in die Stadt gekommen. Als sein Schwiegervater dies gewahr wurde, hat er seine Tochter, Loebs Frau, mit einem Kinde auch zu mir nach Hamburg geschickt und seiner Tochter jede Woche zwei Reichstaler zu verzehren gegeben. Nun, was sollte ich tun? Ich mußte mir alles wohl gefallen lassen.

Ich habe damals ziemlich stark mit Waren gehandelt, so daß ich jeden Monat für mehr als fünfhundert oder sechshundert Reichstaler verkauft habe. Außerdem bin ich alle Jahre zweimal auf die Braunschweiger Messe gereist und habe auf jeder Messe mehrere Tausende gelöst, so daß ich den Schaden, den ich an meinem Sohn Loeb hatte, wohl hätte verschmerzen können, wenn ich Ruhe gehabt hätte. Ich habe gute Geschäfte gemacht, habe mir von Holland Waren kommen lassen, habe auch in Hamburg viele Waren gekauft und in einem eigenen Gewölbe verkauft.

Ich habe mich auch nicht geschont, bin Sommer und Winter gereist und den ganzen Tag über in der Stadt herumgelaufen. Außerdem habe ich einen schönen Handel mit Unzenperlen gehabt; ich habe sie von allen Juden gekauft, dann ausgelesen und sortiert und sie wieder an Orten verkauft, wo ich wußte, daß sie angenehm sind. Ich habe großen Kredit gehabt. Wenn ich auf der Börse zur Börsenzeit 20 000 Taler Banco hätte haben wollen, hätte ich sie bekommen können. „Aber alles dieses hat mir nichts gegolten"[33]). Ich habe da meinen Sohn Loeb vor mir gesehen, einen jungen,

---

[33]) Zitat aus Esther, Kap. 5, V. 13.

wackern Menschen, der fromm und im Talmud bewandert war, und der sollte so zugrunde gehen! Da
habe ich eines Tages zu ihm gesagt: „Ich sehe leider
für dich keinen Zweck. Ich habe ein großes Geschäft;
es wird mir sogar ein wenig zu schwer; du sollst mir
in meinem Geschäfte behilflich sein; ich will dir von
allem, was ich verkaufen werde, zwei vom Hundert
geben." Loeb hat dies mit großer Freude angenommen;
er ist auch sehr fleißig gewesen und hätte sehr gut
zurechtkommen können, wenn seine Gutmütigkeit ihn
nicht zugrunde gerichtet hätte. Durch meine Kundschaft
ist er unter Kaufleuten sehr bekannt geworden und hat
großen Kredit bei ihnen gehabt; er hatte fast alles Meinige unter Händen.

Mein Sohn Joseph war damals ein Junge von vierzehn Jahren; er war ein sehr feines Kind und hat sehr gut
„gelernt"[34]). Darum hätte ich ihn gern zum „Lernen"
weggeschickt, wußte aber nicht, wohin ich ihn schicken
sollte. Da war nun ein Hauslehrer bei Isaak Polak, ein
wackerer junger Mann aus Lissa und ein großer Talmu-
dist. Dieser hörte, daß ich meinen Sohn zum „Lernen"
fortschicken wollte; da sagte er, ich sollte ihn ihm mit-
geben. Er begehrte keinen Pfennig Kost- oder Lehrgeld
bis nach zwei Jahren; dann wollte er ihn so ausstellen,
daß er „Halacha mit Tossaphot"[35]) perfekt vortragen

---

[34]) Siehe S. 122, Anm. 15.

[35]) In der Talmudschule wurden die Schüler zuerst in
die Halacha, d. i. in den einfachen Talmudtext eingeführt,
dessen Verständnis durch die fortlaufenden Wort- und Sach-
erklärungen des Raschi-Kommentars unterstützt wurde. Erst
wenn eine gewisse Gewandtheit im „Lernen auf dem Blatte"

könne. Ich habe mich über ihn erkundigt und alle Welt hat mir zugeraten. Darauf habe ich einen Vertrag mit ihm gemacht und meinen Sohn in Gottes Namen mit seinem Lehrer nach Lissa geschickt. Ich habe auch Briefe aus Lissa von ihm erhalten, zuerst von seiner glücklichen Ankunft; dann hat er wirklich jede Woche geschrieben, daß er mit seinem Lehrer wohl zufrieden ist und ernstlich lernt; etwas anderes habe ich nicht verlangt. Etwa vierzehn Tage danach schreibt mein Sohn Joseph und bittet mich sehr, ich möchte doch seinem Lehrer für ein halbes Jahr Kostgeld und Lehrgeld schicken. Zwar wäre ich nicht verpflichtet es zu tun; aber es wäre augenblicklich in Lissa eine große Teuerung, daß sein Lehrer besorgt sein müsse, woher er das Geld nähme; das hindere sie ein wenig im Lernen. Aber wenn der Lehrer diese Sorge nicht hätte, so könnten sie desto fleißiger lernen. Er hätte noch mehr Kinder von Hamburg; deren Eltern schickten ihm alle Geld; so möchte ich doch auch nicht zurückstehen. Nun war mir eben nicht viel daran gelegen, ob ich das Geld früher oder später bezahlt habe; ich habe ihm also sein Geld für ein halbes Jahr hingeschickt. So ist alles gut gewesen und ich habe auch von Durchreisenden vernommen, daß mein Sohn bei dem Lehrer fleißig lernt. Aber als das halbe Jahr bald zu Ende war, bekam ich von meinem Joseph — es war gerade Freitag Nachmittag, als man eben zur

---

(d. h. ohne Rücksicht auf einschlägige Stellen in anderen Traktaten) erzielt war, ging man dazu über, das „Lernen" durch Hinzunahme der Tossaphot, d. i. der speziellen Erörterungen, die die Schüler und Nachfolger Raschis an einzelne Talmudstellen geknüpft haben, zu erweitern und zu vertiefen. Güdemann, Geschichte des Erziehungswesens bei den Jd. III, 68.

Synagoge gehen wollte — einen Brief mit folgendem
Wortlaut: „Meine liebe Mutter, Du weißt ja wohl, daß
ich Dir alle meine Tage ein treues Kind gewesen bin
und niemals etwas gegen Deinen Willen getan habe. So
wirst Du mir auch Deine treue mütterliche Liebe nicht
entziehen und wirst nicht zugeben, daß man mich in die
Hand von Nichtjuden gibt. Denn Du mußt wissen, meine
liebe Mutter, daß die Gemeinde Lissa Gewalthabern sehr
viel schuldig ist[36]) und weder Kapital noch Zinsen zahlen
kann. Da weiß sich die Gemeinde keinen Rat, als daß sie
die deutschen Kinder den Gewalthabern zum Pfand
geben; die deutschen Eltern müssen sie dann wohl
wieder auslösen. Solches haben die Vorsteher in aller
Heimlichkeit den Lehrern gesagt, die deutsche Kinder
bei sich haben. Ein Talmudjünger, der mein guter
Freund ist, hat es mir im Vertrauen mitgeteilt. Ich habe
es Dir nun nicht selbst geschrieben, sondern es durch
diesen jungen Mann tun lassen. Denn mein Lehrer wen-
det mir eine gar zu große Aufmerksamkeit zu und liest
alle meine Briefe. Darum, meine liebe Mutter, sieh doch
Gott den Allmächtigen an und schreibe an Tockels

---

[36]) Die Gemeinde Lissa hatte noch kurz vor dem Uebergang des Herzogtums Posen in preußische Herrschaft eine
erdrückende Schuldenlast und zwar betrugen

die Schulden an Klöster			140 896²/₃	Gulden
„	„	an Propsteien	194 139²/₃	„
„	„	an weltliche Gläubiger	12 000	„
		Zusammen	347 036¹/₃	Gulden

(Siehe Perles in Frankels Monatsschrift f. Wissensch. des
Judent., Jahrg. 1865, S. 177, Anm. 18.) Der polnische Gulden
war der sechste Teil eines preußischen Talers. Die erwähnten
Schulden rührten alle aus dem 18. Jahrhundert her

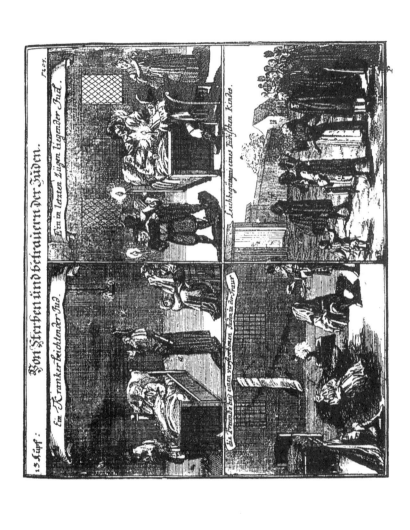

Von Sterben und betrauern der Juden.

15 Kupf:

F.07.

Ein in letzten Zügen liegender Jud.

Ein Kranker beichtender Jud.

Leichbegängniß eines Jüdischen Kindes.

die Trauer bey einem verstorbenen Juden in der Trauer.

Eidam[37]), daß er mir fünfzig oder sechzig Reichstaler geben soll, damit ich mich mit meinem Lehrer ausgleiche und er mich in aller Heimlichkeit wegschickt, daß ich aus ihren Händen komme. Ich bitte Dich um Gottes willen, vernachlässige es nicht; denn wenn es versäumt werden sollte und ich — Gott behüte — in ihre Hände fiele — es ist Polen — so wäre es um mich geschehen, und sollte dann auf Geld gesehen werden, so kostete es zehnmal so viel als jetzt. Darum, meine liebe, herzige Mutter, verlaß Dein Kind nicht um ein bißchen Geld und sieh zu, daß man mich nicht in ihre Hände liefert, aus denen man schwerlich wieder befreit wird."

Als ich den Brief gelesen hatte, ist mir ganz schwach geworden. Ich habe meinen Sohn Mordechai rufen lassen und ihm den Brief gegeben. Der hat sich auch sehr erschreckt. Es war gerade Sabbat. Nach Ausgang des Sabbat haben wir zusammen beschlossen, daß mein Sohn Mordechai sogleich nach Lissa reisen und sehen sollte meinen Sohn Joseph mit sich heimzunehmen. So ist mein Sohn Mordechai nach Berlin und von da nach Frankfurt a. d. Oder gereist. Aber als er zum Tor von Frankfurt a. d. Oder hinausfahren will, kommt mein Sohn Joseph in einem polnischen Wägelchen zu demselben Tore hineingefahren. Mein Sohn Mordechai sieht ihn, heißt ihn absteigen und fragt ihn, woher er so unvermutet komme und was das für ein Brief sei, den er an die Mutter geschrieben habe. Dabei zeigt er ihm

---

[37] Tockel war die Gönnerin des Rabbi Mordechai ben Abraham aus Lissa, der nach ihr den Namen Tockels annahm und später Rabbiner in Berlin wurde. Siehe Landshuth, Toldot Ansche Haschem, S. 21.

den Brief. Joseph liest ihn und sagt: „Was ist das für ein Brief? Ich weiß nicht das geringste von dem Brief zu sagen. Gewiß hat ihn mein Lehrer — sein Name soll ausgelöscht werden — geschrieben und gemeint ein Stück Geld von mir zu bekommen, wie er doch schon viel mehr Geld von mir bekommen hat, als ihm gebührt hat. Er hat mir alle meine Habseligkeiten genommen, hat mir die silbernen Knöpfe aus meinem Rock herausgeschnitten und alles versetzt. Als ich es von ihm wieder haben wollte, hat er mich fälschlich beschuldigt, ich hätte alles vernascht und verfressen und überhaupt für mich versetzt. Nun habe ich gesehen, daß das nicht gut tun kann. Da habe ich Tockels Eidam gebeten mit ihm einen Ausgleich zu machen. Dieser hat ihm dreißig Reichstaler gegeben und mich von ihm weggenommen und hierher geschickt. Ich danke Gott, daß ich von dem bösen Menschen losgekommen bin; denn er hat doch nichts mit mir gelernt."

Mein Sohn Mordechai ist froh gewesen, daß er ihn da angetroffen hatte, und sie sind sogleich in ihrer Kutsche nach Hamburg zurückgefahren. Ich habe eine große Freude gehabt und habe sogleich einen rechtschaffenen Lehrer ins Haus genommen und den Jungen bei ihm lernen lassen.

In dieser Zeit ungefähr ist in Hamburg etwas Schlimmes geschehen. In Altona wohnte ein Familienvater, namens Abraham Metz, der meine Verwandte Sara, die Tochter des Elia Cohen[38]) zur Frau hatte. Er hatte,

---

[38]) Elia Cohen, gestorben 1653, war mit einer Schwester von Glückels Mutter verheiratet. Siehe S. 27. Grunwald, Hamburgs deutsche Juden S. 17 gibt irrtümlich an, daß Abr. Metz in erster Ehe (?) mit einer Tochter Elia Ballins, des Verwandten der Glückel, verheiratet gewesen sei.

bevor er nach Hamburg kam, in Herford gewohnt und war mit der Tochter von Loeb Herford verheiratet gewesen. Zwei Jahre nach der Hochzeit starb ihm seine Frau; da zog er nach Hamburg und vermählte sich mit der oben erwähnten Sara. Er brachte ungefähr 3000 Reichstaler oder mehr an Vermögen mit; aber er war in Hamburg fremd und kannte die Manier und die Geschäftsart des Landes nicht. Daher ging es abwärts mit ihm, so daß er in etlichen Jahren fast um das Seinige kam. Er wohnte dann in Altona und war als Wechsler tätig. Eines Morgens kam seine Frau nach Hamburg und fragte in allen ihr befreundeten Häusern, ob ihr Mann nicht in der Nacht dort gewesen sei. Aber nach allem Herumfragen fand sie keinen, bei dem er die Nacht gewesen war. Die Frau überließ sich nun großem Schmerz. Manche sagten, sie hätte sich mit ihm gezankt; deshalb sei er von ihr weggelaufen. Es dauerte ungefähr drei Jahre, daß ein jeder [über den Fall] sagte, was ihm gefiel. Manche haben viel Böses von ihm gesagt, was ich von dem Heiligen[39]) — Gott räche sein Blut — nicht schreiben mag. Aber unsere menschliche Schwachheit ist leider so, daß wir oft mit dem Munde reden, was unsere Augen gar nicht gesehen haben. So ist die Sara mehr als drei Jahre lang eine „lebendige Witwe" gewesen[39a]) und hat mit ihren betrübten Waisenkindern dagesessen und mußte die Leute nach deren Gefallen über ihren Mann reden und judizieren lassen.

---

[39]) Hier nur im Sinne von „Märtyrer" oder „Erschlagener".
[39a]) Eine „lebendige Witwe" bedeutet eine Frau, deren Mann verschollen ist, ohne daß sein Tod festgestellt werden kann. Vgl. Raschi zu II. B. M. 22, 23.

Danach ist ein Familienvater von der Hamburger Gemeinde gewesen [dem ebenso Schlimmes passiert ist][40]).
Es war ein Geldwechsler, ein ehrlicher Mensch, zwar
kein reicher Mann, aber er hat seine Frau und seine
sieben Kinder ehrlich ernährt. Nun müssen die Wechsler
den ganzen Tag herumlaufen um ihren Erwerb zu suchen
und gegen Abend zur Zeit des Nachmittagsgebetes kommt
ein jeder heim und geht in die Betschule. Ein jeder
hat auch seinen Verein, in dem er Talmud lernt; dann
geht er heim nach seinem Hause. Nun ist es ganz
Nacht geworden; die Frau wartet darauf, daß ihr Mann
von seinem Verein heimkehre, damit sie zusammen essen
können. Aber all ihr Warten ist vergebens gewesen;
sie ist bei allen befreundeten Familien herumgelaufen
um ihn zu suchen; aber sie hat ihn nicht gefunden. So
ist er also leider verloren geblieben. Am folgenden Tage
ist überall das Geschrei gewesen. Der eine sagte, man
hätte ihn da, der andre, man hätte ihn dort gesehen.
Mittags sind die Leute auf der Börse zusammengekommen und haben davon geredet. Da erzählte Samuel, der Sohn des Meir Hekscher: „Gestern war eine
Frauensperson bei mir, die etwas Geld hatte; sie fragte
mich, ob ich nicht 6—700 Taler hätte; dann sollte ich
mit ihr gehen; es sei ein vornehmer Fremder bei ihnen
im Hause, der viel Geld und Edelsteine zu verkaufen
hätte. Aber ich hatte kein Geld; daher ging ich nicht

---

[40]) Ueber die im Sommer 1687 erfolgte Ermordung des
Hamburger Geldwechslers Ahron ben Moscheh gibt eine Auf-
zeichnung des Samuel ben Meir Heckscher (abgedruckt am
Schlusse der Kaufmannschen Glückel-Ausgabe S. 394—400)
speziellere Auskunft. Vgl. auch Adelungk, Kurze historische
Beschreibung der Stadt Hamburg (Hamburg 1696).

mit[41])." Als er dies erzählte, stand ein Mann namens Lipmann[42]) dabei; der fragte ihn, was für eine Person es gewesen und wie (d. h. in welcher Kleidung) sie gegangen sei. Da sagt Samuel Hekscher: „So und so ist sie gegangen." Darauf sagt der Lipmann: „Ich kenne die Person und weiß auch, bei wem sie dient. Ich traue dem Herrn, bei dem sie dient, nicht viel Gutes zu." Unter solchen Gesprächen gehen sie von der Börse weg und jeder geht in sein Haus. Als der Lipmann nach Hause kommt, sagt er zu seiner Frau: „Weißt du, was ich dir sagen will? Die Person, die bei dem Sohne des Wirts in der Schiffergesellschaft dient, war bei Samuel Hekscher und wollte ihn mitnehmen, wenn er 600 bis 700 Taler bei sich hätte. Ich fürchte sehr, daß das Männchen, das man verloren hat, mit ihr gegangen ist, und daß man es ums Leben gebracht hat." Da schlägt sich die Frau vor den Kopf und sagt: „Bei meinen Sünden! jetzt erinnere ich mich daran, die Frauensperson ist auch bei mir gewesen und hat mich oder dich mithaben wollen. Du weißt wohl, was der Wirt für ein schlimmes Haupt ist; er ist ein Mörder; sicher ist das brave, fromme Männchen in seinem Hause ums Leben gekommen." Die Frau, die eine sehr tüchtige Person war, sagte nun, sie wolle nicht ruhen oder rasten, bis

---

[41]) In Samuel Hekschers Aufzeichnungen, p. 395 ff. ist es ein Mann in schwarzer Seide, der ihn auf der Straße anspricht und ihn in das Wirtshaus führt. Hekscher geht auch mit und wird nur dadurch vor den bösen Anschlägen des Wirts und des Fremden gerettet, daß er sie merken läßt, daß er nur wenig Geld bei sich hat.

[42]) Lipmann Osterode heißt er in den Aufzeichnungen des Sam. Hekscher p. 399.

es an den Tag käme. Der Mann aber erwiderte ihr:
„Du Närrin! Wenn es auch wirklich wahr wäre, was
könnte man denn tun! Es ist Hamburg, man dürfte
keine Silbe dazu sagen"[43]). So ist es etliche Tage dabei
geblieben. Man bewirkte, daß der Rat mit Trommel-
schlag ausrufen ließ: wer von dem vermißten Juden
zu sagen wüßte, ob er lebe oder tot sei, der sollte
kommen und es sagen; er solle hundert Dukaten zur Be-
lohnung haben und sein Name solle immer verschwiegen
bleiben. Es kam aber niemand, der etwas aussagte.
So wurde die Sache fast vergessen, wie es so der Lauf
der Welt ist: wenn eine Sache auch noch so wichtig
ist, wenn kein Effekt erfolgt, gerät sie in Vergessenheit. Aber die „lebendige Witwe" und ihre Waisen
sind betrübt dagesessen.

Da konnte einmal an einem Sabbat in der Frühe
die Frau des Lipmann nicht schlafen, [ähnlich wie es
in der folgenden Erzählung vorkommt][44]):

Ein spanischer König fragte einst einen jüdischen
Gelehrten, was das auf deutsch heißt: Hineh lau jonum
welau jischon schaumer jissroël. Der Gelehrte ver-
deutschte nach dem einfachen Wortsinn: Es schläft und
schlummert nicht der Hüter Israels. Der König aber

---

[43]) Da die deutschen Juden in Hamburg damals nur
stillschweigend — ohne Vertrag — von den Behörden geduldet wurden, so mußten sie es vermeiden irgendwie an
die Oeffentlichkeit zu treten um nicht die Aufmerksamkeit
auf sich zu lenken und sich Verfolgungen zuzuziehen. Siehe
A. Feilchenfeld, Aelteste Geschichte der deutschen Juden in
Hamburg (Monatsschrift f. Wissensch. des Judent. 43, 272 ff.).

[44]) Aus der jüdisch-deutschen Uebersetzung von Salomon
ibn Verga's „Schebet Jehuda", vgl. Grünbaum, Jüdisch-deutsche
Chrestomathie, p. 357 ff.

sagte: „Das ist nicht der richtige Sinn; ich finde, daß es auf deutsch heißt: ‚Gott der Hüter läßt nicht schlafen noch schlummern.‘ Hätte ich diese Nacht wie sonst geschlafen, wie man gegen euch etwas Verruchtes angezettelt hat, so wäret ihr alle verloren gewesen. Aber Gott, der euer Hüter ist, hat mich nicht schlafen lassen; so habe ich gesehen, wie man das Kind in eines Juden Haus geworfen hat[45]). Wenn ich das nicht gesehen hätte, so wären alle Juden ums Leben gekommen.“

So hat auch die Frau des Lipmann nicht schlafen können und sich alle Morgen ans Fenster gestellt, denn sie wohnte auf dem Ellern Steinweg (jetzt: Alter Steinweg); dort ist eine Passage, wo jeder, der nach Altona hinaus oder von dort herein will, vorbeikommen muß. Freitag Nacht hat die Frau gar nicht schlafen können und alles im Hause verrückt gemacht. Der Mann machte ihr Vorwürfe, was das für ein Leben sei; sie würde sich noch ganz verrückt machen. Aber sie sagte, das könne nichts helfen; solange der Mord nicht gerächt sei, könne sie nicht ruhen, denn sie wüßte gewiß und ihr Herz sage es ihr, daß dieser Mensch der Mörder sein müsse. Inzwischen wurde es Tag; sie stand wieder am Fenster

---

45) Böse Menschen hatten ein totes Christenkind heimlich in das Haus eines Juden gelegt um nachher gegen die Juden die Beschuldigung des Ritualmordes zu erheben. Der König aber, der in jener Nacht nicht schlafen konnte, blickte aus dem Fenster seines Palastes und sah bei Mondschein, wie etliche Leute einen Leichnam trugen. Die Diener, die er aussandte um sich danach umzusehen, stellten fest, daß die Leute den Leichnam in das Haus eines Juden warfen und dann davonliefen. Der König ließ später die Schuldigen töten. So steht die Erzählung, die hier von Glückel nur nebenbei angeführt und ungenau wiedergegeben wird, bei Grünbaum, a. a. O., S. 359/60.

und sah auf die Gasse hinaus. Da sah sie den Menschen (den sie für den Mörder hielt) mit seiner Frau vorbeigehen und ein Knecht ging neben ihnen, der eine große Kiste vor sich hatte. Als die Frau das sieht, fängt sie an zu schreien: „O Gott, steh mir bei; jetzt, hoffe ich, soll ein Anfang von meinem Vergnügen sein." Und [dabei] läuft [sie] sogleich, rafft ihren Schurz und ihr Regenkleid[46]) zusammen und läuft den Saal[47]) herab. Der Mann springt ihr aus dem Bett nach und will sie halten, daß sie nicht weglaufen solle. Aber es wollte alles nichts helfen; sie lief den Leuten nach. Diese gingen nach Altona zur Elbe und stellten die Kiste am Wasser nieder. Die Rebekka — so hieß die Frau — bildete sich nichts anderes ein, als daß der Mensch den Erschlagenen bei sich in der Kiste hätte. Sie lief darum zu den Leuten in Altona und bat um Gottes willen, daß man ihr helfen solle; denn sie wüßte gewiß, daß sie den Mörder vor sich hätte. Aber die Leute wollten nicht gerne heran und sagten: Man kann wohl schnell etwas anfangen; aber was das Ende ist, weiß man nicht. Sie schrie aber, man solle nur mit ihr zum Präsidenten gehen. So gingen zwei Hausväter mit ihr

---

[46]) „Regenkleid" hieß in Hamburg ein langes schwarzes Tuch, das über den Kopf geschleiert und um die Taille leicht zusammengeschlagen wurde. „Regenschurz" ist ein langer Frauenrock, der zu einem Regenkleid gehörte. Beides zusammen wurde von Hamburger Bürgerfrauen auf der Straße getragen. Landau, Glossar, a. a. O., S. 59. Vgl. auch Schrader, Hamburg vor 200 Jahren, S. 36.

[47]) „Saal" bedeutet in Hamburg und Altona eine Wohnung geringer Leute in den oberen Stockwerken, zu der von der Gasse oder vom Gange hinauf eine eigene Treppe führte. Landau, Glossar, S. 60.

zum Präsidenten und erzählten ihm alles. Der Präsident sagte auch zu ihnen: „Ihr fangt etwas an; wenn ihr aber solches nicht beweisen könnt, will ich all euer Hab und Gut nehmen." Die Rebekka wollte sich aber nicht abweisen lassen und sagte, daß sie ihr Hab und Blut daran setze: „Ich bitte um Gottes willen, Herr Präsident, schickt hin und laßt den Mörder holen samt allen Sachen, die er bei sich hat." Darauf schickte der Präsident Schutzleute und Soldaten nach der Elbe um sie zu holen. Da waren sie eben auf ein Schiff gestiegen und wollten miteinander nach Harburg fahren, das nur eine Stunde von Altona entfernt ist. Wenn sie nach Harburg gekommen wären, so wären sie frei gewesen; denn Harburg ist ein anderes Gebiet. Aber die Schutzleute kamen noch gerade zur rechten Zeit dorthin und brachten den Mörder und seine Frau samt der Kiste zum Präsidenten. Dieser ließ die Kiste öffnen, fand aber nichts anderes darin als Kleider des Mörders und seiner Frau. Nun kann man wohl denken, was die armen Juden für Schrecken und Angst hatten. Man verhörte den Mörder auf jede Weise; aber er wollte nichts gestehen; im Gegenteil, er drohte noch sehr, so daß alle Juden eine Angst befiel. Denn der Mörder war von sehr großer Familie in Hamburg. Alle liefen vor Schrecken weg; nur die Rebekka sagte immer: „Ich bitte euch, liebe Leute, verzagt doch nicht; ihr werdet sehen, wie Gott uns helfen wird." In ihrer Angst lief sie von Altona in die Stadt hinein. Als sie auf das Feld zwischen Hamburg und Altona kam, begegnete ihr das Frauenzimmer, das bei dem Mörder gedient hatte. Rebekka kannte diese Person ganz gut;

es war dieselbe, die zu den Juden herangegangen war um sie mit 600 oder 700 Talern in das Haus des Mörders mitzunehmen. Die Rebekka sagte sogleich zu ihr: „Zu deinem Glück und zum Glück für deinen Herrn und deine Frau bist du mir begegnet. Denn dein Herr und deine Frau sind beide wegen des Mordes, den sie begangen haben, in Altona gefangen. Sie haben schon alles eingestanden; es fehlt nur an dir, daß du auch eingestehst, und wenn dies geschehen ist, so steht schon das Schiff bereit, daß du mit deinem Herrn und deiner Frau wegfahren kannst. Denn wir Juden wollen nur wissen, daß der Abraham[48]) tot ist, damit die Frau wieder einen Mann nehmen kann. Sonst wünschen wir nichts anderes von euch."

Derlei redet die Rebekka noch mehr mit dem Frauenzimmer. Sie ist eine sehr kluge und beredte Frau. Durch ihr Schwätzen läßt sich das Frauenzimmer auch bereden und sagt ihr alles miteinander, wie sie den Abraham bei der Börse angetroffen, nachdem sie auch bei ihrem Mann Lipmann und bei andern Juden gewesen wäre. Aber keinen hätte das Unglück treffen wollen als den armen Abraham, der zu seinem Unglück einen großen Beutel mit Geld bei sich gehabt hätte. So hätte sie ihm ein goldenes Kettchen gezeigt und ihm gesagt, daß ein Offizier im Hause ihres Herrn wäre, der gar viel Gold und Diamanten zu verkaufen hätte. „So ist der Abraham mit mir gegangen, [fuhr

---

[48]) „Abraham" steht wohl hier und an den gleich folgenden Stellen irrtümlich für „Ahron", da es sich zunächst nicht um den 3 Jahre zuvor ermordeten Abraham Metz, sondern um den eben getöteten Ahron ben Moscheh handelt.

sie fort;] wie er aber in unser Haus gekommen ist, ist
seine Schlachtbank schon fertig gewesen. Mein Herr
hat ihn in seine Kammer hinuntergeführt und wir
haben ihn zusammen ums Leben gebracht und unter
unserer Türschwelle begraben." Nun sagte die Dienstmagd [weiter]: „Rebekka, ich sage Euch das alles ver-
traulich; Ihr werdet mich ja nicht ins Unglück bringen."
Rebekka antwortete ihr: „Bist du eine Närrin? Kennst
du mein treues Herz nicht? Alles, was ich tue, tue
ich nur für deinen Herrn und deine Frau, damit sie
bald von Altona in Freiheit kommen; sobald du nur
kommst und das (was du eben gesagt hast) vor unseren Leuten sagst, ist alles gut und wohl." So geht
die Dienstmagd mit der Rebekka in des Präsidenten
Haus. Der Präsident verhört die Magd, und obwohl
sie anfängt zu stottern und bereut, daß sie etwas gesagt hat, so war es doch einmal heraus, und besonders,
daß sie gesagt hat, wo der Ermordete begraben liegt.
So sagt sie denn dem Präsidenten alles, wie sie es der
Rebekka gesagt hat. Darauf hat der Präsident den Mörder
und seine Frau jeden für sich verhört; diese haben
aber beide geleugnet und gesagt: „Alles, was unsere
Dienstmagd gesagt hat, das hat sie als eine Dirne er-
logen." Da war man nun wieder übel daran und der
Präsident sagte: „Ich kann euch weiter nicht helfen;
sollte ich den Mörder auf die Rede seiner Magd hin
foltern lassen und er würde auf der Folter auch nichts
eingestehen, was sollte das für ein Spiel geben? Ihr
müßt zusehen euer Recht in Hamburg zu suchen und
zwar sobald als möglich; ihr müßt euch von der Obrig-
keit in Hamburg Erlaubnis geben lassen in dem Hause

des Mörders nach dem Erschlagenen zu suchen. Wenn ihr den Erschlagenen nach der Aussage der Magd gefunden habt, so laßt mich weiter sorgen."

Die Vorsteher liefen sofort und erreichten, daß sie zwanzig Soldaten nehmen und an den Ort, den die Dienstmagd gesagt, nachgraben lassen durften. Man gab ihnen auch die Erlaubnis, wenn sie den Erschlagenen fänden, ihn nach Altona zu einer jüdischen Grabstätte zu bringen. Man sagte ihnen aber dabei: „Seht euch wohl vor; solltet ihr den Erschlagenen nicht finden, so wäre es um euch alle geschehen. Denn ihr wißt wohl, was für ein Pöbel hier in Hamburg ist; es wäre uns unmöglich ihm zu wehren."

Wir waren nun alle in großer Gefahr; aber die Rebekka war allerwegen, hinten und vorn, und sagte, man solle nicht verzagen; sie wüßte gewiß, daß man den Erschlagenen da finden würde. Denn die Dienstmagd hätte ja um ihr Leben geredet und alle sicheren Zeichen und Beweise gesagt. Darauf nahm man zehn beherzte Männer und etliche Bootsleute, von denen man wußte, daß sie beherzt und treu waren[49]), und einige Schutzleute dabei; die gingen in Gottes Namen in des Mörders Haus, der nicht weit von den Alten Schrangen bei des Büttels Hause[50]) wohnte.

Unterdessen hat sich in der ganzen Stadt ein Geschrei erhoben und es haben sich allerhand Werkleute, alle

---

[49]) Im Gegensatz hierzu ist an einer früheren Stelle (S. 16) hervorgehoben, daß bei den Bootsleuten wie bei dem geringen Volk in Hamburg überhaupt großer Judenhaß herrschte.

[50]) Die zugleich als Gefängnis dienende Wohnung des Büttels befand sich gegenüber den Alten Schrangen (Schranne

Kanaille, unzählige Menschen versammelt und sind vor die Tür des Mörders gekommen. Sie haben alle einmütig beschlossen: „Wenn die Juden den Erschlagenen finden, so ist es gut; wenn aber nicht, dann bleibt keine Klaue von den Juden übrig." Aber der gütige Gott hat uns nicht lange in unseren Nöten gelassen. Sobald unsere Leute in das Haus gekommen sind, haben sie den bestimmten Ort geöffnet und gefunden, was sie gesucht haben — mit Tränen in den Augen und zugleich mit Freude im Herzen. Sie haben geweint, daß sie den frommen, 24jährigen jungen Mann so elendiglich gefunden habe, und sich wiederum gefreut, daß die Gemeinde aus der Gefahr gewesen ist und daß man bald Sühne sehen werde. Man hat nun den ganzen Rat holen lassen und ihm den Erschlagenen gezeigt und an welchem Ort man ihn nach der Aussage der Magd gefunden hatte. Der Rat hat solches auch protokolliert und ein Attest darüber gegeben. Dann hat man den Erschlagenen auf einen Wagen gelegt und nach Altona gebracht. Eine Menge von Bootsleuten und von Handwerksburschen ist dabei gewesen — es ist nicht zu beschreiben, vielleicht hunderttausend Menschen; aber es hat doch keiner von ihnen ein böses Wort geredet. Wenn es auch ein böses Volk ist und man in ruhigen Zeiten viel Drangsal und Bosheit von ihm zu leiden hat, so ist doch in dieser Zeit alles still gewesen und ein jeder ist wieder

---

= Fleischbank). Die Lesung Bödelei = Büttelshaus beruht auf der Konjektur Landaus (a. a. O., S. 66); „Berlei" in der Handschrift ist wahrscheinlich durch Verwechslung der im Hebräischen ziemlich gleich aussehenden Buchstaben r und d entstanden.

an seinen Ort gegangen. Den andern Tag danach haben die Vorsteher das Attest genommen und es dem Präsidenten nach Altona gebracht, der den Mörder und die Gerichtsbarkeit in Händen hatte. Die Juden haben es damals auch lieber gehabt, daß in Altona gerichtet wurde. So hat denn der Präsident den Mörder wieder vor sich kommen lassen nud ihm vorgehalten, was passiert war. Darauf hat er alles eingestanden; die Witwe hat auch einen Teil von dem Gelde ihres ermordeten Mannes, soweit es noch vorhanden war, wieder bekommen. Den Mörder hat man noch gefangen gehalten, bis man ihm den Prozeß gemacht hat.

Unterdessen ist die Sara[51]) noch immer eine „lebendige Witwe" gewesen, wie ich geschrieben habe, hat aber von ihrem Manne nichts gewahr werden können und hat sich, wie schon erwähnt, viel Gerede gefallen lassen müssen. Nachdem nun leider dieser neue Mord passiert war und jeder den Mörder wohl kannte, erinnerte man sich daran, daß er früher, bevor er in dem Hause bei den alten Schrangen wohnte, im Hause seines Vaters, in der „Schiffergesellschaft", gewohnt hatte, welches das vornehmste Wirtshaus in ganz Hamburg ist. Dieses liegt hart an der Börse und sowohl jüdische als nichtjüdische Kaufleute, die etwas miteinander zu tun oder abzurechnen haben, gehen dorthin und trinken dort aus silbernen Gefäßen. So ist denn der Sohn des Wirtes bei den Juden sehr bekannt gewesen. Als es nun herauskam, daß der Sohn des Wirts der Mörder war, da erinnerte man sich, daß der Mann der Sara ein Geldwechsler gewesen war und daß die Geldwechsler allezeit in dem

---

[51]) Die Witwe des getöteten Abrah. Metz, s. oben S. 210/11.

Wirtshaus verkehrt und dort Geld für ihre Wechsel-
geschäfte empfangen und auch zugezählt hatten — denn
es ist ein gar ehrliches, vornehmes Wirtshaus gewesen.
Die Sara wußte also auch, daß ihr Mann mit dem
Sohne des Wirts gut bekannt gewesen war. Sie ging
nun und sagte zu ihren Freunden: „Ihr wißt, daß mein
Mann vor einigen Jahren so verloren gegangen ist. Nun
ist dieser Mord herausgekommen. Mein Mann ist aber
in dem Haus auch viel aus- und eingegangen; ich glaube
nicht anders, als daß der Mörder meinen Mann auch
ums Leben gebracht hat. Helft mir, vielleicht wird man
gewahr, daß mein Mann auch durch dessen Hand ums
Leben gekommen ist."

Um es kurz zu sagen: sie gingen zum Präsidenten
und stellten ihm das vor. Der Präsident nahm den
Mörder mit guten und bösen Worten vor und drohte ihm
mit Folterqualen, er solle eingestehen, daß er den Abraham
Metz auch ums Leben gebracht habe. Er wollte lange
nicht daran und gab nur zu, daß er den Abraham
Metz gut gekannt habe. Aber der Präsident redete so
lange mit ihm, bis er endlich eingestand, daß er im
Hause seines Vaters in der Schiffergesellschaft den
Abraham Metz auch getötet und ihn in einem kleinen
Käsekämmerchen in ein tiefes Loch gesteckt und dieses
mit Kalk zugeworfen hätte.

Wie man das nun herausgehabt hat, sind die Vorsteher sogleich zum Rat nach Hamburg gegangen und
haben ihn um Erlaubnis gebeten wieder wie zuvor nach-
zusehen. Wieder sind die Juden dadurch in schwere
Gefahr gekommen und in noch viel ärgere als früher;
denn so ein hochgeachtetes, vornehmes Haus sollte man

zu einer Mörderhöhle machen! Es wäre schlimm gewesen, wenn der Erschlagene nicht gefunden worden wäre. Zum Glück hat man ihn gefunden; er hat noch ein rotes Futterhemd mit etlichen Silberknöpfchen und sein Arbakanfes[52]) angehabt. So hat man ihn auch herausgenommen und in ein jüdisches Grab gebracht[53]).

Es ist große Trauer in unserer Gemeinde gewesen; denn es war damals so, als wären beide Erschlagene an jenem Tage ums Leben gekommen. Die Freunde meiner Verwandten Sara haben den Körper des Erschlagenen, ehe sie ihn begraben ließen, genau besichtigt; denn Sara hatte ihnen einige Merkmale an seinem Körper gesagt, damit man daraus ersehen könne, daß es ihr verstorbener Mann und sie wirklich verwitwet sei. So geschah es auch und es wurde ihr (vom Rabbinatsgericht) erlaubt sich wieder zu verehelichen. Darauf ist dem Mörder sein Urteil gesprochen worden, daß man ihn rädern und seinen Leib auf einen Pfahl stecken und in eiserne Bande schlagen solle, damit er lange Zeit zum Exempel zu sehen sei. Die Frau und die Dienstmagd aber sind freigesprochen und nur des Landes verwiesen worden. An jenem Tage, als der Mörder hingerichtet wurde, ist ein solcher Tumult in Hamburg gewesen, wie er seit hundert Jahren noch bei keiner Hinrichtung vor-

---

[52]) Arbakanfes = viereckiges Gewand mit Schaufäden, das nach biblischem Gebot von den männlichen Israeliten zu tragen ist.

[53]) Der Grabstein des Abraham Metz befindet sich mit wohlerhaltener Inschrift, die das traurige Schicksal des Ermordeten gebührend beklagt, etwas abseits von den Grabreihen auf dem alten Friedhof zu Altona. Siehe Monatsschr. f. Wiss. d. Jdt. 43, S. 373. Grunwald, Hamburgs deutsche Juden, S. 297, gibt die Inschrift etwas fehlerhaft wieder.

SABETHA SEBI Iudeorum Rex, Smirnæ in Asia natus ætatis 40.
SABETHA SEBI Coninck der Ioden geboren te Smirna in Asia 40. iaeren out.

Cornelis Meyssens sculpsit.   Ioannes Meyssens excudit

gekommen war. Die Juden sind damals alle in großer Lebensgefahr gewesen, denn es wurde großer Haß gegen sie erregt[54]). Aber Gott, der uns in seiner Gnade immer beschützt hat — nach der Verheißung: „Auch im Lande ihrer Feinde habe ich sie nicht verschmäht und verworfen"[54a]) — hat uns auch an jenem Tage nicht verlassen. Wenn wir sündigen Menschen nur die großen Wunder erkennen könnten, die Gott alle Tage an uns armen Menschen tut! So ist dieses auch zum Guten und ohne Schaden für die Juden abgelaufen.

Nun will ich wieder anfangen, wo ich gehalten habe. Für meinen Sohn Joseph sind nun verschiedene Heiratspartien vorgeschlagen worden, aber keine davon war von Gott bestimmt als die Verbindung mit [der Tochter von] Meïr Stadthagen, der in Kopenhagen wohnt. Wir haben also diese Verbindung verabredet und die Verlobung in

---

54) Der Senat sah sich auch veranlaßt gegen solche Unruhstifter einzuschreiten und erließ am 19. September 1687 ein Dekret folgenden Inhalts: „D e m n a c h E. E. R a t e g l a u b l i c h s t h i n t e r b r a c h t, w e s m a ß e n e i n i g e u n b ä n d i g e L e u t e w e g e n d e r d i e s e r T a g e in A l t o n a ü b e r d e n b e k a n n t e n J u d e n m ö r d e r e r - g a n g e n e n E x e k u t i o n d e n h i e s i g e n J u d e n a l l e r - l e i U n l u s t z u e r r e g e n u n d a n d e r o P e r s o n e n u n d W o h n u n g e n v i e l e n U n w i l l e n z u v e r ü b e n s i c h g e l ü s t e n l a s s e n, s o m a h n t E. E. R a t e r n s t - l i c h, d i e J u d e n a u f d e n G a s s e n u n d i n i h r e n H ä u s e r n u n m o l e s t i e r t z u l a s s e n. W e r d i e s e V e r o r d n u n g v e r l e t z t, s o l l i n H a f t g e b r a c h t, v o r G e r i c h t g e s t e l l t u n d s o l l w i d e r i h n a l s e i n e n F r e v l e r u n d S t ö r e r i n n e r l i c h e r R u h e m i t e x e m p l a r i s c h e r, n a c h B e f i n d u n g m i t L e i b - u n d L e b e n s s t r a f e v e r f a h r e n w e r d e n." (Abdruck bei den Akten des Hamburger Staatsarchivs.)

54a) 3. B. Mos. 26, 44.

Hamburg gefeiert; die Hochzeit wurde auf ein Jahr später festgesetzt. Als nun die Hochzeit herankam, die in Kopenhagen gefeiert werden sollte, habe ich mich bereit gemacht mit meinem Sohne Nathan dorthin zu reisen. Nun hatte aber Nathan große Geschäfte mit dem reichen Samuel (Oppenheim)[55]) und seinem Sohn Mendel (in Wien); er hatte sehr viele Wechsel im Betrage von 20 000 Talern von ihnen akzeptiert und die Wechsel waren bald fällig; aber mein Sohn hatte keine Rimessen von ihnen um die Wechsel ordnungsgemäß zu bezahlen; er hatte auch nicht einmal Briefe von ihnen (aus denen zu ersehen gewesen wäre), warum sie die Rimessen nicht geschickt hatten. Aus diesem Grunde konnte mein Sohn Nathan nicht mit zur Hochzeit nach Kopenhagen reisen; er mußte sehen seine Ehre und die Ehre seiner Korrespondenten zu beobachten. Man kann sich wohl denken, was uns dies für Kummer und Herzeleid machte. Ich bin also mit meinem Sohn Joseph allein zur Hochzeit gefahren. Gott weiß, mit welcher Betrübnis und welcher Bitterkeit des Herzens ich fortgereist bin. Denn ich wußte nicht, wie es mit den Oppenheimers in Wien stand. Ich reiste nun von Hamburg mit dem Bräutigam Joseph und mit Moses, dem Sohne von Meïr Stadthagen, dem Schwiegersohne von Chaim Cleve[56]), nach Kopenhagen und wir kamen auch glücklich dort an. Ich glaubte dort Briefe von meinem Sohn Nathan vorzufinden und von ihm zu erfahren, daß er von den Geschäftsfreunden in Wien Nachricht und Rimessen erhalten hätte. Ich fand

---

[55]) Siehe S. 134, Anm. 29.

[56]) Chaim Cleve ist der Stammvater des Hamburger Zweiges der Gomperzschen Familie geworden. Siehe Kaufmann-Freudenthal, a. a. O., S. 308.

zwar einen Brief von ihm vor; aber er schrieb mir darin als ein frommes Kind, daß er zwar noch keine Nachricht hätte; ich sollte mir aber deswegen keine Sorge machen, sondern auf der Hochzeit recht fröhlich sein. Obschon mir nun dabei nicht wohl war, habe ich doch alles Gott befohlen und mich um weiter nichts gekümmert. Wir haben einander die Mitgiften ausgeliefert und die Hochzeit sollte in der folgenden Woche sein. Unterdessen hoffte ich von einer Post zur andern auf gute Nachricht von meinem Sohn Nathan und diese ist auch Gottlob am Tage vor der Hochzeit gekommen. Er schrieb mir, daß Mendel Oppenheimer ihm gute Rimessen und noch etliche Tausende mehr geschickt hätte, als meinem Sohn gebührte. Er hätte sich auch in seinem Schreiben entschuldigt, daß er nicht zu Hause gewesen wäre; sonst hätte er das Geld früher geschickt. So haben wir die Hochzeit froh und wohlgemut gefeiert und sind beiderseits sehr vergnügt gewesen.

Nach der Hochzeit wollte ich gern sehr schnell wieder nach Hause; aber ich hatte keine andere Reisebegleitung als Moses, den Sohn des Meïr Stadthagen, der es nicht so eilig hatte von seinen Eltern wegzureisen. So mußte ich wider meinen Willen wohl vierzehn Tage nach der Hochzeit dort bleiben. Wenn ich nun auch alle guten Traktamente und alle mögliche Ehre dort hatte, so hat mir doch alles nicht zugesagt und ich wäre lieber bei meinen Kinderchen zu Hause gewesen. Endlich habe ich den Moses Stadthagen so gedrängt, daß er sich entschließen mußte mit mir die Heimreise nach Hamburg zu machen. Wir sind also gereist und Gott Lob glücklich und wohl angekommen. Ich habe mir von meinem Sohn Loeb über die Waren, die ich ihm zurückgelassen hatte, Rechnung ablegen lassen und er hat mir von allem gute Abrechnung gegeben, so daß ich ganz vergnügt war.

Nun habe ich noch vier Kinder im Hause gehabt: meine Söhne Samuel und Moses und meine Töchter Freudchen und Mirjam. Obwohl mir nun viele prinzipale Heiratspartien vorgeschlagen wurden, so daß ich (durch eine zweite Heirat) wieder zu Ehre und Reichtum hätte kommen können, so dachte ich, daß solches meinen Kindern zuwider wäre und habe — zu meinem Unglück, wie später zu vernehmen sein wird — alle diese Vorschläge zurückgewiesen. Mein Sohn Samuel ist unterdessen auch groß geworden und ich habe ihn zuweilen mit zur Braunschweiger Messe genommen; denn da er nicht hat „lernen" wollen, so sollte er zum Kaufmann tauglich werden. Meinen Sohn Moses dagegen, der sehr gut „gelernt" hat, habe ich nach Frankfurt geschickt um in der dortigen Klaus zu „lernen". Zu gleicher Zeit habe ich meinen Sohn Samuel auch mit Waren dorthin geschickt.

Während Samuel in Frankfurt war, bekam mein Schwager Joseph einen Brief von seinem guten Freunde Moses (Brilin aus) Bamberg. Dieser fragte ihn um Rat wegen einer Heiratspartie, die ihm in Hamburg für seine Tochter vorgeschlagen war. Mein Schwager bekam diesen Brief am Sabbat nud ließ mich sofort in sein Haus rufen. Er ging gerade mit meiner Schwester Elkele im Garten spazieren. Wie ich komme, sagt er zu mir: „Viel Glück! Dein Sohn Samuel ist verlobt." Ich lache und sagte: „Wenn er verlobt ist, so gehört sich's doch, daß ich auch etwas davon weiß." Darauf zeigte er mir den Brief von Moses Bamberg, der damals gerade in

Wien war und der hochgelehrte Oberrabbiner Samson (Wertheimer) hatte auch an ihn geschrieben und ihn gebeten, er solle ihm aufrichtig schreiben, was ihm bei dieser Heiratspartie geraten zu sein schiene[57]). Ich lese also die Briefe und sage meinem Schwager Joseph: „Hieraus sehe ich noch nicht, daß mein Sohn Samuel verlobt ist." Darauf sagte mein Schwager: „Ich garantiere Euch dafür, wenn ich einen Brief nach Wien schreiben werde, so wird Euer Sohn Samuel mit der Tochter von Moses Bamberg verlobt werden." Moses Bamberg ist nämlich der Schwager des Oberrabbiners Samson Wertheimer in Wien gewesen. Mein Schwager Joseph hat also sogleich über meinen Sohn Samuel geschrieben. So ist durch zwei Briefe die Heiratspartie zustande gekommen und Samson Wertheimer hat geschrieben, man solle ihm Samuel sofort nach Wien schicken und er solle bis zur Hochzeit bei ihm bleiben. Die Hochzeit ist auf zwei Jahre später festgesetzt worden. Samson Wertheimer hat mir große Versprechungen gemacht und mir geschrieben, daß es meinem Sohne und allen seinen Brüdern wohl ergehen solle.

Danach habe ich von dem reichen Samson Wertheimer noch viele Briefe gehabt und er hat sich sehr freundlich gegen mich gezeigt. Mein Sohn Samuel ist damals auf der Messe in Frankfurt am Main gewesen. Ich habe ihm also geschrieben, daß er mit der Tochter von Moses Bamberg verlobt sei; er solle gleich nach der

---

57) Samson Wertheimer in Wien, der berühmte kaiserliche Hoffaktor und Oberlandesrabbiner, war mit einer Schwester des Mose Brilin in Bamberg vermählt. Siehe Kaufmann, Samson Wertheimer, S. 77 ff.

Messe nach Wien reisen und dort bis zur Hochzeit bleiben. Samuel ist darauf nach Wien gereist. Samson Wertheimer hat ihn mit Ehren aufgenommen und hat an mich geschrieben, daß er mit ihm zufrieden sei und auch einen Lehrer für ihn angenommen habe. Samuel ist aber noch sehr jung gewesen und hat in Wien viele Kindereien getrieben; Samson Wertheimer hat auch nicht sehr auf ihn aufgepaßt. So hat er in den zwei Jahren viel Geld vertan. Mein Sohn Samuel hat mir zwar alles geschrieben und mich gebeten, man sollte ihm doch Hochzeit machen; denn es gefiele ihm nicht länger in Wien zu bleiben. Aber da seine Braut noch sehr jung und klein war, ist er fast drei Jahre verlobt geblieben. Dann ist sein Schwiegervater Moses Bamberg in Wien gewesen und hat auf mein vielfältiges Schreiben eingewilligt, daß sie am 1. Tamus in Bamberg Hochzeit machen sollten. Samuel hat mir nun geschrieben, daß er mit seinem Schwiegervater von Wien abreisen; ich sollte mich so einrichten, daß ich am 1. Tamus in Bamberg wäre. Da ich nun ohnedies zur Leipziger Messe reiste, so habe ich von dort aus nach Bamberg fahren wollen. Nun hat mir Samson Wertheimer geschrieben: Da doch in Hamburg großer Judenhaß herrsche, so sollte ich von der Hochzeit aus gleich nach Wien kommen und in seinem Hause wohnen; er wollte mir zwei seiner besten Zimmer geben; es solle mir auch freistehen alle Geschäfte zu treiben, die ich wollte. Zu diesem Zwecke habe ich von ihm einen mächtigen kaiserlichen Paß bekommen. Ich habe mich nun darauf eingerichtet und nicht anders gedacht als von der Hochzeit nach Wien zu fahren. Zu dem Ende habe ich schon für 50 000 Taler Juwelen bei mir gehabt, die ich mit nach

Wien habe nehmen wollen. Aber „viele Gedanken sind im Herzen des Menschen; doch nur der Ratschluß Gottes besteht[57a]“. So bin ich mit meinem Sohne Nathan und meinem jungen Sohne Moses nach Leipzig gereist. Wie wir in Leipzig sind, bekommt mein Sohn Nathan Briefe aus Hamburg, in denen man ihm geschrieben hat, er solle wegen einiger Geschäfte von der Messe aus sogleich nach Hause kommen. Dadurch ist meine Wiener Reise ganz zurückgegangen[57b]; denn ich habe ohne meinen Sohn Nathan nicht nach Wien fahren wollen. So habe ich ihm alle meine Juwelen wieder nach Hamburg mitgegeben und nur noch für einige Tausende bei mir behalten und bin mit meinem Sohne Moses ganz allein von Leipzig nach Bamberg gefahren. Auf dieser Reise habe ich große Beschwerden ausgestanden; denn es ist ein sehr böser Weg und ich bin nur als einzelne Frau mit einem Jungen von fünfzehn Jahren gefahren. Doch wenn man Geld hat, kann man allerwegen zurechtkommen; die Reise hat aber viel Geld gekostet. Um Mitternacht bin ich nach Bamberg gekommen. Am folgenden Morgen haben die Brauteltern und die Braut mich empfangen. Ich bin nun der Meinung gewesen, daß die Hochzeit sogleich am Neumondstage des Tamus sein sollte. Aber es ist eine große Störung dazwischengekommen; denn mein Schwager Joseph hatte ohne mein Wissen in den Verlobungsvertrag hineinschreiben lassen, daß die Mitgift meines Sohnes Samuel 5000 Taler betrage, während er [in Wahrheit] nicht mehr als 4000 Taler hatte. Wir hatten das zwar in Hamburg schon gewußt und ich hatte

---

[57a]) Zitat aus Proverb. 19, 21.
[57b]) = beiseite geschoben worden.

sofort an Samson Wertheimer geschrieben, daß es mit den 5000 Talern ein Irrtum sei und daß mein Sohn nicht mehr als 4000 Taler deutsches Geld hätte. Aber Rabbi Samson hatte mir darauf geantwortet, daß nichts daran gelegen sei; man sollte den Verlobungsvertrag nur so lassen; es wäre dies nur ein bißchen mehr Ehre, aber bei der Hochzeit würde keine Erörterung darüber stattfinden. Jetzt aber hat Moses Bamberger ganz anders gesprochen: er kehre sich an nichts als an seinen Vertrag. Wir haben also große Auseinandersetzungen miteinander gehabt, so daß die Hochzeit noch nicht am 1. Tamus hat sein können. Moses Bamberg hat in dieser Angelegenheit erst nach Wien geschrieben; Samson Wertheimer hat ihm geantwortet und nichts anderes als die reine Wahrheit geschrieben. Unterdessen aber, bevor die Briefe gekommen sind, hat Moses Bamberg gemeint von mir noch etwas herausquetschen zu können. Da er aber gesehen hat, daß von mir nichts mehr herauszuquetschen war, und der Brief aus Wien mir auch Recht gegeben hat, so ist die Hochzeit um die Mitte des Tamus mit aller Ehre und Herrlichkeit, so viel wir Juden haben können, gefeiert worden. Es sind viele vornehme Juden aus dem (dortigen) Lande zur Hochzeit gekommen. Unter ihnen sind auch zwei Söhne des Samson Baiersdorf gewesen[58]), die einen Heiratsvermittler mitgebracht hatten. Es war mir nämlich schon in Hamburg für meinen Sohn Moses eine Heiratsverbindung mit der

---

[58]) Samson Baiersdorf (gestorben 1712) war Hoffaktor des Markgrafen Christian Ernst von Bayreuth und einer der angesehensten Juden in Franken. Siehe Hänle, Geschichte der Juden im ehemaligen Fürstentum Ansbach, S. 80. Jewish Encyclopedia, Artikel „Baiersdorf".

Tochter von Samson Baiersdorf vorgeschlagen worden, und da Baiersdorf nur drei Meilen von Bamberg entfernt ist, so habe ich dem Heiratsvermittler versprochen meinen Sohn Moses zur Hochzeit nach Bamberg mitzunehmen um zu sehen und gesehen zu werden. In Bamberg haben dann die beiden Söhne Samson Baiersdorfs, die schon verheiratet waren, mit mir gesprochen und mir gesagt, was ihr Vater als Mitgift geben wolle. Ich habe ihnen zur Antwort gegeben, daß wir nach der Hochzeit eine Spazierfahrt nach Fürth machen wollten, das zwei Meilen von Baiersdorf entfernt ist[59]); dann wollten wir sehen miteinander zurechtzukommen. Für meinen Sohn war mir noch eine Heiratspartie in Bamberg und eine in Fürth vorgeschlagen worden. So habe ich mit dem Schwiegervater meines Sohnes Samuel, Moses Bamberg, verabredet eine gemeinsame Reise nach Fürth zu machen. Wir hatten nun in Bamberg die Hauptsache gesehen; nun wollten wir auch sehen, wie es in Fürth und in Baiersdorf stand. So haben wir denn — Moses Bamberg und seine Frau und ich mit meinem Sohne Moses — diese Lustreise angetreten. Wir sind nach Baiersdorf gekommen und haben dort die Tochter Samson Baiersdorfs gesehen. Er hat meinen Sohn auch gesehen und wir sind schon sehr nahe daran gewesen (abzuschließen); aber um 1000 Mark haben wir nicht einig werden können. So sind wir zusammen nach Fürth gereist und über Nacht dort geblieben. Ich kann nicht beschreiben, was für Ehre uns dort angetan wurde. Die vornehmsten Familienväter der Gemeinde mit ihren

---

[59]) Die Entfernungen sind hier etwas ungenau angegeben; die Strecke Fürth—Baiersdorf beträgt ca. 3 (siehe S. 263), Bayersdorf—Bamberg ca. 4 deutsche Meilen.

Frauen sind in unser Wirtshaus gekommen und haben uns mit Gewalt mit in ihre Häuser mitnehmen wollen. Endlich haben wir es meinem Verwandten Man, dem Sohn meines Verwandten Mordechai Cohen, nicht abschlagen können und mußten mit ihm gehen. Wir sind dort abends sehr gut traktiert worden. Am andern Morgen sind wir dann wieder weggereist ohne inbetreff der Fürther Partie etwas verrichtet zu haben. Ich bin nun wieder nach Bamberg gekommen und habe mich sogleich fertig gemacht um wieder mit meinem Sohne Moses nach Hamburg zu reisen. Nun ist der Heiratsvermittler, der die Partie in Baiersdorf vorgeschlagen hatte und selbst in Fürth wohnte, während der ganzen Zeit in Bamberg gewesen und hätte gern gesehen, daß die Heirat zustande käme, aber ich habe ihm meine Resolution gesagt: So und also muß es sein und anders nicht. Endlich hat der Vermittler gesagt: „Nun, ich sehe wohl, daß Ihr nicht anders wollt und daß Ihr reisefertig seid. So bitte ich Euch, tut mir den Gefallen und bleibt hier bis 2 Uhr nachmittags. Ich habe ihnen alles nach Baiersdorf geschrieben; ich weiß gewiß, wir werden nachmittags vor 2 Uhr Antwort bekommen, daß alles in Ordnung ist. Wenn aber um 2 Uhr keine Antwort kommt, so will ich Euch nicht länger aufhalten." Ich bin damit zufrieden gewesen und wir haben uns unterdessen fertig gemacht. Mein Sohn Samuel und sein Schwiegervater Moses Bamberg wollten noch ehrenhalber einige Meilen mit uns reisen. Mittlerweile ist eine Mahlzeit hergerichtet worden „wie die Mahlzeit König Salomos zu seiner Zeit". Ich kann nicht b schreiben, was für ein wackerer und kluger Mann Moses Bamberg ist und welch große Ehre er den Menschen antut.

Als wir nun gut gegessen und getrunken hatten, ist es schon 3 Uhr gewesen; aber von Baiersdorf ist noch nichts zu sehen oder zu hören gewesen. So haben wir uns denn mit unserer ganzen Gesellschaft aufgesetzt und sind ungefähr um 5 Uhr von Bamberg abgereist. Obschon Moses Bamberg sehr in mich gedrängt hat, da es schon auf die Nacht zuging, bei ihm zu bleiben und morgen in aller Frühe fortzureisen, so habe ich es doch durchaus nicht gewollt und wir sind in Gottes Namen fortgefahren. Wir sind aber kaum eine Viertelstunde von der Stadt entfernt gewesen, da kommt der Heiratsvermittler uns nachgeritten und bittet uns um Gottes Willen wieder nach Bamberg zu kommen; denn die Söhne von Samson Baiersdorf wären dort und wollten alles in Richtigkeit bringen. Aber ich habe nicht zurückfahren wollen[60]). Da sagte Moses Bamberg: „Seht, hier liegt ein hübsches Dorf vor uns, da ist ein gutes Wirtshaus. Es ist doch nun bald Nacht, daß wir nicht weiterfahren können; so wollen wir über Nacht in dem Wirtshaus bleiben, und wenn Samson Baiersdorfs Kinder zu uns kommen wollen, mögen sie es tun." Ich war damit zufrieden und der Vermittler ist auch froh gewesen, daß er uns zum Stillstand gebracht hatte, und ist gleich nach Bamberg zurückgeritten. Es dauerte keine Stunde, da kamen zu uns in die Herberge: der Rabbiner Mendel Rothschild von Bamberg[61])

---

[60]) Glückel ist hier, wie auch sonst, eifrig darauf bedacht sich gerade den reichsten und angesehensten Leuten gegenüber nichts zu vergeben.

[61]) Mendel Rothschild, Landesrabbiner von Bamberg, zugleich Rabbiner von Baiersdorf und Bayreuth, später Rabbiner in Worms, war ein Enkel des Isaak Rothschild in Frank-

und die Söhne von Samson Baiersdorf, auch noch Loeb Biber von Bamberg und sein Bruder Wolf, lauter wackere und sehr reiche Leute. Um es kurz zu sagen — wir haben keine langen Auseinandersetzungen gehabt und die Verlobung ist zum Guten zustande gekommen. Die beiden Söhne haben Vollmacht von ihrem Vater gehabt und haben alles unterschrieben. So haben wir die Nacht in großer Freude und Lust zugebracht. Nun ist Samson Baiersdorf damals nicht zu Hause gewesen, sondern er war in Bayreuth bei Seiner Hoheit dem Markgrafen, bei dem er in großem Ansehen stand — er war, wie bekannt, sein Hofjude. Die Söhne haben uns nun sehr gebeten ihnen den Gefallen zu tun und ihrem Vater die Ehre zu erweisen mit nach Bayreuth zu fahren. Das deuchte mir zuerst sehr schwer zu sein; denn wir hatten unseren Kutscher schon bis nach Halberstadt gedungen. Aber wir haben ihn gefragt und mit ihm ausgemacht, daß wir ihm zwei Taler mehr geben wollten; dafür sollte er mit uns gen Bayreuth und von dort gen Naumburg fahren, wo damals Messe war. Seckel Wiener ist auch bei uns gewesen und hat mich dazu beredet. Moses Bamberg hat zu mir gesagt, wenn er mir eine Freundschaft damit erweisen könnte, so wollte er auch mit mir nach Bayreuth reisen. Obschon ich nun solches Anerbieten mit höflichen Komplimenten ablehnte und ihm die große Bemühung nicht zumuten wollte, so ist es doch schließlich so gekommen, daß wir mit der ganzen Gesellschaft nach Bayreuth fuhren, wo wir Samson Baiersdorf antrafen, der

---

furt a. M., von dem auch die Freiherrn von Rothschild abstammen. Vgl. Eckstein, Juden in Bamberg, S. 167. Kaufmann, Letzte Vertreibung usw., S. 203.

mit uns eine große Freude hatte. Zwar hatte der Monat Aw gerade begonnen, bei dessen Eintritt man die Freude verringern soll[62]) — daher gab es auch am ersten Abend nur eine geringe Mahlzeit, weil nichts (jener Trauerzeit Entsprechendes) zu bekommen war. Aber am folgenden Tage hat Samson Baiersdorf Boten ausgeschickt und verschiedene Arten vorzüglicher Fische holen lassen; er hat auch sonst „milchige" Speisen zurichten lassen, die man in der Hast hat bereiten können; denn ich wollte mich nicht länger aufhalten lassen. Mein neuer Verwandter hat mir auch zugesagt mich nicht länger als bis 1 Uhr aufzuhalten. Nach dem Essen haben wir von einander Abschied genommen und ich und mein verlobter Sohn Moses und Seckele Wiener haben uns zusammengesetzt und uns wirklich unter Tränen von Moses Bamberg verabschiedet. So habe ich mich von dieser glücklichen Zusammenkunft vorerst trennen müssen. Wir sind auch glücklich wieder nach Hamburg gekommen und ich habe meine Kinder und die ganze Familie, nachdem ich zwölf Wochen abwesend gewesen war, Gottlob recht gesund wiedergefunden.

Nach dieser Zeit hat Gott meine Verwandte Bela[63]), die Frau des reichen Rabbi Bär Cohen, mit einer außergewöhnlichen Krankheit heimgesucht, daß sie ihr Wasser nicht hat lassen können. Dieser Zustand hat

---

[62]) Die neun ersten Tage des Monats Aw bis zu dem Gedenktage der zweimaligen Zerstörung Jerusalems gelten den gläubigen Israeliten als Trauertage; besonders ist es ein frommer Brauch sich in dieser Zeit (mit Ausnahme des Sabbats) des Genusses von Fleischspeisen und Wein zu enthalten.

[63]) Bela war eine Tochter von Jakob Ree und Glücklein Melreich, einer Tante unserer Glückel (siehe S. 29). Ihr

wohl vier Wochen gedauert. Obwohl nun der reiche Bär Cohen alle treue Pflege und alle möglichen Aerzte bei seiner Frau gebraucht und kein Geld gescheut hat um alle Heilmittel in der Welt herbeizuschaffen, so hat doch alles nichts helfen wollen. Denn es scheint, daß solches (=ihr Tod) bei Gott dem Allmächtigen beschlossen war[63a], Als nun meine Verwandte Bela sah, daß es alle Tage ärger mit ihr wurde und daß alle Heilmittel nicht anschlugen, so nahm sie meinen Schwager Joseph und Rabbi Samuel Orgels[64]) zu Zeugen, ließ ihren Mann Rabbi Bär Cohen zu sich rufen und redete sehr beweglich mit ihm wegen des Waisenkindes Glückchen, das sie bei sich hatten und erzogen und das damals ungefähr elf oder zwölf Jahre alt war. Sie hatten beide das Mädchen unbeschreiblich lieb. Nun bat Bela ihren Mann gar sehr, er solle ihr vor ihrem Tode die Beruhigung geben und ihr durch Handschlag versprechen nach ihrem Ableben keine andere zu nehmen als das Waisenkind Glückelchen, die Tochter des Feibusch Cohen, deren Onkel Bär Cohen

---

Grabstein auf dem alten Friedhof in Altona (Nr. 882) besagt, daß sie als Frau des Vorstehers Bär Cohen im Sommer 1696 gestorben ist. Bär Cohen, genannt Berend Salomon, hervorragender Thorakenner und berühmter Gemeindevorsteher, gründete 1709 die Talmudklause in Hamburg, auf deren Grundstück später die Elbstraßen-Synagoge erbaut wurde, und war auch sonst durch seine fürstliche Wohltätigkeit bekannt. Er starb hochbetagt 1728 und ist auf dem Friedhof in Altona begraben (Grabst. 399). Siehe Kaufmann, Monatsschrift, Jahrgang 1896, S. 220 ff. Duckesz, Chachme A H W, S. 20 ff.

[63a]) Die Darstellung Glückels ist hier ein wenig verkürzt.

[64]) Rabbi Samuel Orgels, hervorragender Talmudgelehrter, früher .Beisitzer des Rabbinats in Krakau, Verfasser eines Kommentars zum Schulchan Aruch, war zu damaliger Zeit Beisitzer des Rabbinatskollegiums zu Altona. Siehe Duckesz, Chachme A H W, S. 10/11.

war. Babbi Bär Cohen sagte das mit schreienden Augen zu; er gab meinem Schwager Joseph und dem Rabbi Samuel Orgels die Hand darauf und verpflichtete sich feierlich sein Versprechen zu halten. Darauf beruhigte sie sich und sagte, sie wolle nun gern sterben, weil sie wüßte, daß sie ihr Glückchen wohl versorgt hätte. Aber, mein Gott, es kommt nicht immer so, wie wir Menschen es denken! Sie schrieben an Glückchens Bruder Selig in Hannover, den sie auch erzogen und mit der Tochter des reichen Hirz Hannover[65]) verheiratet hatten, und forderten ihn auf zu seiner Tante Bela zu kommen, die gefährlich krank sei und ihn gern noch vor ihrem Tode sehen wolle. Unterdessen hatten die Heilmittel ihre Wirkung getan und es waren verschiedene Eimer Wasser von ihr abgegangen, so daß man meinte, daß das zu ihrer Genesung führen werde. Aber das hat im Gegenteil leider gerade ihren Tod beschleunigt. Als ihr Neffe Selig ankam, hat er sie zwar in vermeintlicher Besserung gefunden. Aber als er noch keinen Tag bei ihr war, hat Gott sie zu sich genommen — zu großem Leidwesen ihres Mannes und unserer ganzen Freundschaft und der ganzen Gemeinde. Denn sie war — Gott sei ihr gnädig — eine wackere, verständige Frau, die das Herz ihres Mannes gar wohl zu regieren wußte. Aber was hat ihr das alles geholfen? All ihr Geld und Gut und alles Gute, was ihr Mann um ihretwillen getan, hat nichts helfen wollen. Er hat wohl für sie „lernen" lassen und

---

[65]) Kaufmann hält den hier erwähnten Hirz Hannover für identisch mit Juda Naphtali Hirz, dem 1709 in Hannover verstorbenen Sohne des Kammeragenten Leffmann Behrens. Siehe Kaufmann, Samson Wertheimer, S. 86 und Monatsschrift 1896, S. 221.

große Spenden ausgeteilt; aber es scheint, daß ihre Zeit um war und daß am Neujahrsfest, wo über die Menschen bestimmt wird, wer leben und wer sterben soll, über sie beschlossen worden war. So ist sie in allen Ehren gestorben und zu Grabe getragen worden. Ihr Mann und alle ihre Freunde haben sie sehr betrauert und besonders mein Verwandter Anschel [Wimpfen] und seine Frau Mate, die eine Schwestertochter der Verstorbenen war, und Ruben, der Bruder der Mate, der auch im Hause von Bär Cohen erzogen worden war. Mate Wimpfen war die Muhme und ihr Bruder Ruben der Onkel des Waisenkindes Glückchen[66].

Nach den sieben Trauertagen haben sie sich wieder ein wenig getröstet und haben gedacht, daß Bär Cohens Haus ihnen doch nicht entfremdet würde, da ihre nahe Verwandte Glückchen wieder hineinkäme. Als eine Zeit nach den sieben Trauertagen vergangen war, drängten die Verwandten der Glückchen Bär Cohen, er solle es veröffentlichen, daß er eine zweite Ehe mit Glückchen eingehen wolle, damit er vor den Vermittlern Ruhe hätte und sie los würde. In Wirklichkeit hatte er auch keine Ruhe vor ihnen; denn ein jeder, der eine Tochter hatte, hätte sich gern mit Bär Cohen verschwägert, wenn er sich auch darüber hätte zugrunde richten sollen[67].

---

[66] Mate Wimpfen (gest. 1712), die Tochter von Juda Rothschild, war ebenso wie die Waise Glückchen eine Schwestertochter der Bela. Muhme bedeutet also hier nicht Tante, sondern Cousine, und Ruben Rothschild kann auch nicht Glückchens Oheim, sondern nur ihr Vetter gewesen sein.

[67] Das heißt wohl: Jeder Vater hätte sich noch angestrengt eine ansehnliche Mitgift zu geben um seine Tochter mit dem reichen Witwer Bär Cohen zu verheiraten.

Bär Cohen hat nun die Verwandten von einer Zeit zur anderen vertröstet und hat vorgegeben, es wäre noch zu früh. Endlich aber ist herausgekommen: es wäre ihm nicht möglich Glückchen zu heiraten; denn er hätte sie als sein Kind im Hause erzogen und wäre auch mit ihr wie mit einem Kinde umgegangen. Außerdem sei er ein kinderloser Mann und kein Jüngling mehr; wie solle er da eine Frau nehmen, die in den nächsten Jahren noch keine Kinder haben könne? Wenn er auch noch einige Jahre auf sie warten wolle, bis sie dazu imstande sei, wer wisse denn, wie lange der Mensch lebt? Wenn er noch wartete, würde er seine Schuldigkeit nicht tun. Solche Reden Bär Cohens haben die Freunde allesamt sehr erschreckt. Sie führten ihm sehr bewegt zu Gemüte, daß er seiner Frau in ihrer Todesnot die Hand gegeben und sich vor Zeugen verpflichtet habe nach ihrem Tode Glückchen zu heiraten. Bär Cohen erwiderte darauf: „Ja, es ist wahr; aber ich habe solches zur Beruhigung für meine selige Frau getan. Außerdem habe ich damals in solchem Leid gesteckt, daß ich nicht wußte, was ich tun sollte. Ich bitte euch, laßt Glückchen auf mein Versprechen verzichten. Ich will ihr ein großes Stück Geld als Mitgift geben, daß sie einen ebenso feinen Mann bekommen kann, wie ich bin. Fürchtet ihr euch aber, daß mein Haus euch entfremdet werden wird, so sagt mir doch, ob ihr sonst ein heiratsfähiges junges Mädchen in eurer Verwandtschaft habt, dann will ich dieses nehmen und doch an Glückchen tun, wie ich erwähnt habe." Aber Anschel und seine Frau Mate und ihr Bruder Ruben Rothschild gönnten keiner anderen als Glückchen diese Heirat. Sie fürchteten vielleicht, daß, wenn eine andere Heirat, sogar mit einem Mädchen aus ihrer Familie, zustande käme, sie im Hause von Bär Cohen nichts mehr gelten würde. Damals aber galten sie sehr viel bei ihm; tatsächlich sind nach ihrer Bestimmung alle im Hause aus- und eingegangen[68]).

Damals war meine Tochter Freudchen erst zwölf Jahre alt, aber sie war schon sehr groß für ihr Alter und ein schönes Menschenkind ohnegleichen. Nun ist mein Bruder Wolf zu mir gekommen und hat gesagt: „Was sitzest du hier still? Bär Cohen heiratet Glückchen nicht; da will ich ihm deine Tochter vorschlagen." Ich habe meinen Bruder ausgelacht und dabei geschimpft: „Was redest du da, daß ich dem Waisenkind Glückchen schaden soll?" Mein Bruder hat mir aber geschworen, er wüßte gewiß, daß Bär Cohen Glückchen nicht nehmen würde, und wenn es nicht meine Tochter wäre, so würde er eine wildfremde nehmen. Nun, wer hätte sich nicht gern mit Bär Cohen verschwägert, der alle Vorzüge in der Welt an sich hat! So ist denn mein Bruder zu Bär Cohen gegangen und hat ihm die Verbindung vorgeschlagen. Dieser antwortete, er kenne zwar meine Tochter nicht, aber man sollte mit Anschel Wimpfen und seiner Frau und Ruben Rothschild reden. Wenn er bewirken könnte, daß sie Glückchen veranlaßten auf sein Versprechen, das er ihrer Tante Bela gegeben habe, zu verzichten, so wäre er es zufrieden. Als aber mein Bruder mit den genannten Verwandten redete, gerieten sie sehr in Wut und Mate Rothschild soll sogar gesagt

---

[68]) Zitat aus der Bibel (Numeri 27, 21): „Auf seinen (des Hohepriesters) Befehl sollen sie ausziehen und auf seinen Befehl sollen sie einziehen."

haben: Ehe sie erlaubte, daß meine Tochter Bär Cohen bekäme, wollte sie viel lieber haben, daß eine Wildfremde ihn bekäme. Als ich das hörte, habe ich mich nicht weiter daran gekehrt. Unterdessen redete Bär Cohen mit Glückchen und bat sie auf sein Versprechen zu verzichten; er wollte ihr eine große Mitgift geben und sie mit einem feinen jungen Manne verheiraten. Aber sie wollte nichts davon wissen. Darauf schrieb Bär Cohen an einige Rabbiner, brachte die Angelegenheit vor und bat um die Erlaubnis eine andere Frau nehmen zu dürfen. Der hochgelehrte Rabbiner an der Talmudklause zu Altona[69]) hat ihm die Erlaubnis nicht geben wollen, aber er hat, wie man sagte, von anderen Rabbinern die Erlaubnis bekommen. Anschel Wimpfen hätte nun zwar sehr gern gesehen, daß Bär Cohen Glückchen heiratete; aber er sah ein, daß nicht daran zu denken war. Es scheint, daß Bär Cohen schon längst sein Herz darauf gesetzt hatte die Tochter von Tewele Schiff zu heiraten. Diese heiratete er auch und ehe ein Jahr zu Ende war, hatte er von ihr einen jungen Sohn. Man kann sich wohl denken, was für eine Freude Bär Cohen mit dem Sohne hatte. Aber kurz zuvor war Anschel Wimpfen

---

[69]) Gemeint ist Rabbi Zewi Aschkenasi, bekannt unter dem Namen Chacham Zewi, der auch hierbei seine sonst oft bewiesene Charakterfestigkeit zeigte. Er war fast 20 Jahre lang (seit 1690) Rabbiner der von einigen wohlhabenden Männern für ihn gegründeten (noch jetzt bestehenden) „Klaus" in Altona und bekleidete nach dem Tode seines Schwiegervaters Rabbi Salomon Mirels eine Zeitlang das Ober-Rabbinat der drei Gemeinden. Später war er Rabbiner der deutschen Gemeinde in Amsterdam; er starb als Rabbiner von Lemberg, Siehe Kaufmann, Letzte Vertreibung, S. 220. Duckesz, Iwoh lemoschaw, S. 11 ff. Graetz, Geschichte der Juden, X, 318 ff.

eines schnellen Todes gestorben. Er war noch frisch
und gesund zu Bett gegangen; aber als er kaum eine
Stunde zu Bett gelegen hatte, hauchte er seine reine
Seele aus[70]). Er wurde von der ganzen Gemeinde sehr
betrauert; denn er war ein sehr trefflicher und gottesfürchtiger Mann, der nicht seinesgleichen hatte. Etwa
anderthalb Jahre nach Bär Cohens zweiter Verheiratung
war ich auf der Leipziger Messe[71]), da kam die Nachricht dorthin, daß Bär Cohens Frau sehr krank sei; mit
der nächsten Post kam die Nachricht, daß sie tot sei.
Nicht lange danach heiratete Bär Cohen die Schwester
seiner seligen Frau. Bei allen diesen Sachen hat der
Rabbiner Samuel Orgels seine Hand im Spiele gehabt,
der bei Bär Cohen in hoher Achtung stand. Nicht lange
danach wurde Samuel Orgels an einem Freitagabend in
der Synagoge von einer Schwäche befallen und war
sofort tot. Man kann sich den Schrecken in der Gemeinde denken. So starben in kurzer Zeit Anschel
Wimpfen, der Rabbiner Samuel Orgels und die Frau
des Bär Cohen. Ob nun meiner Verwandten Bela durch
Mißachtung des Versprechens, das Bär Cohen ihr in
Gegenwart der beiden genannten Zeugen gegeben hatte,
zu nahe getreten worden ist, das ist nur Gott allein
bekannt. Wir Menschen sind zu schwach darüber nach-
zudenken, wir haben nur Gott den Allmächtigen zu

---

[70]) Anschel Wimpfen starb am 27. Tamus 1697 (Grabstein
Nr. 944 zu Altona), Reisele, die Tochter des David Teblisch,
Frau des Bär Cohen, am 16. Ijar 1699 (Grabstein Nr. 886),
Samuel Orgels am 1. Adar 1700 (Grabstein Nr. 1232).
[71]) Bei Freudenthal, Die jüdischen Besucher der Leip-
ziger Messen, S. 28, ist zum Jahre 1699 die Witwe des Hein
Goldschmidt (= Chajim Hameln) als Besucherin verzeichnet.

bitten, daß er seinen Zorn von uns und von ganz Israel abwenden möge! Danach hat Bär Cohen seine Nichte Glückchen sehr gut verheiratet; er hat sie dem Sohne des reichen Juda Berlin gegeben und an allen ihren Geschwistern sehr viel getan, wie es allbekannt ist. Ich habe die ganze Sache nur deshalb in meinem Buche beschrieben, weil sie so ungewöhnlich ist und weil man daraus die Veränderlichkeit des menschlichen Glückes ersehen kann. Denn meine Verwandte Bela hat vor ihrem Tode gemeint auf der höchsten Staffel des menschlichen Glückes zu sein, wie es auch nach menschlicher Berechnung der Fall war. Sie hatte Bär Cohen zum Manne, der ein großer Talmudkenner, vom Priesterstamm, ein Mann aus bester Familie, ein hervorragend reicher, ein gutherziger und wohltätiger Mann war. Sie lebten sehr glücklich zusammen, und wenn sie auch kein Kind hatten, so hatten sie die Kinder des Feiwesch Cohen, Seligmann und Glückchen, bei sich, die sie ganz wie ihre eigenen Kinder erzogen. Belas ganzes Sorgen und Trachten war auf das Wohl der beiden Kinder gerichtet und sie hat es noch erlebt den Seligmann mit der Tochter des reichen Hirz Hannover zu verloben. Ich habe es aus ihrem eigenen Munde gehört, daß der Junge sie über 15 000 Reichstaler gekostet hat. Als der junge Mann sich nach ihrem Wunsch verlobte, war die Freude bei ihr unbeschreiblich. Damals stand sie in solcher Achtung und Ehre wie keine [jüdische] Frau in ganz Deutschland. Aber — leider — „wenn das Seil am straffsten ist, so bricht es." In ihrer besten Zeit und in ihren besten Jahren hat meine Verwandte Bela von den Ihrigen fortgehen müssen. Wenn sie in ihrer Todesnot noch gemeint hat die Befriedigung zu haben, daß ihr Mann Glückchen heiraten würde, so ist das später doch nicht geschehen. Was hilft nun der guten Frau all ihr Reichtum und alle ihre Ehre? „Es gilt keine Gewalt am Tage des Todes." (Kohelet 8,8.) Ihre große Demut und das viele Gute, das sie getan hat, wird ihr beistehen; das ist ihr von all ihrem Reichtum übrig geblieben. Sie ist ungefähr 51 Jahre alt geworden. Sie haben wenig Geld in die Ehe gebracht, noch keine neunhundert Taler zusammen, und der Höchste hat sie so mildreich gesegnet, wie bekannt ist. Gott hat dem Bär Cohen großen Reichtum gegeben und nun auch bleibende Nachkommenschaft. Der Allgütige möge ihn dabei erhalten und sein Gebiet immer mehr erweitern! Denn er hat ein freigebiges Herz und man findet wenige seinesgleichen. . . .

Nun will ich wieder auf meinen Hauptzweck zurückkommen. Nach einiger Zeit habe ich meine Tochter Freudchen mit dem Sohne des reichen und angesehenen Mose ben Rabbi Loeb verlobt[72]). Unterdessen hatten wir wieder ein Anstößchen, das aber Gott noch gnädig abgewendet hat. Mein Sohn Nathan stand, wie schon erwähnt, in Geschäftsverbindung mit dem reichen Sa-

---

[72]) Mose ben Loeb war der Hauptgründer der Talmudklause in Altona, der auch mit großer Munificenz für den oben erwähnten Rabbiner Chacham Zewi sorgte. Sein Sohn Mardochai, der sich mit Freudchen Hameln vermählte, lebte später in London und schaffte sich durch längeren Aufenthalt in Indien große Reichtümer. In London gründete er eine eigene Gemeinde, deren Bethaus unter dem Namen Hambro Synagogue bekannt geworden ist. Siehe Duckesz, Chachme A H W, S. 11/12. Grunwald, Hamburgs deutsche Juden, S. 76.

muel Oppenheimer und seinem Sohne Mendel in Wien und hatte gerade damals viele Wechsel für sie akzeptiert, von denen eine Anzahl schon bald verfallen waren. Nun war mein Sohn Nathan gewöhnt, bevor die Wechsel verfallen waren, von den Oppenheimers Rimessen zu erhalten. Aber zu jener Zeit gerade hatte er weder Briefe noch Rimessen von ihnen erhalten. Endlich kam die Trauerbotschaft, daß Samuel Oppenheimer und sein Sohn verhaftet worden seien[73]). Sobald diese Nachricht nach Hamburg kam, war der ganze Kredit weg, den mein Sohn Nathan gehabt hatte, und wer einen Wechsel auf ihn in Händen hatte, sei es von Oppenheimers oder einem anderen, der drängte auf sofortige Zahlung. So hatte mein Sohn viele Wechsel auf dem Hals, die zu bezahlen waren, und es kamen noch viele hinzu, die er akzeptieren mußte, und er ließ doch keinen davon mit Protest zurückgehen. Nun kam gerade die Leipziger Messe heran, zu der mein Sohn reisen mußte. Also zahlte er, was er konnte, und reiste mit betrübtem Herzen nach Leipzig, nachdem er alle silbernen und goldenen Geräte versetzt hatte. Beim Abschied von mir sagte er: „Meine liebe Mutter, ich gehe jetzt von dir; Gott weiß, wie wir wieder zusammenkommen; ich habe noch einige Tausende zu bezahlen; ich bitte dich, sei mir behilflich, soviel du kannst — ich weiß, die Oppenheimers werden uns nicht im Stich lassen." So reiste mein Sohn Nathan am Sonntag mit seiner Gesellschaft nach Leipzig; am

---

[73]) Die beiden Oppenheimer wurden am 19. September 1697 auf Grund einer falschen Beschuldigung verhaftet, aber am 5. Oktober gegen eine Kaution wieder aus der Haft entlassen. Siehe Kaufmann, Urkundliches aus dem Leben Samson Wertheimers, S. 23 ff.

Montag fing sogleich mein Leid mit dem Bezahlen von Wechseln an. Ich habe getan, was mir möglich war, habe alles Meinige versetzt und mich bis über den Kopf hineingesteckt, so daß ich nicht mehr weiter konnte. Am Freitag hatte ich immer noch 500 Reichstaler zu bezahlen, konnte sie aber nicht mehr aufbringen. Dabei hatte ich noch gute Wechsel auf vornehme Häuser in Hamburg, die ich an der Börse verkaufen wollte, und ging betrübt an der ganzen Börse herum, um sie den Maklern zu geben. Aber nach der Börse brachten mir die Makler meine Wechsel wieder; denn keiner hatte die Wechsel ansehen wollen. Endlich hat mir Gott anderweitig geholfen, daß ich die 500 Reichstaler bezahlen konnte. Am Sabbat habe ich mich denn entschlossen Sonntag nach Leipzig zu fahren, und wenn ich in Leipzig fände, daß Oppenheimers Rimessen dorthin geschickt hätten, so wollte ich sogleich wieder zurückfahren. Hätten sie aber keine Rimessen geschickt, so wollte ich von Leipzig nach Wien zu Samson Wertheimer fahren, der uns ein treuer Freund war und uns gewiß zu dem Unsrigen helfen würde. So bat ich meinen Bruder Wolf mit mir zu reisen. Wir fuhren also in einem Hauderwagen[73a]) von Hamburg nach Leipzig. Kurz vor Leipzig blieb ich in einem Dorfe liegen und schickte einen Boten zu meinen Kindern in die Stadt hinein und ließ sie zu mir herauskommen. Diese berichteten mir, daß die Oppenheimers aus dem Arrest entlassen seien und Rimessen geschickt hätten um alle ihre Wechsel in Ehren zu bezahlen. Sofort, als ich das gehört hatte, habe ich

---

[73a]) Hauderwagen — Mietwagen. Vgl. heuern (niederdeutsch) = mieten.

mich mit meinem Bruder wieder auf den Wagen gesetzt
und wir sind zurückgefahren und Freitag bei guter Zeit[74])
wieder daheim gewesen. So bin ich in sechs Tagen nach
Leipzig und von Leipzig wieder nach Hamburg gefahren.
Soll ich nun die Freude beschreiben, die meine Kinder,
besonders meine Schwiegertochter Mirjam, die Frau
meines Sohnes Nathan, mit mir hatten? Denn wir hatten
uns so betrübt voneinander getrennt, daß wir nicht
meinten so einfach wieder zusammenzukommen. Nun
aber hat uns Gott wirklich wie in einem Augenblick geholfen — dem Höchsten sei Lob und Dank! Wenn auch
die Oppenheimers uns alle unsere Auslagen bezahlt
haben, so können sie uns doch ihr ganzes Leben lang
nicht bezahlen, was für Schrecken und Sorge wir durch
sie gehabt haben. Der gepriesene Gott möge nur weiter
an uns Barmherzigkeit üben und uns unser tägliches
Brot in Ehren geben! So ist das Gottlob noch gut abgelaufen.

Hierauf habe ich meine Tochter Freudchen mit dem
Sohne des Moses ben Rabbi Loeb in Altona verheiratet.
Die Hochzeit wurde in Altona sehr schön in aller Freude
gefeiert. Dann kam die Zeit der Hochzeit meines Sohnes
Moses heran und ich schrieb an Samson Baiersdorf, daß
ich mich schon rüste zur Hochzeit zu fahren. Aber Samson
Baiersdorf schrieb mir sofort, daß es ihm nicht möglich
sei in der [verabredeten] Zeit Hochzeit zu machen. Da
Gott ihm die Gnade erweise sein jüngstes Kind zu ver-
heiraten, so könne er die Hochzeit nicht in seinem
alten Hause machen, sondern habe angefangen ein neues
Haus zu bauen. Sobald dieses fertig sei, wolle er mir

[74]) d. h. noch vor Eintritt des Sabbats.

schreiben, daß wir kommen sollten um in Reichtum und Ehre die Hochzeit zu feiern. Aber der Bau seines neuen Hauses war nicht allein der Grund, sondern der Markgraf in Bayreuth hatte sich einen neuen Ratgeber genommen, der sich wie ein Haman gegen Samson Baiersdorf stellte und ihn zu vernichten trachtete[75]). Wirklich hat er ihm auch sehr weh getan, so daß er sich nicht zu drehen und zu wenden wußte, besonders da er alles Seinige bei dem Markgrafen stehen hatte. Das war also der Hauptgrund, weshalb er die Hochzeit nicht zur Zeit machte. Aber der gepriesene Gott, der doch sah, wieviel Gutes aus seinem Hause kam, mit welcher Gastlichkeit er Reiche und Arme bei sich aufnahm und welche Wohltaten er den Juden in dem ganzen Lande erwies und wie er förmlich das ganze Land erhielt und was er in Zukunft noch Gutes tun konnte — Gott hat in seiner Barmherzigkeit und Gnade die bösen Absichten jenes Hamans zunichte gemacht und zum Guten gewendet, so daß der Böse ganz erniedrigt wurde und Samson Baiersdorf von Tag zu Tag höher stieg. Es ist unbeschreiblich, welch großes Ansehen er als Jude bei dem Landesfürsten hat. Möge ihn der Allgütige bis zur Ankunft des Erlösers dabei erhalten!

Es dauerte doch noch ein volles Jahr, ehe wir die Hochzeit feiern konnten. Hiermit will ich nun mein fünftes Buch beschließen.

---

[75]) Die Stellung der Hofjuden war immer eine sehr unsichere und schwankende. Wie es scheint, wirkte damals ein andrer Jude (Philipp Simon aus Fürth) dem Samson Baiersdorf am Bayreuther Hofe entgegen und wußte seine Stellung vorübergehend zu erschüttern. Siehe Hänle, Geschichte der Juden im Fürstentum Ansbach, S. 80.

Sechstes Buch.

Hiermit will ich mein sechstes Buch anfangen, in welchem ich von einer Veränderung meines Standes berichten will, die ich ganze vierzehn Jahre[1]) hindurch vermieden hatte. Es waren mir in dieser Zeit viele Partien vorgeschlagen worden und darunter wirklich die vornehmsten in ganz Deutschland. Aber so lange ich konnte und so lange mir deuchte, daß ich mich mit dem, was mein seliger Mann mir hinterlassen, ernähren könnte, kam es mir nicht in den Sinn mich zu verändern. Der Höchste hat wohl meine vielfältigen Sünden angesehen und mir nicht in den Sinn gegeben einen Mann zu nehmen, als mir Partien vorgeschlagen wurden, durch die ich mit meinen Kindern hätte glückselig sein und mich auf mein betrübtes, mühseliges Alter hätte in einen ruhigen Stand versetzen können. Solches war dem großen Gott nicht wohlgefällig und er hat mich wegen meiner Sünden veranlaßt mich zu dieser Partie zu resolvieren, von der ich jetzt sprechen werde. Bei alledem danke ich

---

[1]) Muß heißen: elf Jahre. Ihr Gatte Chajim Hameln war im Januar 1689 gestorben und im Sommer 1700 ging sie ihre zweite Ehe ein.

doch meinem Schöpfer, der mir mehr Gnade und Barmherzigkeit in meiner schweren Strafe erweist, als ich unwürdige Sünderin wert bin, und der mich bei allen Leiden Geduld lehrt. Zwar müßte ich Gott mit vielem Fasten oder sonstigen Bußübungen meinen Dank bezeigen; aber meine großen Sorgen und der Aufenthalt im fremden Lande haben mich nicht dazu kommen lassen. Ich weiß, daß solche Entschuldigungen mir vor Gott wenig helfen werden. Darum schreibe ich dies mit zitternder Hand und mit bitteren, heißen Tränen; denn es steht (in der heiligen Schrift), daß wir Gott „mit ganzem Herzen und mit ganzem Vermögen" dienen sollen. Also gehört es sich, daß der sündige Mensch im Dienste Gottes seinen Körper und sein Vermögen nicht achte, und alle Rechtfertigungen (derer, die dies vernachlässigen) sind eitel Nichtigkeiten. Ich bitte Gott den Allmächtigen, daß er mich in seiner Gnade kräftige und mir in den Sinn gebe nichts andres zu tun als ihm zu dienen, auf daß ich nicht in meinen beschmutzten Kleidern[2]) vor ihn trete, wie es heißt (Sprüche der Väter 2,10): Kehre einen Tag vor deinem Tode um! Nun wissen wir ja nicht, wann der Tag kommt, da wir sterben sollen; darum ist der Mensch verpflichtet jeden Tag umzukehren und Buße zu tun. Solches hätte ich auch tun und betrachten sollen; denn ich hätte es gar gut tun können. Zwar habe ich eine lumpige Rechtfertigung für mich: ich wollte erst meine verwaisten Kinder einigermaßen versorgen und dann nach dem heiligen Lande ziehen. Aber solches hätte ich sehr wohl tun können, zumal da mein

---

[2]) D. h. ohne meine Sünden gutgemacht zu haben. Secharja III 3, 4.

Sohn Moses verlobt war und ich nachher nur noch meine jüngste Tochter Mirjam zu versorgen hatte. Also hätte ich Sünderin keinen Mann nehmen, sondern nur meine Tochter Mirjam verheiraten und dann tun sollen, was sich für eine gute, fromme jüdische Frau geziemt; ich hätte alle Nichtigkeiten dieser Welt verlassen und mich mit dem bißchen, was ich noch übrig hatte, ins heilige Land begeben sollen. Denn dort hätte ich als eine gute Jüdin leben können und die Sorgen und Leiden meiner Kinder und Freunde und sonstige Nichtigkeiten der Welt hätten mir keine Beschwerden gemacht und dort hätte ich Gott mit meinem ganzen Herzen und meiner ganzen Kraft dienen können. Aber (wie gesagt) meine Sünden haben bewirkt, daß Gott mich zu anderen Gedanken geführt und mich dessen nicht gewürdigt hat. Nun wollen wir wieder anfangen, wo wir gehalten haben.

Inzwischen hat es ein ganzes Jahr gewährt, ehe ich auf die Hochzeit meines Sohnes Moses habe kommen können. Unterdessen sind mir allerhand Widerwärtigkeiten und Leiden zum Teil von meinen Kindern zugestoßen, die mich schon vorher und allezeit viel Geld gekostet haben. Aber es ist nicht nötig darüber zu schreiben. Es sind doch meine lieben Kinder und ich verzeihe ihnen, sowohl denen, die mich viel gekostet als auch denen, die mich nichts gekostet haben, daß ich so in meinen Vermögensverhältnissen herabgekommen bin. Dabei habe ich noch ein großes Geschäft geführt — denn ich hatte noch großen Kredit bei Juden und Nichtjuden — und habe mich sehr gequält, bin im Sommer bei der Hitze und im Winter bei Regen und Schnee auf die Messen gefahren und habe dort ganze Tage in meinem Gewölbe gestanden. Weil ich nun gar wenig von allem Meinigen übrig behalten habe, habe ich es mir sehr sauer werden lassen und immer danach getrachtet in Ehren weiterzukommen um nicht, Gott behüte, meinen Kindern zur Last zu fallen und von dem Tische anderer abhängig zu sein. Obschon es meine Kinder gewesen wären, so wäre es mir doch noch weher als bei Fremden gewesen; denn meine Kinder hätten sich, Gott behüte, an mir versündigt und dies wäre mir alle Tage ärger als der Tod gewesen. Nach alledem habe ich aber doch die große Mühe und das Reisen und das Herumgehen in der Stadt nicht länger aushalten können. Denn wenn ich auch noch ein großes Geschäft hatte und einen bedeutenden Kredit genoß, so war ich doch immer in Angst, wenn mir einmal etliche Ballen Waren oder ausstehende Schulden verloren gingen, daß ich, Gott behüte, ganz bankerott gehen und meine Gläubiger um das Ihrige bringen müßte, was mir und meinen Kindern und meinem frommen Manne unter der Erde eine Schande gewesen wäre. Damals habe ich angefangen zu bereuen, daß ich so viele gute Heiratspartien hatte fahren lassen, durch die ich mein Alter in Reichtum und Ehre hätte verbringen und vielleicht auch meinen Kindern hätte wohltun können. Aber alle Reue hilft nichts; es war zu spät; Gott hat es nicht haben wollen und mir zu meinem Unstern etwas anderes in den Sinn gegeben, wie jetzt folgen wird.

Solches ist im Jahre 5459 (= 1698/99) geschehen. Wie schon erwähnt, wollte ich meinen Sohn Moses verheiraten. Es ist aber damals nicht dazu gekommen, wie schon erwähnt. Unterdessen bekam ich einen Brief von meinem Schwiegersohn Moses (Krumbach) aus Metz, der am 15. Siwan 5459 (= Juni 1699) geschrieben war. Darin stand, daß Hirz Levy ein Witwer geworden und daß er ein vortrefflicher Jude und hervorragend an Gelehrsamkeit und Reichtum sei und was er für eine Haushaltung führe. Kurz — er rühmte den Mann gar sehr, wie auch allem Anschein nach die Wahrheit war. Aber „der Mensch sieht nach dem Augenschein, Gott aber sieht ins Herz." (1. B. Sam. 16,7.)

Dieser Brief kam mir gerade zu Händen, als ich über meine Sorgen nachdachte. Ich war damals eine Frau von 54 Jahren und hatte mein ganzes Leben lang so viele Sorgen um meine Kinder ausgestanden. Wenn die Verhältnisse so waren [wie mein Schwiegersohn sie schilderte], konnte ich noch in meinem Alter in eine so fromme Gemeinde kommen, wie Metz damals den Namen hatte, und dort den Rest meines Lebens in Ruhe zubringen und auch meiner Seele wohltun. Ich habe mich auch darauf verlassen, daß meine Kinder mir nicht zuraten würden, wenn es nichts für mich wäre. So schrieb ich meinem Schwiegersohn als Antwort: Ich bin vierzehn Jahre Witwe gewesen[3]) und habe niemals die Absicht gehabt wieder einen Mann zu nehmen, wenn es auch allgemein bekannt war, daß ich die größten und vornehmsten Partien in ganz Deutschland hätte machen können; aber ich habe mich niemals dazu entschließen wollen. Nichtsdestoweniger wolle ich mich dazu entschließen, weil er mir so sehr dazu rate, wenn meine Tochter Esther auch derselben Ansicht sei. Darauf schrieb mir meine Tochter Esther gleichfalls, was sie wußte und vor sich gesehen hatte. Wegen der Mitgiftsumme haben wir nicht viel

---

[3]) Muß heißen: 10 Jahre. Siehe Anmerkung 1.

255

Auseinandersetzungen gehabt. Ich habe meinem Mann wirklich alles gegeben, was ich hatte, und er hat mir verschrieben, daß, wenn ich zuerst stürbe, meine Erben mein Geld wieder erhalten sollten; wenn aber mein Mann zuerst stürbe, so sollte ich 500 Reichstaler mehr erhalten als mein Eingebrachtes, welches 1500 Reichstaler betrug. Mein Mann verpflichtete sich noch, meine Tochter Mirjam, die damals 11 Jahre alt war, umsonst bei sich zu behalten, bis sie Hochzeit hätte. Wenn ich noch viel mehr Geld gehabt hätte, hätte ich es meinem Mann auch gegeben; denn ich dachte, daß ich mein Geld nirgendwo sicherer und besser haben könnte als bei diesem Mann. Zudem meinte ich auch meiner Tochter Mirjam eine Wohltat zu tun: sie brauchte nichts zu verzehren und ihr Geld lag doch auf Zinsen. Auch hat der Mann einen großen Ruf im Geschäft. Wer weiß, was ich meinen Kindern noch ins Geschäft bringen kann. Aber „viele Gedanken sind im Herzen eines Menschen". „Der im Himmel thront, lacht darüber." Der hochgepriesene Gott hat leider über meine Pläne und Anschläge gelacht und bei ihm war schon längst mein Verderben und meine Not beschlossen um mich für die Sünde zu strafen, daß ich mich auf Menschen verlassen hatte. Denn ich hätte nicht daran denken sollen mir einen anderen Mann zu nehmen; ich hätte doch keinen Chajim Hameln wieder bekommen können; ich hätte lieber bei meinen Kinderchen bleiben und mit Gut und Böse, wie es Gott haben wollte, vorlieb nehmen sollen.

Nun, das sind alles Dinge, die vorbei sind, und was geschehen ist, ist nicht zu ändern. Ich habe jetzt

nur noch Gott zu bitten, daß ich nur Gutes von meinen Kindern hören und sehen möchte. Was mich anbelangt, so nehme ich alles von dem hochgepriesenen Gott mit Liebe auf. Möchte mir der große, gerechte Gott nur die Geduld geben, wie er es bisher getan hat, und alles eine Sühne für meine Sünden sein lassen!

Nun hat die Verlobung stattgefunden, aber in größter Heimlichkeit. Ich wollte es nicht veröffentlichen; denn es hätte mir wegen des Abzugsgeldes, das ich an den Rat zu zahlen hatte, große Gefahr bringen können. Es hätte mich mehrere Hunderte gekostet; denn ich bin in Hamburg sehr bekannt gewesen. Alle Kaufleute, die mit mir Geschäfte machten, meinten nicht anders, als daß ich viele Tausende im eigenen Vermögen hätte. Unterdessen habe ich gesehen meine Waren und andere Gegenstände zu Geld zu machen und allen, denen ich etwas schuldig war, das Ihrige zu bezahlen, so daß ich — Gott sei Lob und Dank — als ich aus Hamburg wegzog, keinem Menschen, seien es Juden oder Nichtjuden, auch nur einen Taler schuldig geblieben bin. Meine Kinder, auch meine Geschwister und Freunde haben alle vorher von der Heirat gewußt; denn ich habe mich mit ihnen beraten, und wenn sie mir auch alle zugeraten haben, so ist die Heirat doch unglücklich ausgeschlagen, wie weiter folgen wird. Denn „was ich befürchtet, hat mich betroffen". (Job 3,25.) Als ich diese Ehe eingehen sollte, fürchtete ich, wenn ich noch länger so sitzen bliebe, ganz um das Meinige zu kommen und Gott behüte in Schande zu geraten, indem ich andere Leute, Juden und Nichtjuden, schädigen müßte, und dann in die Hände meiner Kinder zu fallen. Aber das hat mir alles nichts geholfen; ich mußte leider in die Hand eines Mannes fallen und dieselbe Schande erleben, vor der ich mich gefürchtet hatte. Obschon ich nichts dazu kann, so ist es doch mein Mann, mit dem ich meinte in Ehre und Reichtum zu leben. Zudem befinde ich mich jetzt in solchem Zustand, daß ich nicht weiß, ob ich in meinem Greisenalter noch ein Lager zum Uebernachten und ein Stück Brot zum Essen haben werde. Worüber ich mir Sorge gemacht, daß ich Gott behüte meinen Kindern zuteil werden könnte, das kann mir jetzt zukommen. Ich meinte dadurch, daß ich einen Mann nähme, der so angesehen und ein so großer Geschäftsmann war, meinen Kindern zu helfen, daß sie durch ihn zu großen Geschäften kommen sollten. Aber gerade das Gegenteil ist geschehen; denn mein Sohn Nathan ist um mehrere Hunderte gekommen, die mein Mann ihm noch schuldig ist, und ist durch meinen Mann halb ruiniert worden. Seine Wechsel wären alle protestiert worden, wenn nicht Gott, gelobt sei er, ihn sichtbar behütet und ihm geholfen hätte. Meiner Tochter Mirjam meinte ich ganz wohlzutun, daß sie von ihrem Gelde zurücklegen könnte; so aber habe ich sie mit mir in das äußerste Verderben gerissen, das Gott, gelobt sei er, noch gnädiglich abgewendet hat, wie weiter folgen wird.

Also, meine herzlieben Kinder, ist zu ersehen, daß ich alles wohl überlegt habe, daß aber alles, was ich für gut gehalten habe, gerade zum Aergsten ausgeschlagen ist. Ich kann also nichts anderes annehmen, als daß meine bitteren Sünden daran schuld sind. Darum, meine herzlieben, getreuen Kinder, was soll ich viel davon sagen oder schreiben? „Es gibt nichts Neues unter der

Sonne." (Kohelet 1, 9.) Ich bin es nicht allein, der es so gegangen ist, sondern noch viele andere, die frommer und besser waren als ich, in deren Fußtapfen ich nicht wert bin zu gehen. . . .

Um wieder zu unserem Zweck zu kommen — unsere Verbindung ist im Siwan 5459 (etwa Juni 1699) in Metz durch meinen Schwiegersohn Moses und dessen Vater Abraham Krumbach und seine Frau angeknüpft worden. Von ihnen kann ich sicher nur das Beste annehmen, daß sie alles in guter Absicht getan und gemeint haben, ich käme sehr gut an, wie es auch so den Anschein hatte. Aber es ist leider in der Tat anders herausgekommen. Die Zeit der Hochzeit wurde auf Lagbeomer[4]) 5460 (etwa Mai 1700) angesetzt; es blieb alles in der Stille aus dem Grunde, den ich oben erwähnt habe[5]). Unterdessen machte ich das Meinige zu Geld um nichts schuldig zu bleiben und schickte die Wechsel an den reichen Gabriel Levi[6]) in Fürth, der das Geld dafür annehmen und bis zu unserer Ankunft aufbewahren sollte. Inzwischen wechselte ich Briefe mit meinem Manne und er hat seine Briefe so gestellt[7]), daß ich und alle, die sie lasen,

---

[4]) 33. Tag des Omer, d. i. der Zählung vom Passah- bis zum Wochenfeste.

[5]) siehe oben S. 257.

[6]) Wahrscheinlich ist der reiche und angesehene Gabriel Fränkel gemeint, der mit dem Hofe zu Ansbach in Geschäftsverbindung stand und große Vergünstigungen daselbst genoß. Siehe Hänle, Juden im Fürstentum Ansbach, S. 87. Gabriel Levi (Fränkel) war zwar nicht, wie Kaufmann annimmt, der Gründer der Fürther Talmudklause, wohl aber der eines anderen Bet- und Lehrhauses in Fürth, das noch bis in das 19. Jahrhundert hinein unter dem Namen Gabrielschule bestanden hat (Mitteilung des Herrn Rabbiner Dr. Neubürger in Fürth.)

[7]) d. h. seine Briefe waren so abgefaßt. Vgl. die Bezeichnung „Briefsteller".

die besten Versicherungen und lauter Angenehmes darin fanden und nichts von dem Schlimmen darin zu merken war, worein ich nachher leider geraten bin. Ungefähr im Tebet 5460 (= Januar 1700) wollte ich mich zur Hochzeit meines Sohnes Moses auf den Weg machen um von dieser Hochzeit aus nach Metz zu fahren. Da schickte mir Gott eine Krankheit zu, die mich sechs Wochen bettlägerig machte. Mein Mann wurde das durch einen Kaufmann gewahr. Was für tröstliche Briefe er damals an mich und an meinen Schwager Joseph geschrieben und mit welcher Fürsorge er mich diesem empfohlen hat, ist nicht zu beschreiben. In was für einer Absicht dies geschehen ist, ist nur Gott bekannt. Ob es auf das bißchen Geld abgesehen war, kann ich nicht wissen. Als mir nun Gott wieder zu meiner völligen Gesundheit verholfen hatte, reiste ich von Hamburg mit meinem Sohn Moses und meiner Tochter Mirjam nach Braunschweig; denn dort war Messe und ich verkaufte dort noch etwas von meinen restanten Waren. Nach der Messe reiste ich in guter Gesellschaft mit meinen Kindern nach Baiersdorf, in der Meinung am Neumondstage des Nissan[7a] die Hochzeit meines Sohnes Moses zu feiern. Ich blieb Purim in Bamberg und reiste gleich nach Purim mit meinem Sohne Samuel nach Baiersdorf. Dort wohnten wir in einem Wirtshaus Samson Baiersdorf gegenüber; denn sein neues Haus war noch nicht fertig und in seinem alten Hause war es zu eng. Wir wurden aber alle Tage dreimal zum Essen zu ihm geholt und fürstlich traktiert. Aber das alles hat mir doch nicht gepaßt. Ich sagte darum zu Samson Baiersdorf und seiner

[7a] im März oder Anfang April.

Frau: „Ich habe zwar keine Ursache von hier weg-
zueilen; aber ich habe doch meinen Grund, warum ich
gern haben wollte, daß meines Sohnes Hochzeit schon
am Neumondstage des Nissan sein soll. Denn ihr wißt
ja von der Verbindung, die ich angeknüpft habe, und daß
ich bis Lagbeomer in Metz sein muß. Der Mann hat auch
mein Geld schon in Händen" — wie es die Wahrheit war,
denn mein Unglück hat es so gewollt. Aber es wurde viel
geredet und viel vorgeschlagen. Endlich sagte Samson
Baiersdorf, ich möchte tun, was ich wollte; es sei ihm
nicht möglich vor dem Wochenfeste Hochzeit zu machen;
ich sollte nur nach Metz reisen um dort Hochzeit zu
machen und meine Kinder zur Gesellschaft mitnehmen;
er wollte mir hundert Dukaten für meine Auslagen geben.
Solches wollte ich nun nicht tun, es hätte mir auch
nicht angestanden.

So entschloß ich mich denn das, was nicht zu ändern
war, mit Geduld anzunehmen, und wenn wir auch einige
Differenzen wegen der Mitgift hatten, wie diese bis nach
der Hochzeit am besten aufzuheben sei, so wurden sie
doch in Güte und mit Ehren beigelegt. So brachte ich
zehn Wochen — von Purim bis zum Wochenfeste 1700 —
in Baiersdorf zu. Die Hochzeit wurde dann im Monat
Siwan mit aller Herrlichkeit der Welt gefeiert; von
beiden Seiten kamen viele wackere Leute und die Hochzeit verlief sehr vergnügt. Der hochgelobte Gott möge
ihnen (dem jungen Paare) Glück und Segen geben, daß
sie in Reichtum und Ehre ihr Leben dahinbringen[8]), bis

---

[8]) Moses Hameln kam wirklich später zu großer Ehre
und wurde Rabbiner in Baiersdorf. (Siehe Einleitung, S. 7.)

der Erlöser kommt, und möge ihnen treffliche Nachkommen geben, die sich mit der Gotteslehre beschäftigen.
In ihren und in unseren Tagen möge Gott uns helfen
und uns den Messias senden! Amen!

Nach der Hochzeit machte ich mich auf den Weg
nach Metz und glaubte mich auf meine alten Tage in einen
guten, ruhigen Stand zu begeben und in einer so frommen
Gemeinde meiner Seele wohlzutun. Ich habe mir in
Baiersdorf einen Mann gedungen, namens Koppel, der
dort Synagogendiener war; der sollte mich bis Frankfurt
begleiten; denn mein Mann hatte mir nach Baiersdorf geschrieben, daß er mir nach Frankfurt jemanden aus Metz
schicken wolle, der mich bis Metz akkompagnieren sollte.
So reiste ich denn mit meiner Tochter Mirjam und dem
Koppel nach Bamberg. Mein Sohn Moses wollte mit mir
bis Bamberg reisen, aber ich habe es nicht gelitten, da
es noch in seiner Hochzeitswoche war. So nahmen
wir denn schmerzlichen Abschied voneinander und wein-
ten beide sehr. Ich war zwar voll Freude, daß ich meinen
Sohn in Ehren unter den Trauhimmel geführt und ihn
Gottlob in gute Verhältnisse hineingebracht hatte, und
in Wirklichkeit weinte das Auge und das Herz war froh.
Aber die Natur kann es nicht anders machen. So kam
ich denn nach Bamberg und blieb nur eine Nacht dort.
Am andern Morgen nahm ich eine Kutsche, die ich schon
längst in Bamberg bestellt hatte, und machte mich auf
den Weg nach Frankfurt. Ich konnte es aber nicht ver-
wehren, daß mein Sohn Samuel mit mir bis Würzburg
ritt. In Würzburg nahmen wir voneinander ewigen Abschied und uns beiden lag der Gedanke in unseren betrübten Herzen, daß wir uns in dieser Welt nicht mehr

wiedersehen sollten, wie an seinem Ort erwähnt werden wird. Dann zog ich weiter meines Weges und kam Freitag, den 20. Siwan 5460 (=11. Juni 1700), glücklich nach Frankfurt. Dort fand ich einen Familienvater aus Metz mit Namen Leser und einen Brief von meinem Manne. Er schickte uns Lebkuchen und andere Kleinigkeiten für die Reise und schrieb gar höflich, so daß ich mir mein großes bevorstehendes Unglück nicht habe träumen lassen. In Frankfurt hat man mir alle mögliche Ehre angetan, die man einer Frau nur antun kann, sowie man mir auch auf dem ganzen Wege, auf dem ich gereist bin, alle mögliche Ehre angetan hat, mehr als ich wert gewesen bin. Besonders große Ehre und viel Gutes habe ich in Fürth gehabt[9]). Dieser Ort ist nur drei Meilen von Baiersdorf entfernt. Dorthin hatte mir mein Sohn Nathan die Mitgift meines Sohnes Moses und das bißchen Geld, das ich noch übrig hatte, (es war gar wenig) an den reichen Gabriel Levi überwiesen. Soll ich nun schreiben, was für Ehre ich von seinem ganzen Hause hatte? Ich kann nicht genug davon schreiben. Nicht genug, daß die ehrlichen Leute große Mühe mit mir gehabt haben um das Geld für die Wechsel aufzunehmen; sie haben es mir auch zum Teil gegeben, zum Teil es nach meiner Ordre an andere Plätze geschickt. Denn ich hatte das Geld meines Sohnes Moses bis zu seiner Hochzeit an verschiedene Leute auf Zinsen ausgeliehen — der Schwiegervater meines Sohnes Samuel, Moses Brilin in

---

[9]) Fürth liegt nicht auf der Strecke von Baiersdorf nach Bamberg, sondern 3 Meilen südlich von Baiersdorf. Glückel scheint also den Abstecher nach Fürth vor Beginn ihrer Reise nach Bamberg und Frankfurt gemacht zu haben.

Bamberg, hatte mir zu Gefallen 1000 Taler auf Zinsen genommen, der Rabbiner Mendel Rothschild gleichfalls 1000 Taler und Loeb Biber aus Bamberg auch 1000 Taler. Den Rest haben wir für ihn in Baiersdorf auf Zinsen verliehen. Nachher habe ich mit dem reichen Gabriel Levi abgerechnet und wollte ihm, wie sich's gehört, meine Provision zahlen. Aber er wollte keinen Pfennig nehmen und sagte, das sei kein Geld von Geschäften, das sei eine Pflichtsache und ein gutes Werk. Ich habe ihm zwar viele Gründe gebracht. Aber — kein Gedanke — er hat nicht einmal Postgeld[10]) verrechnet. Gott wolle es ihm bezahlen!

Nun wieder zu unserer Reise zu kommen — Montag bin ich mit meinem Geleitsmann Leser von Frankfurt weggereist. In Frankfurt habe ich auch noch den Liebermann aus Halberstadt gefunden, der von Halberstadt nach Metz reiste um seinen alten Vater Abraham Speyer zu besuchen, und auch den Arzt Hirz [Wallich]. Diese sind mit mir in Gesellschaft nach Metz gefahren und wir haben eine sehr hübsche Reise gehabt.

Zwei Meilen, bevor wir nach Metz gekommen sind, hat mein Mann seinen Schreiber zu Pferd geschickt. Der ist neben unserm Wagen hergeritten, bis wir in das Gasthaus gekommen sind. Er hat allerlei Speise und Trank bei sich gehabt, soviel er auf seinem Pferde fortbringen konnte. Dieser Schreiber, Lemle Wimpfen, hat mir im Auftrage meines Mannes sein Kompliment gemacht. Nachdem wir gegessen und getrunken hatten, sind wir noch ungefähr zwei oder drei Stunden weiter gereist

---

[10]) Das Postgeld für die Uebersendung der Geldbeträge.

und der abgesandte Lemle ist nachts bei uns geblieben. Aber ehe wir uns haben zur Ruhe begeben wollen, hat er von uns Abschied genommen; er müsse zu guter Zeit in Metz sein. Jener Ort, wo wir gelegen sind, ist keine 5 Stunden von Metz entfernt gewesen. Aber obwohl ich alles Herrliche und Gute und dem Anschein nach allen Reichtum vor mir gesehen habe und obwohl die Briefe meines Mannes voll Ehrfurcht und Vergnüglichkeit waren, so bin ich doch — Gott weiß es — nicht ohne Schwermut gewesen. Ob mir mein betrübtes Herz das [schlimme] Ende zugetragen hat oder ob mir doch weh gewesen ist, daß ich mich zu einem anderen Manne begeben sollte? Aber die Betrachtung ist viel zu spät gewesen. So habe ich denn meinem Unmut und meinem bekümmerten Herzen großen Zwang antun müssen um solches zu verbergen.

Als wir nun Freitag, den 22. Siwan, eine Stunde vor Metz gekommen sind, da kommt der Schreiber Lemle Wimpfen wieder angeritten und noch einer mit ihm; sie ritten neben einer Kutsche, in der drei vornehme Frauen saßen: die Rabbinerin von Metz[11]; die Frau des Rabbiners R. Ahron [Worms][12]) und die reiche Jachet, die Mutter meines Schwiegersohns[13]). Diese haben mich dort auf das allerangenehmlichste mit allen Ehren

---

11) wahrscheinlich die Gattin des damaligen Rabbiners Gabriel Eskeles (Kaufmann, S. 295, Anm. 1).

12) Ahron Worms war früher Rabbiner in Mannheim und Neu-Breisach gewesen und lebte damals als einer der angesehensten Talmudgelehrten in Metz. Vgl. S. 294. Kaufmann, Samson Wertheimer, S. 90.

13) Agathe, die Gattin Abraham Krumbach-Schwabs, siehe S. 157 ff.

empfangen; ich habe mich in ihre Kutsche setzen müssen und wir sind so zusammen nach Metz gefahren. Dieses war zwar eine große Ehre, daß drei so vornehme Frauen mir geringen Frau entgegengekommen sind; aber diese Ehre ist mir [später] sehr versalzen worden. Als ich nun unweit Metz war, kam uns meine Tochter Esther entgegen, die hochschwanger war und sich in einer Sänfte ihrer Mutter entgegentragen ließ. Ich stieg im Hause meines Schwiegersohns Moses ab, der damals im Hause der Bela Krumbach wohnte — mein Schwiegersohn war damals nicht zu Hause, er war in Paris. Nun gingen die vornehmen Frauen, die mir entgegengefahren waren, wieder heim mit höflicher Entschuldigung, da es schon kurz vor dem Einzug des Sabbat wäre. Ich sprach ihnen für so große Ehre und Bemühung meinen Dank aus, so gut ich es konnte und die aufrichtige deutsche Art es mich gelehrt hatte[14]). Darauf machte meine Tochter mir eine Suppe, damit ich etwas essen sollte. Aber mein Herz war mir so schwer, daß ich selbst nicht wußte, woran es mir fehlte. Ich schrieb es bei mir selbst den Reisestrapazen zu.

Eine Stunde danach kam mein Bräutigam mit dem reichen Vorsteher Abraham Krumbach; sie bewillkommneten mich, blieben ein wenig dort und gingen dann wieder ihres Weges. Zuerst wußte ich wahrhaftig nicht, wer der Bräutigam wäre — denn ich hatte beide mein Leb-

---

14) Gl. hebt hier und noch öfter die einfache, aufrichtige deutsche Art gegenüber den Komplimentierkünsten der Franzosen hervor. In Metz, das seit 1552 französisch war, hatte sich namentlich im Zeitalter Ludwigs XIV. die — damals in Europa mustergültige — feine französische Sitte und Lebensweise vollkommen eingebürgert.

tag nicht gesehen[14a]) — wenn nicht der Vater meines Schwiegersohns, der reiche Abraham Krumbach, im Scherz gesagt hätte: ich solle mich nicht irren und meinen, daß er der Bräutigam wäre — was ich mit Stillschweigen beantwortete. So verging die Zeit und es wurde Sabbat. Ich ging aber nicht in die Betschule; meine Tochter Esther ging hin, wie überhaupt jeder von ihr bezeugen konnte, daß sie nie die Betschule versäumt hat. Was für einen guten Namen sie bei jedermann hatte, ist nicht zu beschreiben. Das war auch alle meine Freude und all mein Trost in Metz, so lange Gott sie gesund ließ. Während der Zeit des Betens kamen meine Stiefkinder und begrüßten mich; ich kannte sie aber nicht, es war auch niemand gegenwärtig, den ich darum befragen konnte. So sagte ich zu ihnen: „Ich weiß nicht, von wem mir diese Ehre zukommt, da ich fremd bin und keinen kenne." Da sagte Hendele: „Kennt Ihr uns nicht? Ihr sollt ja unsere Mutter sein." Darauf sagte ich zu ihnen: „Wenn ich eure Mutter sein soll, so werdet ihr auch meine Kinder sein." Nach etlichen wenigen Worten gingen sie, da man schon aus der Betschule zurückkam, wieder in aller Höflichkeit fort. Als meine Tochter aus der Betschule kam, setzten wir uns zu Tisch. Jesaias Krumbach war bei meiner Tochter. Als wir gegessen hatten, kam der Bursche Salomo, der so eine Art Kammerdiener bei meinem Manne war, und die Dienerin und hatten zwei große vergoldete Platten. In der einen waren die besten und schönsten Konfekten,

---

[14a]) Damit steht die Angabe (S. 186) im Widerspruch, daß Abraham Krumbach zur Hochzeit seines Sohnes nach Amsterdam gekommen und dort mit Glückel zusammengetroffen sei.

in der anderen die besten Früchte, sowohl ausländische, wie Limonen und Apfelsinen, als auch die besten inländischen Früchte. Darauf lag eine goldene Kette mit einem Stück Gold und zwei ganz große vergoldete Becher mit Wein. Das war mein Sabbatobst; es war etwas sehr Rares. Ich dachte mir in meinen schweren Gedanken: Gäbe Gott, daß das Ende so gut sei wie der Anfang! Aber — mein Gott und Herr — aus der goldenen Kette sind leider wirklich Stricke und eiserne Bande geworden. Ungefähr eine Stunde danach kam mein Bräutigam und die Mutter meines Schwiegersohns, die reiche Frau Jachet; sie saßen etwa eine halbe Stunde bei uns; dann ging ein jeder wieder nach Hause. Ich sah nun zwar, daß alles herrlich und magnifique zugeht, und hätte mich mehr freuen sollen statt meinen schweren, unmutigen Gedanken nachzuhängen. Es beneidete mich ja jedermann und alle sagten mit voller Ueberzeugung: ich müßte viel Gutes getan haben, daß ich so glücklich wäre und zu einem so guten, wackeren Mann und einem solchen Reichtum käme. Dennoch ist mein besorgtes Herz nicht recht ruhig gewesen und das Ende hat mir leider Recht gegeben. Am Sabbat Morgen hat man meine Tochter Mirjam durch meine Stieftochter Fummet rufen lassen und ihr als Sabbatobst ein goldenes Kettchen gegeben. So ist alles herrlich und gut zugegangen. Alle Briefe, die mein Schwiegersohn aus Paris an meine Tochter geschrieben hat, sind lauter Rekommandation gewesen, daß meine Tochter mich gut bewirten solle, und die Briefe sind lauter Liebe und Anhänglichkeit gewesen, wie es auch hat sein sollen. Aber die Liebe hat nicht länger gewährt, als „bis der

Tag verweht und die Schatten fliehen" (Hohelied 2,17), wie an seinem Orte alles folgen wird. Mein Schwiegersohn hat gemeint, er hätte vielleicht ein gar gutes Werk verrichtet und ich würde sehr gut ankommen [15]).

Die Woche ist so hingegangen, ohne daß etwas Besonderes passiert ist. In der anderen Woche, am Donnerstag, am Neumondstage des Tamus, ist die Hochzeit gewesen. Man hat mich am Morgen aus dem Hause meiner Tochter in das benachbarte Haus meines Mannes geführt. Dort habe ich bis nach 12 Uhr mittags gesessen; dann hat mich mein Mann durch einen wertvollen Trauring von einer Unze sich angetraut. Die Rabbinerin Breinle und die reiche Frau Jachet sind die Unterführerinnen [16]) gewesen; die Trauung ist in unserem Sommerhöfchen gewesen. Nach der Trauung hat man mich in unsere Kammer vor dem Kabinett geführt, die gar schön möbliert gewesen ist. Dorthin hat man uns Essen und einen Hochzeitskuchen gebracht, wie es in Deutschland üblich ist. Obwohl ich den ganzen Tag nichts gegessen hatte [17]), habe ich es doch nicht übers Herz bringen können [etwas zu genießen]; denn mein Herz ist mir noch zu voll gewesen von dem vielen Weinen [beim Abschied]. Als ich von meiner Tochter Esther weggegangen bin, haben wir beide so viele Tränen vergossen, wie uns zu Mute gewesen ist. Mein Mann hat mich nun in sein Kabinett geführt und mich eine große Schachtel mit allerhand Ketten und Ringen sehen lassen. Aber

---

[15]) d. h. in der Ehe glücklich werden.

[16]) So nennt man die Frauen, die die Braut unter den Trauhimmel führen.

[17]) Nach alter jüdischer Sitte pflegt das Brautpaar am Hochzeitstage bis nach der Trauung zu fasten.

er hat mir doch von jener Zeit an bis jetzt nicht das kleinste Ringchen oder irgendwelche silberne oder goldene Münze gegeben, so daß er sich an mir nicht bankerott gemacht hat. Abends hat man eine prächtige Mahlzeit gemacht, wobei alles wieder aufs herrlichste hergegangen ist. Diener und Jungfern habe ich genug in meinem Hause gefunden und allerwegen, wo ich nur hingesehen und gehört habe, ist vieles im Ueberfluß gewesen.

Sein Kontor hat voll Gold und Silber gesteckt, so daß man nach dem Anschein ganz anderes hätte erwarten sollen, als wie es leider gekommen ist. Er ist schon lange Vorsteher der Gemeinde gewesen und nach seinem Befehl ist man wirklich aus- und eingegangen. Jedermann hat ihn geehrt und gefürchtet, Juden sowohl wie Nichtjuden. In der Woche nach unserer Hochzeit sind die angesehensten Leute gekommen und haben mich bewillkommnet und beglückwünscht. Ich habe mir nichts mehr gewünscht, als daß ich Französisch könnte um einem jeden Rede und Antwort zu geben. So hat mein Mann für mich geredet.

Eine Zeitlang ist so, wirklich in großer Vergnüglichkeit, dahingegangen. Denn es hat mir nichts gefehlt; mein Mann hat mir Geld gegeben, soviel in der Haushaltung auszugeben nötig war. Ich habe aber gefunden, daß die Jungfer im Hause Herr und Meister gewesen ist und daß sie alles unter ihren Händen gehabt hat, alle Speisen, ganze Hüte Zucker und andere Sachen, so daß sie mich gar nicht gefragt hat, was sie kochen oder machen sollte.

Mir hat solches zwar nicht sehr gefallen, da ich es in meiner Haushaltung in Hamburg nicht gewohnt gewesen war, daß man eine Dienerin Herr und Meister sein läßt. Ich habe darum oft mit meinen Stiefkindern und meiner Schwägerin Freudchen geredet. Aber sie sagten mir alle, daß die selige Blümchen[18]) sie über alles hätte herrschen lassen und ihr alles unter Händen gelassen hätte, da sie an ihrer Treue nicht zweifelte. Als ich in mein Haus kam, fand ich zwei Diener und zwei Dienerinnen und dabei noch verschiedene Handlanger und Läufer[19]). Obwohl mir solches alles nicht sehr gefallen hat, hat man es mir doch ausgeredet und gesagt, daß das alles noch wenig wäre im Vergleich zu der Zeit, wo die erste Frau meines Mannes noch gelebt hätte. Wirklich haben meine Stiefkinder, die schon verheiratet waren, solches gar oft beseufzt und haben mir auch gar oft anzuhören gegeben, was für Gutes und Angenehmes sie von ihrer seligen Mutter gehabt hätten. Einigen von ihnen hatte sie wirklich ihre Haushaltung ganz ausgehalten. Ich konnte nun solches nicht tun und habe meinen Stiefkindern nichts anderes von Eßwaren geschickt, als was öffentlich war, wenn wir irgend etwas Besonderes gehabt haben. Wenn ich am Freitag für 1/4 Reichstaler oder 1 Livre[20]) Sabbatobst gekauft habe, hat man mich ausgelacht und gesagt, daß sonst immer für mehr als einen Reichstaler Sabbatobst gekauft und jedem Kinde ganze Körbe voll ins Haus geschickt worden seien. Ich habe mir solches eine Zeitlang gefallen lassen und habe doch Gott gedankt und gemeint mein langes

---

[18]) Blümchen war Cerf Levys erste Gattin.

[19]) So die Lesung nach Landau, a. a. O., S. 41/42. Läufer = Ausläufer. Kaufmann liest hier: Livrées.

[20]) Livre (L. tournois) war eine alte französische Silbermünze, die erst 1795 durch den ungefähr gleichwertigen Franc ersetzt wurde.

Warten in meinem betrübten Witwenstand gut angelegt
zu haben, wenn mir auch, wie schon erwähnt, alles nur
eine „Freude mit Zittern"[21]) gewesen ist. Mein Gatte
ist doch ein wackerer Mann gewesen und, wie er vorgegeben, auch ein reicher Mann. Ich habe auch bei
ihm so viel rares Silber und Gold gesehen wie bei keinem
reichen Mann in ganz Deutschland. Ich habe auch gesehen, daß der Mann ein großes Geschäft führte und
sehr richtig in seinen Sachen war und daß keiner,
der Geld von ihm zu bekommen hatte, zweimal gekommen ist um ihn zu mahnen und daß er alles
sofort mit dem größten Respekt bezahlt hat. Er hat
allen Leuten, Juden und Nichtjuden, an allen Plätzen
Kredit gegeben und hat große Geldsummen in der Gasse
verliehen gehabt. Außerdem hat man ihn für einen so
treuen und zuverlässigen Mann gehalten, daß jeder, der
Geld an einem sicheren Platze bewahren wollte, es zu
meinem Manne gegeben hat. So hat auch mein Schwiegersohn Moses, da er einige Wochen, bevor ich hierher kam,
nach Paris reisen mußte, alles Seinige genommen und es
für die Zeit seiner Abwesenheit meinem Manne in Ver-
wahrung gegeben. Er hat es also lieber bei meinem
Manne als bei seinem Vater gehabt. Denn man hat
meinen Mann nicht nur für reich sondern auch für
sehr zuverlässig und ehrlich gehalten, so daß ich wenig
daran zu zweifeln hatte, daß ich mich gut verheiratet
hätte[22]). Zwar hat mein Mann bei Nacht viel gestöhnt

[21]) Wendung nach Psalm 2, 11.
[22]) Glückel sagt: daß ich wenig zu zweifeln gehabt, daß
ich n i c h t nach Wunsch gut angekommen wäre. Die über-
flüssige Negation scheint durch die Konstruktion von douter
im Französischen beeinflußt zu sein.

und ich habe ihn verschiedene Male gefragt, was ihm fehle. Er hat aber immer gesagt, daß ihm nichts fehle, es sei so seine Natur und Gewohnheit. Ich habe auch die Kinder und meine Schwägerin Freudchen gefragt, was das bedeute; denn ich habe mir anfangs eingebildet, da alle Welt mir sagte, daß er mit seiner ersten Frau so gut gelebt hatte — daß er diese noch nicht vergessen könnte. Aber sie haben mir alle gesagt, daß sie solches (d. i. das Stöhnen und Jammern) bei ihm gewohnt wären und daß er es zu Lebzeiten seiner ersten Frau auch getan hätte. Da habe ich mich zufrieden gegeben und es hat mich nur zuweilen verdrossen; aber ich wußte ja nicht, daß hinter seinem Stöhnen solche Sorgen steckten. Sein Schlafen und sein Essen ist sehr unruhig gewesen.

Als ich nun ungefähr acht Wochen hier war, ist meine Tochter Esther zu gutem Glück mit einem Sohn ins Kindbett gekommen, worüber ich sehr erfreut gewesen bin. Denn meine Tochter hat keine Kinder mehr gehabt; es waren ihr mehrere schöne Kinder gestorben. Daher haben wir uns alle mit dem lieben Kind — Gott behüte es — gefreut. Mein Mann und ich haben die Gevatterschaft gehabt. Mein Mann hat ihnen auch ein, kostbares Gevattergeschenk gegeben, eine Schale, die innen und außen vergoldet war [im Gewicht] von drei Unzen. Als meine Tochter aus dem Kindbett gehen sollte, hat er ihr eine Dublone[23]) als Kindbettgeschenk geschickt. Bei der Beschneidung ist sie schon aufgewesen und hat alles versehen helfen. Am dritten Tage nach der Beschnei-

---

[23]) frühere spanische Goldmünze im Werte von 66 M.

dung hat sie selbst gekocht[23a]), so daß sich ein jeder gewundert hat. Ihre Schwiegermutter Jachet hat mir über ihr gutes Kochen und ihre guten Anordnungen auch viele Male gesagt: „Ich muß gestehen, daß Esther besser kochen kann als ich." Wirklich hat Jachet, wenn sie etwas Gutes gekocht haben wollte, meine Tochter Esther rufen lassen; sie hat es ihr kochen müssen.

Den Ruf von Frömmigkeit, Sittigkeit und aller Tugend, den meine Tochter bei arm und reich gehabt hat, kann ich nicht beschreiben. Sie ist zwar oft traurig über den Verlust der vielen Kinder gewesen, hat sich aber solches nicht viel merken lassen. In ihrer Haushaltung ist sie sehr vorsichtig, karg und genau gewesen; es ist aber alles immer mit Ehren zugegangen. Sie hat allezeit einen Hausrabbiner und einen Talmudjünger an ihrem Tisch gehabt und arm und reich Zucht und Ehre angetan, so daß ich Ursache genug gehabt hätte mich zu freuen. Aber daß sich Gott erbarme über unsere Freude und unser wankelmütiges Glück, welches der Anfang von meiner Trübsal und meinem Leid in Metz gewesen ist. Denn am Versöhnungstag ist mein Enkel Elia krank geworden und hat viele schwere Anfälle gehabt, die wohl acht Tage dauerten. Wir haben an dem lieben Kind so viele Schmerzen gesehen, daß ich oft Gott im Herzen gebeten habe dem lieben Kinde seine großen Leiden zu kürzen. Denn kein Arzt oder [anderer] Mensch hat gemeint, daß es davonkommen würde. Aber der allgütige Gott hat sich in einem Augenblick erbarmt

---

[23a]) Die festliche Bewirtung der Frauen am dritten Tage nach der Beschneidung ist in manchen Gegenden noch üblich. (Mitteilung von Herrn Direktor Dr. Deutsch in Fürth.)

274

und ihm seine Heilung geschickt: woraus zu ersehen ist, daß Gott helfen kann, wenn alle menschliche Hilfe schon verloren ist, und daß er mit seiner Hilfe alle Doktoren und Weisen zu Narren macht, wie es heißt (2. B. M., 15,26): „Denn ich, der Ewige, bin dein Arzt." Den lobe und dem danke ich allezeit und der große, gütige Gott möge geben, daß seine Eltern ihn zur Thora, zur Hochzeitsfeier und zu guten Werken erziehen! Amen! Nun kann man wohl denken, was meine Tochter für eine Freude gehabt und was sie für Spenden für das Leben des lieben Kindes gegeben hat — offen und heimlich. Denn mein Schwiegersohn war, wie auch andere Leute mehr, sehr auf das leidige Geld erpicht ...

... Der Groschen, der ehrlich gewonnen wird, kommt einem schwer an. Aber man muß in allem einen Unterschied wissen, wie man sich zu verhalten hat; denn dieses ist ein allgemeines Sprichwort: „Alle Kargheit bereichert nicht und mäßige Mildtätigkeit macht nicht arm." Alles geschehe zu seiner Zeit: Geld ausgeben und auch Geld sparen. Der Holländer sagt: „Chelt autzuheben in siner tid, dat makt profit[24]." Man findet nichtjüdische Weise, die sehr viel von solchen Sachen gar schön beschreiben.

---

[24] = Geld auszugeben in seiner Zeit das bringt Profit. Die Kenntnis des Holländischen, die aus der Anführung dieses Sprichwortes hervorgeht, verdankte Gl. wohl ihrem Geschäftsverkehr mit Holland oder mit den in Hamburg zahlreich wohnenden Niederländern. „Schon die Wiedergabe des holländischen g durch ch deutet darauf hin, daß sie die Sprache durch mündliche Uebung, nicht durch die Schrift kennen gelernt hat." Landau, Die Sprache der Glückel von Hameln, Mitteilungen der Gesellsch. f. jüd. Volkskunde, Jahrgang 1901, Seite 25.

Das (d. i. die schwere Erkrankung des kleinen Enkelchens) war der erste Sturm, den ich hier ausgehalten habe. Aber es ist — Gott erbarme sich — nicht dabei geblieben; denn es erging mir wie jenem, der vor dem Todesengel entlaufen und nach Lus[25]) gehen wollte, wo die Leute nicht sterben. Als er in hohem Alter unter das Tor kommt, sagt der Todesengel zu ihm: „Du bist mir da recht in meine Hand gekommen, daß ich dich töten kann; ich habe nirgends Macht über dich gehabt als hier." So ist es mir leider ergangen. Ich bin von Hamburg, von meiner Heimat, von meinen Kindern und Freunden weggezogen und habe mir gedacht: ich will so weit von ihnen wegziehen, damit ich nichts Böses von ihnen sehen kann. Aber du, gerechter Gott, hast mir gezeigt und zeigst mir noch, daß ich vor deiner Zornrute nicht hinweglaufen kann. „Wohin soll ich gehen und wohin vor deinem Angesichte fliehen?" Ich sehe wohl, daß ich an einen solchen Ort gekommen bin, wo ich wenig Freude und Befriedigung habe, aber sehr viel Leid und Verdruß an mir und an meinen lieben Kindern hören und sehen muß. Bei alledem erkenne ich Gott als gerechten Richter an; denn Gott gibt mir die Geduld, daß ich bei allen meinen Leiden und Strafen noch menschengleich bin, während doch Gottes Strafe noch viel ärger hätte sein können.

Nicht lange danach habe ich die traurige Botschaft bekommen, daß mein Sohn Loeb im Alter von noch

---

[25]) Von der im Buche der Richter (1, 26) erwähnten Stadt Lus wird im Talmud, Traktat Sukka fol. 53 a und Sota fol. 46 b die Legende erzählt, daß der Todesengel dort keine Gewalt gehabt habe und daß Greise, die des Lebens überdrüssig waren, die Stadt verließen, um außerhalb der Mauern zu sterben.

nicht 28 Jahren gestorben sei[26]). Obwohl ich mit diesem Sohne viel Widerwärtigkeit und Elend ausgestanden hatte, so ist mir doch sein Tod sehr beschwerlich und sauer angekommen, wie dies von Eltern natürlich ist. Man kann von dem frommen König David lesen, daß ihm sein Sohn Absalon viel Böses und viel Herzeleid angetan hat; als er aber mit ihm Krieg führen sollte, befahl er seinen Leuten den Absalon zu schonen, und als er gewahr wurde, daß er ums Leben gekommen, jammerte er sehr und rief siebenmal: „Absalon, mein Sohn!" Dadurch hat er ihn aus sieben Staffeln der Hölle gerettet und in den Garten Eden gebracht. So verzeihe ich auch vom Grund meines Herzens diesem meinem Sohn alles, was er an Jugendstreichen verübt hat. Er hat sich leider verführen lassen und war [sonst] der beste Mensch von der Welt, hat auch gut gelernt und hatte ein jüdisches Herz für arme Leute, daß sein Wohltun einen Namen weit und breit hatte. Aber leider ist er gar zu liederlich in seinem Geschäft gewesen und böse Menschen haben das gemerkt und ihn leider um das Seinige gebracht. Nun will ich ihn ruhen lassen und bitte meinen Gott, er möge ihn das Verdienst der Vorfahren genießen lassen. Was soll oder kann ich tun? Ich muß zu ihm, wenn es Gottes Wille ist, und er kommt nicht zu uns[27]). Dem allmächtigen Gott hat es nicht gefallen mich frühzeitig vor meinem frommen, braven Mann Chajim Hameln hinwegzunehmen, der seinem Alter nach gar wohl noch hätte leben können.

---

[26]) Juda Loeb, Sohn des Chaim Hameln, starb am 17. Tamus 5461 = 1701. (Grabstein Nr. 1221 auf dem alten jüdischen Friedhof zu Altona.)

[27]) Ausspruch des Königs David, als sein kleiner Sohn von der Batseba gestorben ist (2. B. Samuel 12, 23).

Aber „vor dem Unglück wurde der Fromme dahingerafft" (Jesaias 57,1), damit er nicht so viele Sorgen
erleben und so viele Leiden ausstehen sollte. Er ist im
Reichtum gestorben und hat bei seinen Kindern alles
Gute gesehen. Was soll ich viel davon erwähnen? Ich
habe schon genug davon erwähnt. Also will ich hiermit
mein sechstes Buch beschließen. Gott der Allmächtige
möge allen Meinigen und ganz Israel weiter kein Leid
schicken und was wir sündigen Menschen verschuldet
haben, uns mit seiner großen Gnade und Barmherzigkeit
verzeihen und uns ins heilige Land führen, „daß unsere
Augen den Aufbau des Heiligtums und unsere Herrlichkeit sehen"]

———————

Siebentes Buch.

Zusammenbruch des Geschäftes Cerf Levys. Glückels spätere Erlebnisse in Metz.

Nun will ich mit Gottes Beistand das siebente Buch anfangen, welches teils Trübsal teils Vergnügen enthält, wie es so die Ordnung der Welt ist. Gott gebe, daß ich weiter keinen Schmerz von meinen lieben Kindern erlebe, daß ich in meinem Greisenalter alle Freude und ihr Wohlergehen sehen und hören möge. Wie oben erwähnt[1]), hatte ich von meinem Sohne Samuel einen ewigen Abschied genommen. Gott soll sich erbarmen, daß so ein wackerer, junger Mensch schon die schwarze Erde kauen muß! Ich war noch nicht zwei Jahre hier in Metz, als ich leider die traurige Nachricht bekam, daß er das Zeitliche gesegnet habe und in das Ewige eingegangen sei. Was mir das für ein Schmerz und Seelenkummer war, ist Gott bekannt. So einen lieben Sohn in so jungen Jahren zu verlieren! Nicht lange nach seinem Absterben kam seine Frau ins Kindbett und bekam eine Tochter, die Gottlob frisch und gesund und ein schönes Kind ist. Gott gebe, daß wir allerseits viele Freude an ihr erleben! Sie wird jetzt ungefähr drei-

---

[1]) S. 262.

zehn Jahre alt sein[1a]) und soll ein sehr wackeres Menschenkind sein; sie ist bei ihrem Großvater Moses Bamberg.
Meine Schwiegertochter, Samuels Witwe, hat wieder einen
andern Mann genommen, ihn aber nicht lange behalten;
er ist auch gestorben. So hat das gute, junge Weib auch
ihre Jugend bis jetzt miserabel zugebracht. „Wer kann
[zu Gott] sagen: Was tust du?" (Job. 9,12; Kohelet 8,4.)
Ich mag weiter nichts davon erwähnen; es ist mir zuviel
Herzeleid.

Als ich ein Jahr hier war, meinte ich vergnügt
leben zu können, wie es auch den Anschein hatte. Wenn
mein Mann sich noch zwei Jahre hätte halten können,
hätte er sich genügend herausreißen können. Denn zwei
Jahre, nachdem er seinen Kreditoren alles hatte geben
müssen, waren in Frankreich die Geschäfte so gut,
daß die ganze Gemeinde [Metz] davon reich geworden
ist. Mein Mann war sehr klug und ein großer Geschäftsmann und bei Juden und Nichtjuden wohl gelitten. Aber
der allgütige Gott hat es nicht haben wollen und seine
Kreditoren haben ihn gar sehr gedrängt, so daß er über
Bord gehen[2]) und ihnen alles Seinige hat überlassen
müssen. Wenn sie auch nicht einmal die Hälfte von dem
bekommen haben, was er ihnen schuldig war, so sind
sie doch sehr gütig mit ihm gewesen. Obschon ich die
mir bei der Heirat verschriebene Summe von ihm zu

[1a]) Dieses letzte Kapitel der Memoiren ist also 1715 begonnen worden.

[2]) überseit gehen = Bankerott machen (nach Landau, a.
a. O., S. 61). Kaufmann faßt es = ins Jenseits gehen, nicht
in Uebereinstimmung mit den Tatsachen. Denn Cerf Levy
ist erst 1712, 10 Jahre nach dem Bankerott, gestorben.

fordern hatte, so habe ich doch selbst gesehen, daß nichts zu kriegen war. Er hat alles Geld meiner Tochter Mirjam in Händen gehabt; das habe ich von ihm in Schuldbriefen auf andere Juden bekommen. Aber wie sauer und schwer es mir geworden ist, das weiß der hochgepriesene Gott. Auch mein Sohn Nathan hat einige Tausend Reichstaler von ihm zu fordern gehabt; die habe ich auch gesehen zu bekommen und habe darum nicht an meine Eheverschreibung gedacht und mit allem vorlieb genommen, was mir der Allgütige zugeschickt und getan hat, wie der Adler, der seine Kinder auf seine Flügel nimmt und sagt: Es ist besser, daß man auf mich schießt als auf meine Kinder. Was habe ich mich gequält! Mein Mann hat sich verbergen müssen. Als die Kreditoren es gewahr wurden, haben sie drei Gerichtsdiener in sein Haus geschickt; die haben eine Inventur gemacht und alles bis zum Nagel an der Wand aufgeschrieben und versiegelt, so daß sie mir nicht Speise für eine Mahlzeit gelassen haben. Ich habe mit meiner Jungfer[3]) in der Stube gewohnt; darin haben sich die drei Gerichtsdiener auch aufgehalten und sie sind die Meister gewesen, keiner hat aus- und eingehen dürfen. Habe ich am Tage einmal weggehen wollen, da haben sie mich untersucht, ob ich etwas bei mir hätte. In diesem miserablen Zustand haben wir etwa drei Wochen gelebt. Endlich hat mein sel. Mann einen Akkord mit seinen Kreditoren gemacht. Sie haben alles, was er gehabt hat, aufgeschrieben und es ihm in Händen gelassen, damit er

---

[3]) Glückel gebraucht hier stets den französischen Ausdruck Pulcel = pucelle.

einen Ausruf machen[4]) sollte. Da ist kein zinnerner Löffel
bei ihm im Hause gewesen, der nicht aufgeschrieben
wurde, so daß er nichts hat verheimlichen können. Er
wollte auch nichts verheimlichen; denn er hat Gott gedankt, daß er mit seinem Leben davongekommen ist.
Seine Kreditoren haben gesehen, daß er ihnen alles gegeben, was er gehabt hat; da haben sie selbst Mitleid
mit ihm gehabt, als er die Hälfte von dem nicht bezahlen
konnte, was er mit ihnen akkordiert hatte. Sie haben
ihn in Frieden gelassen und ihn nicht scharf gedrängt.
Sie hätten ihn wohl gefangen nehmen können, aber sie
haben gesehen, daß er ein ehrlicher Mann war und daß
ihm nicht das geringste von dem, was er besessen hatte,
übrig geblieben war. Er ist ein sehr wackerer Mann gewesen und war in seinem Wohlstand von allen geliebt
und gefürchtet. Er ist an die dreißig Jahre lang Gemeindevorsteher und Fürsprecher[5]) in Metz gewesen und
hat alles sehr schön geführt, so daß er bei Juden und
Nichtjuden sehr beliebt war. Aber da ihn leider das Unglück betroffen hatte, ist es uns sehr miserabel gegangen,
so daß wir wirklich oft kein Brot im Hause gehabt
haben. Wie vor einigen Jahren hier so große Teuerung
war, habe ich von meinem bißchen Geld zeitweise aus-
gegeben, was für den Haushalt nötig war. Sobald er
Geld bekommen hat, hat er mir solches wiedergegeben.
Mein Schwiegersohn Moses Krumbach hat ihm viel
Gutes getan, obwohl er um mehr als 2000 Taler bei

---

[4]) = eine Auktion veranstalten (siehe S. 146, 181/82).
[5]) Im Original: Schtadlan = Fürsprecher seiner Glaubensgenossen und Förderer aller jüdischen Angelegenheiten.

282

ihm zu kurz gekommen ist. Der allgütige Gott hat das meinen Schwiegersohn auch genießen lassen, so daß er Gottlob wirklich der reichste Mann in der Gemeinde gewesen ist und ein rechtschaffener Mann. Er hat ein „neues Herz" bekommen, so daß er an Verwandten viel Gutes tut, sei es von seiner Seite, sei es von Seiten meiner Tochter Esther. Er ist jetzt Gemeindevorsteher; sein Haus ist für Arme weit geöffnet und alle angesehenen Fremden, die von den vier Enden der Welt kommen, sind bei ihm und er tut einem jeden Zucht und Ehre an, desgleichen seine Frau, meine Tochter Esther. Beide haben gute Herzen und es geschieht aus ihrem Hause sehr viel Gutes. Gott vergelte es ihnen und lasse sie mit ihren Kinderchen bis zu hundert Jahren in Reichtum und Ehre gesund bleiben!

Ungefähr im Jahre 1712[5a]), am 1. Siwan, ist mein Enkel Elia zu Glück und Segen Bräutigam geworden; die Hochzeit wurde auf Siwan 1716 — er komme zum Guten — festgesetzt, da Braut und Bräutigam beide noch sehr jung sind[6]). Gott verlängere ihre Tage und Jahre! Sie bringen mit Geschenken nicht mehr zusammen als ungefähr 30 000 Reichstaler[7]). Der allgütige Gott soll ihnen Glück und Segen geben!

[5a]) Nach anderer Lesart 1714.

[6]) Da dieser Enkel wenige Wochen nach Glückels Ankunft in Metz (1700) geboren war, so war er bei seiner Verlobung erst 12 Jahre alt. Die Heirat hatte, als Glückel dieses schrieb (1715, s. auch S. 291), noch nicht stattgefunden.

[7]) Die Wendung „nicht mehr als" bei der großen Summe scheint humoristisch gefärbt zu sein (M. Sparier in den Blättern für Erziehung und Unterricht, Jahrg. 1913, Nr. 45).

Um nun wieder von meinem sel. Mann zu schreiben — er hat sich in sein Elend nicht gut schicken können. Denn seine Kinder sind damals noch nicht imstande gewesen ihrem Vater vollkommen zu helfen. Sie haben aber getan, was sie konnten. Der Sohn meines sel. Mannes, Rabbi Samuel, ist ein großer Schriftgelehrter und ein in jeder Beziehung tüchtiger und überaus kluger Mann gewesen. Er ist lange in Polen gewesen und hat dort gelernt und den Morenu-Titel[8]) erhalten. Als er aus Polen zurückkam, war ich noch nicht in Metz, sondern ich bin erst einige Jahre danach hierher gekommen. Da habe ich den Rabbi Samuel schon hier in seinem eigenen Hause gefunden.

Mein seliger Mann wie auch Samuels Schwiegervater, der reiche und fromme Abraham Krumbach, haben ihn sehr unterstützt, so daß er sein Lernen fortsetzen konnte. Sie haben ihm auch soweit geholfen und, wie mir scheint, hat die Autorität beider Eltern bewirkt, daß man meinen Stiefsohn als Rabbiner im Elsaß[9]) aufgenommen hat, welches Amt er nach seiner Klugheit sehr gut geführt hat. Er ist auch bei allen Menschen sehr beliebt gewesen. Aber der Ertrag der Stelle konnte nicht für den Gebrauch seines Hauses ausreichen. Denn Rabbi Samuel und seine Gattin Genendel stammten beide aus großen Häusern, die sich gar prächtig geführt und viel Gutes getan haben; da wollten sie auch in demselben Stand bleiben; aber die Rabbinerstelle konnte nicht soviel ein-

---

[8]) Titel für Rabbiner und hervorragende Schriftgelehrte, s. S. 27.

[9]) Samuel Levy war Rabbiner in Colmar. Siehe Kaufmanns Glückel-Ausgabe S. 182, Anm. 4. Kaufmann - Freudenthal, Familie Gompertz, S. 283.

tragen. Da hat sich Rabbi Samuel bei dem Herzog von Lothringen engagiert, der damals seine Hofhaltung in Luneville hatte; denn damals fing der Krieg zwischen dem Könige von Frankreich und dem Kaiser nebst seinen Alliierten[10]) an, die ich nicht nötig habe mit Namen zu nennen, da allen wohlbekannt ist, wer sie gewesen sind.

Zu dieser Zeit hat Rabbi Samuel die Münze von dem erwähnten Herzog übernommen. Hierfür brauchte er zum Zwecke der Geschäftsführung ein großes Kapital, das er nicht allein aufbringen konnte. Ein halbes Jahr bevor er die Münze übernahm, hatte er einen Kram angefangen. Zu diesem war auch ein großes Kapital nötig, denn der Herzog und der ganze Hofstaat kauften alles bei ihm, denn er stand bei dem Herzog und allen seinen Ratgebern in großer Gunst, wie er auch wirklich so ein Mensch ist, der Gunst findet in den Augen Gottes und der Menschen. Aber er konnte den Kram auch nicht allein führen, wie sich's gehört; daher hat er seine beiden Schwäger, die hier in Metz wohnten, zu sich genommen. Der eine von ihnen, Isai Willstadt, der mit der Schwester des Rabbi Samuel verheiratet war, war ein sehr angesehenes Gemeindemitglied, der andere, Jakob Krumbach, der Bruder der Frau des Rabbi Samuel und meines Schwiegersohnes Moses Krumbach, ist auch ein großer und wackerer Mann.

Diese drei Männer haben ihre vornehmen Häuser, die sie in der Judenstraße (in Metz) hatten, stehen lassen und sind nach Luneville gezogen. Sie haben dort mit

---

10) Der spanische Erbfolgekrieg begann im Jahre 1701.

Rabbi Samuel Kompagnie gemacht und große Stücke Waren in ihrem Lager gehabt, die sehr gut abgingen. Sie haben auch anderen Handel gehabt, so daß sie sehr gut dort gesessen haben. Danach hat Rabbi Samuel die Münze bekommen, an der zwar nicht soviel zu verdienen war; aber die Menge hat es ausgemacht, daß doch schöner Verdienst daran war. Zu jener Zeit, als sie die Münze übernommen haben, hat Rabbi Samuel solches seinem Vater geschrieben. Aber meinem Manne hat dieses Geschäft nicht recht angestanden; denn er war überaus klug und wußte, daß ein solches Geschäft nicht gut tun kann und besonders, daß der König von Frankreich so etwas nicht gut leiden konnte. Denn Metz liegt dicht bei Luneville, nur eine Tagereise von dort, und alles Geld [das in der Münze zu L. hergestellt wird] muß hier verkonsumiert werden. — Mein Mann hat das alles wie ein alter, geübter Geschäftsmann betrachtet und auch seinem Sohn ganz genau geschrieben, was für ein großes Kapital dazu gehört und was daraus entstehen kann. Aber alle die drei Genannten sind junge Leute gewesen, die sehr hitzig auf das Geschäft gewesen sind, und sie haben endlich mit dem Herzog einen Vertrag geschlossen ihm eine große Menge Silber zu liefern und die Bezahlung von der Münze in verschiedenen Münzsorten zu bekommen. Eine Zeitlang ist alles glücklich gegangen; aber es ist einigen von ihnen nicht zum Guten ausgeschlagen und für Rabbi Samuel ist es der Untergang gewesen, wie weiter folgen wird.

Ein halbes Jahr haben die drei Gesellschafter ihr Warengeschäft geführt und anderen Handel mit Wechseln und sonstigem, wie es bei Juden Brauch ist, getrieben.

Damals hat hier ein Familienvater mit Namen Moses Rothschild gewohnt. Er war auch ein sehr reicher Mann und hatte schon viele Jahre nach Lothringen gehandelt und war dort bei einflußreichen Männern und bei Kaufleuten sehr bekannt. Da er nun hörte, daß sie (Rabbi Samuel und seine Genossen) so gute Geschäfte machten, ließ er sich auch mit seinem Sohn dort nieder, der ein Schwiegersohn des Rabbi Samuel war. Moses Rothschild hat solches durch die Räte des Herzogs erreicht und sich nicht weit von Luneville angesiedelt; denn er galt sehr viel bei dem Herzog und seinen Räten. Kurz — dieser Moses Rothschild hat sich auch engagiert und Silber an die Münze geliefert. Das hat so einige Zeit gewährt und sie sind mit ihrem Geschäft ganz zufrieden gewesen. Rabbi Samuel hat auch seinem Vater, meinem Mann, in jeder Beziehung viel Gutes getan, so daß er keinen Mangel hatte. Sie haben das Geld von dort hierher geschickt; zuweilen ist es angehalten worden und sie haben es wiederbekommen; zuweilen haben sie es auch nicht wiederbekommen. Unterdessen ist mein Mann immer in Sorge gewesen; denn er hat gesehen, daß großes Risiko und große Gefahr dabei war. Er hat das auch öfter seinem Sohne geschrieben. Solches hat aber nicht helfen können; denn geschehene Dinge sind nicht zu ändern.

Wie nun der Krieg zwischen dem König von Frankreich und dem Kaiser immer heftiger geworden ist, ist vom König ein Verbot gekommen Lothringer Geld ein- oder aus Frankreich auszuführen. Zudem hat der König durch seinen großen Minister hierher an den Herrn

Latandy[11]) ein Schreiben ergehen lassen, das dieser an die jüdische Gemeinde schicken und der Gemeinde vorlesen lassen sollte. Darin waren die fünf in Geschäftsgemeinschaft befindlichen Juden mit Namen genannt, die hier gewohnt hatten und von hier nach Lothringen gezogen waren. Wenn sie dort in Lothringen bleiben wollten, so sollten sie ihr ganzes Leben lang bei verschiedenen schweren Strafen keinen Fuß nach ganz Frankreich setzen. So hatten sie also die Wahl, ob sie wieder hierher nach Metz kommen oder in Lothringen bleiben wollten; hierfür sollten sie einige Monate Bedenkzeit haben. Als dieses den sämtlichen Gesellschaftern zu wissen getan wurde, erschraken sie sehr darüber; denn sie wußten nicht, wie sie sich entscheiden sollten, da ein jeder von ihnen wertvolle Häuser hier stehen hatte und sie auch ihr Wohnrecht in der Stadt nicht gern aufgeben wollten. Zudem hatten sie sich in dem Münzgeschäft mit dem Herzog bei großer Strafsumme stark verpflichtet. Der König schrieb auch: wenn die genannten Juden in Lothringen bleiben wollten, sollte die Gemeinde (Metz) in ihre Bücher einschreiben, daß sie kein Wohnrecht mehr in Metz haben sollten. Sie waren also sehr übel daran. Endlich kam die Zeit heran, daß sie Bescheid geben sollten. Da entschied sich zuerst Isai Willstadt dafür hierher zu kommen; desgleichen tat auch Jakob Krumbach. Ich weiß nicht, wie sie mit dem Herzog gefahren sind[12]). Was sie an Waren in ihrem Laden hatten,

---

[11]) Vermutlich war das der damalige Gouverneur von Metz.

[12]) d. h. wie sie sich mit dem Herzog auseinandergesetzt haben.

בית הכנסת הגדול של קהל קדוש תלמוד תורה של קהל ספרדים פה אמשטרדם

DEN TEMPEL DER JOODEN TOT AMSTERDAM

haben sie untereinander geteilt und sind mit Frau und Kindern und allem Ihrigen hierher gekommen und jeder hat sich wieder in sein Haus begeben. Aber Rabbi Samuel und Moses Rothschild und sein Sohn haben sich resolviert dort zu bleiben. Das hat meinen Mann sehr gekränkt und er hat sich solches sehr zu Herzen genommen, so daß er den Kummer und die Beschwerde nicht aushalten konnte; denn er ist ohnehin ein schwacher Mann gewesen und gar sehr mit dem Zipperlein geplagt gewesen, und wie das noch hinzugekommen ist, hat es ihn gar sehr niedergeschlagen.

Wenn ihn auch sein Sohn Rabbi Samuel keinen Mangel hat leiden lassen und ihm alles geschickt hat, was er brauchte, und an seine Korrespondenten Order gegeben hat, daß man ihm alles geben solle, was er verlangte, so hat doch alles nichts helfen wollen. Rabbi Samuel hat seinem Vater auch einen bewährten Arzt geschickt um einige Heilmittel bei ihm anzuwenden. Der ist auch etliche Tage bei ihm geblieben und hat einige Heilmittel angewendet, hat aber gleich gesagt, daß er ein Mann des Todes ist — was sich auch [als richtig] erwiesen hat. Denn der gepriesene Gott hat ihn zu sich in das Ewige genommen und er ist sicher in die jenseitige Welt eingegangen. Denn er war viele Jahre hindurch Vorsteher gewesen und die Gemeinde ist gar wohl mit ihm zufrieden gewesen und er hat wirklich sein Leben dabei gewagt, wovon viel zu schreiben wäre. Aber ich finde solches nicht für nötig. Er ist zu seiner Ruhe gegangen und hat mich in Elend und Trübsal sitzen lassen. Ich habe wenig Geld für meine Eheverschreibung bekommen, nicht ein Drittel von dem, was mir gebührt. Dennoch — was sollte ich tun? Ich habe alles dem Allgütigen anheimgestellt. Dazumal bin ich noch in dem Hause des Isai Willstadt gewesen, welches meinem sel. Mann zugehört hat, und ich habe vermeint, daß ich in seinem Hause bleiben könnte, so lange ich lebte, was mir Rabbi Isai auch zugesagt hatte. Aber als mein Mann gestorben war und Rabbi Isai mit seiner Frau und seinen Kindern, auch mit seinen Möbeln hierher gekommen ist, habe ich sofort aus seinem Hause gemußt und nicht gewußt, wohin ich soll. Bei meinem Schwiegersohn Moses Krumbach habe ich auch nicht sein können, da er noch nicht gebaut hatte, wie er es jetzt mit Gottes Hilfe getan hat. Also bin ich übel daran gewesen. Endlich hat ein Familienvater namens Jakob Marburg mir ein kleines Kämmerchen bauen lassen, worin ich keinen Ofen oder Schornstein gehabt habe. Ich durfte wohl in seiner Küche kochen und auch in seiner Winterstube sein — aber wenn ich zu Bett gehen oder sonst in meine Kammer gehen wollte, mußte ich zweiundzwanzig Treppen hinaufsteigen, was mir gar schwer angekommen ist, so daß ich die meiste Zeit unpäßlich gewesen bin. Mein Schwiegersohn Moses hat mir einen Krankenbesuch gemacht — es ist im Tebet (= Januar) 1715 gewesen — und hat zu mir gesagt, ich sollte in sein Haus kommen; er wollte mir ein Zimmer geben, das an der Erde wäre, so daß ich nicht die hohen Stiegen zu steigen brauchte. Aber ich habe mich dessen auch geweigert, da ich aus verschiedenen Gründen niemals gern bei meinen Kindern habe sein wollen. Aber auf die Dauer habe ich es doch nicht länger aushalten können. In jenem Jahre ist eine große Teuerung gewesen und ich habe eine Jungfer

halten müssen; bei der Gemeinde hat es auch Geld gekostet, so daß ich endlich angenommen habe, was ich
lange zurückgewiesen hatte, und zu meinem Schwiegersohn Moses Krumbach gezogen bin. Solches ist ungefähr im Jahre 1715 gewesen und dieses schreibe ich
im Tamus desselben Jahres. Mein Schwiegersohn und
meine Tochter — sie sollen leben — und die Kinder —
Gott beschütze sie — sind wohl mit mir zufrieden gewesen. Soll ich nun schreiben, wie mich mein Schwiegersohn und meine Tochter halten? Davon kann ich nicht
genug schreiben. Der allgütige Gott soll es ihnen bezahlen! Sie tun mir alle Ehre in der Welt an. Von allem
wird mir das Beste aus der Schüssel vorgelegt, mehr, als
ich mir wünsche und begehre, und ich fürchte, daß mir
solches Gott behüte an meinen Verdiensten, deren ich
gar wenig habe, abgezogen wird. Wenn ich zu Mittag
zum Essen nicht da bin, da man präzis 12 Uhr ißt,
und um diese Zeit sagt man in der Synagoge eine Stunde
lang Psalmen für die Seele seiner frommen Mutter, der
verstorbenen Jachet — was jetzt schon lange eingeführt
ist und vielleicht bis zur Ankunft des Erlösers dauern
wird — wenn ich dann von der Synagoge heimkomme,
finde ich mein Essen, drei oder vier Gerichte, alle möglichen Leckerbissen, die mir gar nicht gebühren. Ich sage
meiner Tochter oft: „Laß mir doch nur ein wenig stehen."
Aber meine Tochter antwortet mir: „Ich koche um deinetwillen nicht mehr oder weniger" — was auch die Wahrheit ist. Ich bin noch in vielen Gemeinden gewesen,
aber ich habe noch nicht so eine Haushaltung führen
sehen. Es wird alles einem jeden mit wohlwollendem
Auge und in Ehren gegeben, sowohl Plettengästen als

ganz ehrlichen Gästen[13]). Der allgütige und hochgepriesene Gott wolle sie nur dabei erhalten, daß sie solches bis zu hundert Jahren in Gesundheit und Frieden, in Reichtum und Ehre ausführen sollen!

Soll ich viel schreiben, was sonst hier passiert oder ob die Gemeinde fromm lebt, so kann ich nur schreiben: Als ich hierher gekommen bin, ist Metz eine sehr schöne, fromme Gemeinde gewesen und die Vorsteher lauter ehrwürdige Leute, welche die Gemeindestube wirklich geziert haben. In jener Zeit ist in der Gemeindestube keiner gewesen, der eine Perücke aufgehabt hat[14]), und dazumal hat man auch nichts davon gewußt, daß man aus der Judengasse heraus vor dem nichtjüdischen Gericht einen Prozeß führen sollte[15]). Wenn auch bisweilen manche Differenzen vorgekommen sind, wie es leider bei Juden so üblich ist, so sind solche doch alle bei der Gemeinde oder bei dem Rabbinatsgericht geschlichtet worden. Es hat auch nicht so großer Hochmut geherrscht

---

[13]) Die Anweisungen, durch die den Familienvätern arme Fremde als Gäste zugewiesen wurden, nannte man Pletten (= Billette). Siehe oben S. 126, Anm. 20. Güdemann, Erziehungswesen bei den Juden in Deutschland, S. 102. Berliner, Aus dem Leben der deutschen Juden im Mittelalter, S. 115. Im Gegensatz zu den gewohnheitsmäßigen Bettlern, die sich solcher Anweisungen bedienten, werden die Gäste, die sonst zu Tisch geladen wurden, als „ehrlich" bezeichnet. Vgl. die Bezeichnung „unehrliche Leute" für Leute mindergeachteter Stände, zu denen auch fahrende Sänger und Schauspieler, Gaukler, Seiltänzer usw. gehörten.

[14]) Diese Mode aus der Zeit Ludwigs XIV. hat sich also gegen Ende dieser Periode auch bei den angesehenen Juden in Metz eingebürgert.

[15]) Anspielung auf den Prozeß, den Jacob Krumbach-Schwab gegen die Gemeinde und das Rabbinat Metz geführt hat. Kaufmann, zur Stelle. (Vgl. S. 314, Anm. 7.)

wie jetzt; man hatte sich auch nicht an so kostbare Speisen gewöhnt wie jetzt. Ihre Kinder haben sie zum Lernen angehalten und wiederholt die bedeutendsten Rabbiner dort gehabt. Zu meiner Zeit ist der hochgelehrte Rabbi Gabriel [Eskeles] Rabbiner und Oberhaupt der Talmudschule gewesen. Von seiner großen Frömmigkeit brauche ich nicht viel zu schreiben, da sie weltkundig ist, und es steht mir auch nicht an seine Vorzüge zu rühmen, von denen ich nicht die Hälfte und nicht einmal den zehnten Teil beschreiben könnte. Der Sohn des erwähnten Rabbiners hat sich mit der Tochter des reichen und vornehmen Samson Wertheimer in Wien verheiratet; die Mitgift mit den Geschenken ist mehr als 30 000 Reichstaler gewesen. Rabbi Gabriel Eskeles ist damals mit der Rabbinerin, seinem Sohne Loeb und dem Bräutigam Rabbi Berisch nach Wien gereist und hat dort die Hochzeit mit großer Herrlichkeit gefeiert, daß es noch nie unter Juden so prächtig zugegangen ist. Aber was soll ich lange von dieser Materie sprechen, da ich doch nicht alles vollständig beschreiben kann? Also lassen wir es lieber bei dem wenigen bewenden, da solches doch weltkundig genug gewesen ist. Der fromme und außerordentlich gelehrte Rabbi Gabriel hat von seiner Gemeinde Erlaubnis gehabt ein Jahr auszubleiben. Man hat hier nicht geglaubt, daß er ein ganzes Jahr ausbleiben werde. Aber aus dem einen Jahr sind nahezu drei Jahre geworden. Als das Jahr aus war, hat ihm die Gemeindeverwaltung mit der größten Ehrerbietung von der Welt geschrieben, er möchte doch wieder in Frieden an seinen Ort kommen und sein Rabbinat hier wieder antreten; denn die Gemeinde wäre hier wie eine Herde ohne Hirten und eine solche Gemeinde könne nicht gut ohne Rabbiner sein. Es sind zwar wackere Leute, große Thoragelehrte und weise Männer hier gewesen und unter ihnen insbesondere der Fürst der Thora, der ehrwürdige Rabbi Ahron [Worms][15a]), der viele Jahre Rabbiner in Mannheim und dem zugehörigen Lande und auch im Elsaß gewesen ist.

Dieser Rabbi Ahron hatte sich mit dem Schwiegersohn des Rabbi Gabriel verschwägert: dessen Tochter hat den Sohn des Rabbi Ahron, der Rabbiner im Elsaß war, genommen. Also hat sich Rabbi Ahron zu der Partei des Metzer Rabbiners Rabbi Gabriel gehalten und hat oftmals vorgegeben, daß Rabbi Gabriel kommen werde. Denn Rabbi Ahron war ein außerordentlich kluger Mann und sehr bewandert in religiösen und in weltlichen Angelegenheiten und seine Worte wurden sehr gehört. Die Gemeinde hat sich wieder einige Zeit beruhigen lassen. Endlich hat man in Erfahrung gebracht, daß Rabbi Gabriel zum Rabbiner in Nikolsburg ernannt worden sei. Es wäre viel davon zu schreiben, was für große Streitigkeiten dadurch erregt worden sind. Der Sohn Rabbi Gabriels ist hierher gekommen und hat gemeint die Gemeindeverwaltung zu überreden, daß sie noch länger warten solle. Aber nachdem sie gehört haben, daß Rabbi Gabriel sich zum Nikolsburger Rabbiner hat ernennen lassen, hat die Gemeindeverwaltung nebst einer Vereinigung des größten Teils der Gemeindemitglieder danach getrachtet einen anderen Rabbiner zu ernennen. Dadurch haben sie großen Streit erregt; denn

---

[15a]) siehe S. 265, Anm. 12.

die Anhänger Rabbi Gabriels, wie Rabbi Ahron und die Seinen, haben viel getan um die Ernennung eines anderen Rabbiners zu verhindern. Endlich hat die Gemeindeverwaltung mit einer großen Vereinigung von Gemeindemitgliedern sich bei einer hohen Strafsumme fest verpflichtet, da ihr Rabbiner nicht wiederkomme, einen anderen Rabbiner zu wählen. Dieses ist auch geschehen und sie haben einen Rabbinatsbrief in allen gebührenden Ehren an den hochgelehrten damaligen Prager Oberrabbiner Rabbi Abraham [Broda] geschrieben und dieses Schreiben durch einen besonderen Boten an ihn geschickt. Nach einiger Zeit und nachdem er in einigen Punkten Aenderungen [an dem Kontrakt] vorgenommen, die ihm die Gemeindeverwaltung bewilligt hat, hat der erwähnte Rabbiner hierher geschrieben, daß er kommen wolle. Ob nun der hochehrwürdige Rabbi Gabriel solches zu wissen bekommen hat oder ob er wirklich in sein Rabbinat hat wieder kommen wollen — er ist hierher gekommen und hat gemeint durch seinen Anhang sein Rabbinat wieder zu erhalten. Aber ich mag nicht schreiben, wie es hier zugegangen ist. Gott soll einem jeden seine Sünden verzeihen! Mir als einer geringen, schlichten Frau gebührt es nicht von solchen Größen zu schreiben. Gott soll einem jeden verzeihen, der etwas Widerliches in seiner Partei getan hat. Es wären ganze Bücher davon zu schreiben, was jede Partei getan hat um ihre Sache durchzuführen. Gott soll uns die Tugend und Frömmigkeit von beiden Gelehrten genießen lassen! Als nun der hochberühmte Rabbi Gabriel eine Zeitlang hier war und sah, daß nichts zu erlangen war, da die Gemeindevertretung doch den getanen Schritt nicht wieder zurücktun konnte, ist er wieder von hier weggereist — mit großen Ehren; denn in der ganzen Gemeinde sind keine Feinde von ihm gewesen, sondern nur Freunde. Aber sie haben nicht mehr zurückgehen können, nachdem sie den Berufungsbrief schon abgeschickt und der große, hochgelehrte Rabbi Abraham auch schon geschrieben hatte, daß er kommen wolle.

Also will ich meine Feder einziehen und nur schreiben, daß Rabbi Abraham glücklich hierhergekommen ist. Ich brauche nicht zu beschreiben, mit welchen Ehren man ihn hier eingeholt hat, da das wohl weltkundig ist. Man hat ihm wirklich ein neues Haus bauen lassen mit seinem Lehrzimmer und seinem Lehrstuhl und ich meine nach meinen schwachen Begriffen, daß selbige nirgends so sind. Unsere ganze Gemeinde, auch die, die vor seinem Kommen nicht zu seiner Partei gehalten, haben mit dem großen Mann in aller Freundschaft gelebt. Von seiner Persönlichkeit[16]), seinem Lernen und seinen guten Werken wäre viel zu schreiben; es ist der ganzen Welt genügend bekannt, besonders was für eine Gelehrsamkeit er in die Gemeinde gebracht und wie er nichts weiter begehrt hat als Tag und Nacht beständig bei seinem Studium zu sein und die Thora in Israel zu verbreiten. Kinder, die wirklich nichts gelernt hatten, hat er angenommen und so mit ihnen gelernt, daß sie sehr tüchtig geworden sind. Was brauche ich viel davon zu sprechen? Seine Thorakenntnis

---

[16]) Schudt, Jüd. Merkwürdigkeiten IV, 3, 81 (zitiert bei Kaufmann) sagt von ihm: R. Abraham Brodt, ein langer, starker, ansehnlicher Mann der vor etwa zwei Jahren von Metz hierher berufen worden, usw.

ist ja weit und breit bekannt. Aber unsere Freude hat leider nicht lange gedauert; denn der große Gelehrte hat sich in Frankfurt zum Rabbiner wählen lassen. Obwohl die Gemeindeverwaltung gar sehr in ihn gedrängt hat, daß er bleiben solle, und ihm alles hat geben wollen, was sein Herz begehrte, so hat er sich doch nicht entschlossen zu bleiben. Wir haben, seit dieser große Gelehrte von hier fort ist, gar schlechte Zeiten gehabt an Gesundheit und Vermögen. Viele wackere junge Weiber sind leider gestorben, von denen man sonst nicht Böses gehört hatte; es ist ein großes Elend gewesen. Gott soll sich weiter erbarmen und seinen Zorn von uns nehmen und von ganz Israel! Amen!

Ich kann mich nicht enthalten von dem Vorfall zu schreiben, der sich in unserer Gemeinde Metz am Sabbat des Wochenfestes im Jahre 5475 (= 1715) ereignet hat, als wir in der Synagoge gewesen sind[17]). Der Vorbeter und große Sänger Rabbi Jokel aus Rzeszow in Polen trug gerade mit lieblichem Gesange das Morgengebet vor. Da hörten viele Männer und Frauen ein Getöse, wie wenn etwas einbräche. Die Frauen oben in der Synagoge meinten, das ganze Gewölbe würde einbrechen und auf sie fallen. Da ist die Furcht gar groß gewesen; dadurch haben die Frauen oben in der Synagoge sich beeilt und herausgehen wollen; eine jede wollte gern die erste sein um ihr Leben

---

17) Ueber die tragische Katastrophe in der Synagoge zu Metz im Jahre 1715 berichtet auch eine 1722 gedruckte, teils hebräisch teils jüdisch-deutsch abgefaßte Schrift des Benjamin ben David aus Krailsheim, aus der Brüll in den Jahrbüchern für jüd. Geschichte und Literatur II, 161 ff. einen Auszug mitteilt. — Die etwas weitschweifige, öftere Wiederholungen enthaltende Darstellung Glückels, die das hohe Alter der Verfasserin verrät, ist im folgenden etwas verkürzt wiedergegeben.

zu retten. Sie drängten sich mit aller Kraft heraus bis zur Treppe und dadurch, daß eine jede vorangehen wollte, sind sie eine über die andere gefallen und haben eine die andere mit den Sohlen, die sie an ihren Füßen hatten, zu Tode getreten. So wurden in einer Zeit von etwa einer halben Stunde sechs Frauen getötet und mehr als dreißig Frauen blessiert, ein Teil von ihnen bis auf den Tod, so daß sie mehr als ein Vierteljahr unter den Händen der Balbierer gewesen sind.

Wenn sie in Ordnung heruntergegangen wären, so wäre keiner von ihnen etwas geschehen. Eine alte, blinde Jüdin ist auch in der Synagoge gewesen; die hat nicht laufen können, darum ist sie sitzen geblieben, „bis der Zorn vorüber war"[17]). So ist ihr nichts geschehen und sie ist bei bestem Wohlsein nach Hause gekommen. Die Frauen, die gerettet wurden, kamen meist mit bloßem Kopf[18]) aus dem Gedränge hervor, die Kleider waren ihnen vom Leibe gerissen. Einzelne Frauen, die oben in der Synagoge waren, haben mir gesagt, daß sie auch herauslaufen wollten; es war ihnen aber nicht möglich fortzukommen. Da sind sie wieder in die Synagoge zurückgegangen und haben gesagt: „Wenn wir doch sterben sollen, wollen wir lieber in der Synagoge bleiben und dort sterben, als daß wir auf den Treppen zerquetscht werden." Denn es sind mehr als fünfzig Frauen auf der Treppe gelegen und so miteinander verkettet gewesen, als wenn sie mit Pech aneinander geklebt wären. Lebendige und Tote haben alle untereinander gelegen.

---

[17]a) Jesaia 26, 20.

[18]) Mit entblößtem Haupthaar zu gehen galt damals allen verheirateten jüdischen Frauen als eine Schmach.

Die Männer sind alle zu laufen gekommen, ein jeder hat gern die Seinigen retten wollen. Aber nur schwer und mit großer Arbeit hat man die Frauen, die auf den Treppen lagen, auseinander gebracht. Die Männer haben große Hilfe geleistet; es sind gar viele Bürger von der Straße mit Leitern und Haken in die Judengasse gekommen um die Frauen von der obersten Galerie herabzubringen; denn man hat nicht gewußt, wie es oben in der Frauensynagoge bestellt ist. Die Männer im Bethaus hatten den Krach gleichfalls gehört und auch gemeint, das Gewölbe würde auf sie fallen; darum haben sie den Frauen zugerufen, sie sollen geschwind heruntergehen. Dadurch haben sich diese auch noch mehr beeilt und sind übereinander gefallen und so auf den Treppen liegen geblieben.

Ihr könnt denken, was das für ein Jammer gewesen ist, da man sechs Tote unter den Lebendigen hervorgezogen hat, die vor einer Stunde noch frisch und gesund gewesen waren. Gott soll sich weiter erbarmen und seinen Zorn von uns und von ganz Israel abtun!

Die Weiber aus der untersten Weibersynagoge sind auch in großem Gedränge gelegen. Ich[19]) bin auf meiner Stelle in der untersten Galerie gesessen und habe gebetet; da höre ich ein Gelauf der Weiber und frage, was dieses Gelauf zu bedeuten hat. Meine Nachbarin meinte: Es wird einer Frau, die guter Hoffnung ist, übel geworden sein. Da habe ich mich sehr erschrocken, da

---

19) Im Text steht hier und weiter unten (S. 302) noch das Wort „Mutter", das aber nicht recht hineinpaßt. Vielleicht wollte Glückel gerade an diesen Stellen noch einmal andeuten, daß sie ausschließlich für ihre Kinder schreibt.

meine Tochter Esther, die wohl acht Plätze von mir entfernt saß, auch guter Hoffnung war. Ich komme also zu ihr in das Gedränge, wie sie sich auch herausdrängen will, und sage zu ihr: „Wo willst du hin?" Sie antwortet mir: „Das Gewölbe will einfallen." Da nehme ich meine Tochter vor mich und schaffe mit meinen Händen Platz um meine Tochter weiterzubringen. Aus der Frauensynagoge muß man noch fünf oder sechs Treppchen herabsteigen. Wie ich mit meiner Tochter auf die unterste Treppe komme, falle ich nieder und habe von nichts mehr gewußt, auch mich gar nicht bewegt oder um Hilfe gerufen. An der Stelle, wo ich gelegen bin, haben alle Männer vorbeigehen müssen, die die Frauen auf der Treppe von der obersten Galerie [retten wollten], und wenn es noch einen Augenblick gedauert hätte, wäre ich zertreten worden. Aber endlich haben mich die Männer gesehen und mir aufgeholfen, so daß ich auf die Straße gekommen bin. Da habe ich angefangen zu schreien und zu fragen, wohin meine Tochter Esther gekommen wäre. Man hat mir gesagt, daß sie in ihrem Hause wäre; da habe ich jemand hingeschickt um zu sehen, ob sie dort wäre, habe aber Antwort bekommen, daß sie nicht in ihrem Hause wäre. Nun bin ich herumgelaufen wie eine, die den Verstand verloren hat. Da kommt meine Tochter Mirjam zu mir gelaufen und freut sich, daß sie mich sieht. Ich frage sie: „Wo ist meine Tochter Esther?" Da antwortet sie mir: „Im Hause ihres Schwagers Ruben, das nicht weit von der Synagoge ist." Ich laufe nun flugs in das Haus von Ruben und finde meine Tochter dort sitzen ohne Kleid und Schleier; mehrere Männer und Frauen standen bei ihr um sie in ihrer Schwäche zu laben. Nun — ich danke Gott, daß er ihr geholfen und daß es ihr und ihrem Kind keinen Schaden getan hat. Gott — gelobt sei er — möge ferner seinen Zorn von uns und von ganz Israel zurückhalten und uns vor solchen bösen Unglücksfällen bewahren!

Man ist darauf in die Frauensynagoge hinaufgegangen und hat untersucht, ob etwas von dem Gewölbe oder von dem Bau eingefallen sei. Man hat aber nichts gefunden und wir können auch nicht wissen, woher das arge Unglück gekommen ist. Wir können solches von nichts anderem herleiten als von unseren Sünden. Wehe uns, daß solches in unseren Tagen geschehen ist, „daß wir solches hören müssen, betrübt unsere Seele tief[20].“ So erfüllt sich an uns der Bibelvers: „Ich werde Angst in ihr Herz bringen und es verfolgt sie das Geräusch eines verwehten Blattes und sie fliehen wie vor dem Schwert und fallen und sie straucheln einer über den andern, während niemand sie verfolgt.“ (3. B. M., 26,36.) „Darüber ist unser Herz krank und unsere Augen verfinstern sich“ (Klagelieder 5,17), über die Entweihung des Sabbats und des Festtages und über die Störung des Gebets. An diesem heiligen Tage [ist's geschehen], an dem unsere heilige Thora gegeben worden ist und Gott uns erwählt hat von allen Völkern und Zungen! Wenn es uns beschieden gewesen wäre, hätten wir uns über die Thora am heiligen Feste freuen können. Jetzt aber, „sind wir zur Schmach geworden unseren Nachbarn, zum Spott und Gelächter

---

[20]) Satz aus dem Mussaph-Gebet des Versöhnungstages.

unserer Umgebung" (Psalm 79,4) und es ist so, wie wenn das Heiligtum in unseren Tagen zerstört worden wäre.

Die meisten der getöteten Frauen waren leider Wöchnerinnen, eine von ihnen war guter Hoffnung. Sie sind zur Ruhe gegangen, wir aber haben Schmerz, Kummer und Jammer. Am Tage nach dem Feste ging die Beerdigungsbrüderschaft schon in aller Frühe nach dem Friedhof und die sechs getöteten Frauen wurden dicht beieinander in einer Reihe begraben. . . .

Es wird nun viel davon erzählt; aber wer kann alles schreiben oder glauben? Dennoch will ich[20a]) etwas davon schreiben, was mir Esther, die Frau des hiesigen Lehrers Jakob, erzählt hat. Diese Frau hatte sich mit ihrem Kinde, einem Knaben von etwa fünf Jahren, auf die oberste Treppe der Weibersynagoge gesetzt zur Zeit, als die Geschichte angefangen hat. Da hat sie sechs Frauen mit kleinen Schleierchen gesehen, die sehr lang von Statur waren. Diese haben sie etliche Stiegen herabgestoßen. Die Frau hat geschrieen: „Wollt ihr mich mit meinem Kinde töten?" Da haben sie das Kind in einen Winkel gesetzt und sind hinweggegangen. Die Frau mit ihrem Kinde ist gerettet worden. In diesem Augenblick hat die Verwirrung angefangen, daß alle Frauen von der obersten Galerie herabgelaufen und aufeinander gefallen sind und sich gegenseitig zerquetscht haben. Mein Schwiegersohn, der Vorsteher Moses Krumbach, hat ihnen noch zugerufen, warum sie nicht von der Stiege heruntergehen; sie aber haben geschrieen, sie könnten nicht her-

---

[20a]) Siehe Anm. 13.

unterkommen; denn die Treppe bräche unter ihnen zusammen — wiewohl in Wirklichkeit gar nichts an den Treppen zerbrochen war und nur Angst und Schrecken ihnen alles vorgespiegelt hat. Die Frau Esther ist mit ihrem Kinde gerettet worden. Mit großer Mühe und Not hat man sie beide unter den anderen heruntergekriegt. Zwar ist die Frau mehr tot als lebendig gewesen, wie es sich auch nachher gezeigt hat; denn sie hat eine Fehlgeburt gehabt und sie hat so viele Wunden bekommen, daß die Aerzte und Bader über drei Monate an ihr herumkurieren mußten. Die Frau hat mir zugeschworen, daß es so passiert sei, wie sie mir erzählt hat; auch ihr Mann und ihre Eltern haben bezeugt, daß sie sogleich so erzählt habe. Auch angesehenen Leuten und Thoragelehrten, die zu ihr gegangen sind, hat sie solches zugeschworen und sie und die Ihrigen sind ehrliche Leute, von denen man keine Lüge gehört hat.

Ferner hat in einer Nacht kurz vor diesem Vorfall die Frau des reichen Jakob Krumbach, der sein Haus dicht neben der Synagoge hat, einen großen Lärm in der Synagoge gehört, als wenn Diebe darin wären und alles herausnähmen und als wenn Leuchter umgefallen wären. Die Frau hat ihren Mann geweckt und ihm das gesagt. Da haben sie nach dem Synagogendiener geschickt und die Synagoge aufschließen lassen, aber da war „kein Laut und keine Antwort." (1. B. Kön. 18,46.) Man hat nicht gefunden, daß ein Stückchen von seinem Platz verrückt gewesen ist. Man weiß also nicht, „durch wen dieses Unglück gekommen ist." (Jona 1,7.)

Es war leider ein großer Taumel. Die Frauen haben gemeint, die Männerbetschule fällt ein, und die Männer haben dasselbe von der Frauenbetschule gemeint; darum haben die Männer den Frauen zugeschrieen, sie sollten aus der Betschule herausgehen. Die meisten Männer und Frauen haben einen großen Donnerschlag gehört, wie wenn man ein Geschütz losschießt. Manche wieder, unter denen auch ich war, haben gar nichts gehört. Der Vorbeter Rabbi Jokel ist mitten im größten Gebet aus der Synagoge herausgegangen; nachher hat sich ein anderer hingestellt und vorgebetet, aber wenig oder gar nichts gesungen.

Eine Anzahl frommer Frauen haben sich vereinigt und zehn Talmudgelehrte angenommen, die jeden Morgen um neun Uhr in der Synagoge Psalmen sangen und einen Abschnitt aus dem Talmud vortrugen, worauf die verwaist gewordenen Kinder das Kaddisch-Gebet sprachen. Gott möge die Seelen der so traurig ums Leben Gekommenen in Gnaden aufnehmen und ihren so schrecklichen Tod eine Sühne für alle ihre Sünden sein lassen und möge auch denen verzeihen, die ihnen zu nahe getreten sind und ihren Tod mitverschuldet haben! Ich hätte solches nicht in mein Buch hineingeschrieben; aber da es etwas so Unerhörtes ist, was niemals [sonst] geschehen ist und auch nie wieder geschehen soll, so soll sich jeder, Mann oder Frau, Jüngling oder Jungfrau, solches zu Herzen nehmen und Gott bitten solche Strafe keinem Judenkind mehr zuzuschicken.

Ich kann es leider auf nichts anderes zurückführen als auf die Sünden, die am vorangegangenen Simchas-Thora-Feste begangen worden sind. Damals waren alle Thora-Rollen, wie üblich, aus der heiligen Lade genommen und sieben von ihnen standen auf dem Tisch. Da hat in

צורת הבנין רבה רבתה אשר הוקם אבני פה בערלין אשר בריך רב יח"ש
אינשר הבית האריה אייב בנא פר דר קהדריירה יהנים ח"אכי
שנת אר רנה שערלט שעשה יחי

Abriß der Neuerbauten Judenschul
in der Königlichen Residentz Stadt Berlin
welche erbaut worden Ano 1714

der Frauensynagoge eine Schlägerei unter den Frauen angefangen und sie haben einander die Schleier vom Kopf gerissen, so daß sie in der Synagoge barhäuptig standen. Deshalb haben auch die Männer in ihrer Synagoge angefangen zu zanken und sich zu schlagen. Obwohl der hochgelehrte Rabbiner Abraham Broda mit lauter Stimme und mit Androhung des Bannes gebot Ruhe zu halten und den Festtag nicht zu entweihen, so hat dies doch alles nichts geholfen. Der Rabbiner und die Gemeindevorsteher sind darauf eilig aus der Synagoge gegangen und haben bestimmt, was eines jeden Strafe sein solle.

Im Nissan 5479 (= 1719) ist eine Frau an der Mosel gestanden und hat Geräte gesäubert. Ungefähr um 10 Uhr nachts ist es so hell geworden wie bei Tage, die Frau hat in den Himmel gesehen und der Himmel ist offen gewesen als wie ein . . .[21] und Funken sind davon gesprungen, und danach ist der Himmel wieder zugegangen, als wenn einer einen Vorhang zugezogen hätte, und es ist wieder ganz finster geworden. Gott soll geben, daß es zum Guten sei! Amen!

---

[21] Hier ist ein Wort in der Handschrift unleserlich.

ANHANG

Transkription einer Seite des jüdisch-deutschen Originals.

(Seite 26 der Kaufmannschen, S. 17/18 der vorliegenden Ausgabe.)

. . . . hat der schwed milchomoh gehalten mit hame-
lech midene mark jorum haudau ich kan nit vil chidu-
schim schreiben weil solches bejaldussi geschehen un
alis ein kind das in cheder hat sitzen musen, also
beaussau seman senen wir tauch altonah gesessen in eitel
daagaus, den es ist gar ein kalter winter gewesen das
in nun schonim su kein winter is gewesen, man hat in
den schwedischen winter geheissen alsu der schwed
aler wegen kene iber kumen weil es su hart gefroren
ist gewesen, mit ein malt am schabos kumt di zeokoh
der schwed kumt ist noch lemochoraus gewesen senen
noch im bet gelegen senen mir nebbich ale aus den
beten gesprungen un nakdig un blaus mit uns kinder
in mockaum gelafen un likzas eizel sefardijim likzas eizel
berger sich musen behelfen alsu senen mer seman meat
su gesessen alis entlich owi sal hat mischtadel gewesen,
un er ist der erste ben jisroel gewesen der sich wider
tauch hamburg gesetzt zu waunen, dar nach alis nach
grad hat man weiter mischtadel gewesen das jausser balbatim senen ins mokaum kumen zu waunen, un alsu fast

306

ale balbatim ins mokaum gezogen zu waunen, milwad di
vor den geirusch tauch altonah gewaunt haben di senen
tauch altonah waunen bliben, tauch aussau seman hat
man gar wenik massim an der seroroh gegeben ein idrer
hat vor sich azmau mit den selbigen di dar zu sein gesetzt
geworen akurdirt, aber wir haben kein beis haknesses
gehat bemokaum hamburg un ach gar kein kijumim gehat
ach werak senen su gesessen al pi hachessed min eizoh
jorum haudau, bnei jisroel senen doch zu samen gangen
un minjon gemacht in chadorim su gut si nebbich geken
haben, aub solches hoeizoh jorum haudau schunt likzas
gewusst haben si doch durch di finger geren gesehen
aber b'im es geistliche haben gewar geworen haben si
es nit leiden wolen un uns nebbich verjagt alis das
schichtern schaf

Beispiele der im Original vorkommenden erbaulichen Erzählungen.

1.

Elternliebe und Kindesliebe.

(S. 15—17 der Kaufmannschen Ausgabe.)

Es ist einmal ein Vogel gewesen, der hat drei junge
Vögelchen gehabt und sich mit ihnen am Ufer des Meeres
aufgehalten. Mit einem Male sieht der alte Vogel, daß
ein großer Wind kommt und das Meer größer wird und
über das Ufer tritt. So sagt er zu seinen Kindern:
„Wenn wir nicht bald auf jener Seite des Meeres sind

so sind wir verloren." Aber die jungen Vögelchen haben noch nicht fliegen können. Da nimmt der Vogel das eine Vögelchen zwischen seine Füße und fliegt mit ihm über das Meer. Wie sie mitten im Meere sind, sagt der alte Vogel zu seinem Sohn: „Mein Kind [sieh doch], welche Beschwerden ich mit dir gehabt habe und wie ich mein Leben um deinetwillen wage. Wenn ich nun alt sein werde, willst du mir dann auch wohltun und mich in meinem Alter ernähren?" Da sagt das junge Vögelchen: „Mein herzlieber Vater, bringe mich nur über das Wasser; ich will in deinem Alter alles an dir tun, was du von mir verlangst." Der alte Vogel wirft seinen Sohn auf diese Reden ins Meer, daß er ertrinkt, und sagt: „Also soll man es mit einem Lügner, wie du bist, machen." Dann fliegt der alte Vogel wieder hinüber und holt das andere Vögelchen. Wie sie mitten ins Meer kommen, redet der alte Vogel wieder zu dem Vögelchen, wie er mit dem ersten geredet hat. Das Vögelchen verspricht ihm auch alles Gute in der Welt zu tun, wie das erste geredet hat. Aber der alte Vogel nimmt es auch, wirft es ins Meer hinein und sagt: „Du bist auch ein Lügner" und fliegt wieder an das Ufer zurück und holt das dritte Vögelchen. Wie er auch mit dem dritten Vögelchen mitten ins Meer kommt, sagt er auch zu ihm: „Mein Kind, sieh, was ich für Beschwerde habe und wie ich mein Leben um deinetwillen wage. Wenn ich nun in mein Alter komme und mich nicht mehr rühren kann, willst du dann auch mir Gutes tun und mich in meinem Alter ernähren, wie ich dir in deiner Jugend tue?" Da antwortete das junge Vögelchen seinem Vater: „Mein lieber Vater, es ist alles wahr, was du

sagst, daß du große Not und Sorge um mich hast. Ich
bin auch verpflichtet dir solches zu vergelten, wenn es
[mir] möglich sein wird; aber gewiß kann ich es dir
nicht sagen. Aber das will ich dir zusagen wenn ich
auch einmal Junge bekommen werde, so will ich an
meinen jungen Kindern tun, wie du an mir tust." Da
sagt der Vater: „Du redest recht und bist auch klug,
dich will ich leben lassen und dir über das Wasser
helfen."

Daraus ersieht man, daß Gott den unvernünftigen
Vögeln eingegeben hat ihre Jungen zu erziehen, und
man sieht auch, was für ein Unterschied ist: wie Eltern
sich um ihre Kinder bemühen und sie mit großer Sorg-
falt erziehen; wenn aber Kinder so viel Beschwerden
und Sorgen von ihren Eltern haben sollten, wie bald
würden sie es müde werden!

2.

Die falschen Freunde.

(S. 204—209 der Kaufmannschen Ausgabe.)

Es war einmal ein König, der schickte seinen Sohn
in ein fernes Land um allerhand Weisheit zu erlernen. Der
Sohn blieb dreizehn Jahre fort; da schrieb ihm der König,
es wäre Zeit, daß er wieder nach Hause käme. Der
Sohn zog nun heim zu seinem Vater und wurde von ihm
mit großer Freude empfangen. Der König veranstaltete
für ihn ein großes Festmahl. Bei dem Mahle sprach er
zu ihm: „Lieber Sohn, hast du auch viele Freunde in
der Stadt gehabt, in der du gelernt hast?" Da antwortete

der Sohn: „Herr König und Vater, die ganze Stadt waren meine Freunde." Der König fragte weiter: „Wodurch sind sie deine Freunde geworden?" Der Sohn antwortete: „Ich habe alle Tage Mahlzeiten veranstaltet und ihnen allezeit guten Wein gegeben." Da seufzte der König und schüttelte mit dem Kopf und sagte: „Ich habe gemeint, du hättest viele Weisheit gelernt; jetzt aber habe ich noch keine Weisheit von dir gehört. Du hältst deine Saufbrüder für Freunde, aber das ist falsch. Es ist kein Verlaß auf sie; so lange der Trunk währt, gibt es keine besseren Freunde auf Erden [und es ist so], als ob sie von derselben Mutter [wie wir] geboren wären. Aber wenn die Mahlzeit aus ist, so gehen sie davon, wischen sich den Mund ab und denken: ‚Wirst du mich mehr rufen, so gibt es keinen Zorn; rufst du mich nicht mehr, so habe ich dich geschorn.‘ Wenn du sie nicht rufst oder wenn sie bessere Zechbrüder bekommen, so werden sie dich nicht mehr achten und deine Brüderschaft ganz vergessen."

Der Sohn fragte nun: „Herr Vater, welcher heißt ein Freund, daß ich mich auf ihn verlassen kann?" Da antwortete der König: „Du sollst keinen für einen Freund halten, du habest ihn denn zuvor erprobt."

„Womit soll ich ihn denn erproben", sagte darauf der Sohn, „damit ich seinen Sinn und seine Gedanken kenne und seiner Freundschaft versichert bin?" Da sagte der König: „Nimm ein Kalb und schlachte es, ohne daß jemand davon weiß, und tue es in einen Sack. Dann komme in der Nacht, nimm es über deine Achsel und gehe damit vor das Haus deines Hofmeisters, deines Kammerdieners oder deines Schreibers, rufe ihn zu dir herab und sage ihm: ‚Ei, was ist mir geschehen! Ich habe den ganzen Tag getrunken und bin in der Trunkenheit über meines Vaters Hofmeister zornig geworden, der harte Worte gegen mich geredet hat. Das konnte ich nicht ertragen; da besann ich mich nicht lange, zog meinen Degen heraus und stach ihn tot. Nun fürchte ich, daß mein Vater es gewahr wird und sich in seinem geschwinden Zorn an mir rächen könnte. Darum habe ich den Toten in einen Sack getan, wie du hier siehst; nun bitte ich dich, hilf mir jetzt in der Nacht ihn begraben.‘ Dann wirst du bald merken, was für Freunde du an ihnen hast.“

Der Sohn ging nun und tat also und er kam mit seinem Toten im Sack vor seines Hofmeisters Tür und klopfte an. Da schaut sein Hofmeister zum Fenster heraus und fragt: „Wer klopft so spät in der Nacht an meine Tür?“ Der Königssohn antwortet: „Ich bin es, dein Herr, des Königs Sohn.“ Der Hofmeister macht ihm geschwind die Tür auf und sagt: „Ei, was macht mein Herr allhier so spät in der Nacht?“ Da erzählt ihm der Königssohn die ganze Rede und sagt ihm: „Weil du mein getreuer Hofmeister bist, so hilf mir doch den Toten begraben, ehe es Tag wird.“ Als der Hofmeister dies hörte, sagte er: „Weiche ab von mir mit solchen Sachen!“ Der Königssohn bat den Hofmeister noch einmal gar sehr ihm doch zu helfen. Da wurde der Hofmeister sehr sornig und sagte: „Ich habe mit keinem Säufer und Mörder etwas zu tun, und wenn Ihr mich nicht als Hofmeister behalten wollt, so sind noch mehr Herren vorhanden.“ Mit diesen Worten schlug er die Haustür vor ihm zu und ließ ihn draußen stehen.

Der Königssohn ging weiter vor seines Schreibers Tür; der antwortete ihm auch so. Dann ging er vor seines Kammerdieners Haus und erzählte auch alle die Worte und bat ihn, daß er ihm helfen sollte den toten Körper zu begraben. Der Kammerdiener antwortete ihm: „Es ist zwar wahr, daß ich verpflichtet bin dir zu dienen; aber ich habe mich nicht als Totengräber in deinen Dienst begeben. Ich würde dir auch gern den Gefallen tun; aber ich fürchte mich sehr vor deinem Vater, der so jähzornig ist; vielleicht könnte er es gewahr werden und würde dich und mich erschlagen. Doch begrabe du ihn selbst auf dem Begräbnisplatz, der nahe hierbei ist, und ich will dir Schildwache stehen und dich warnen, wenn jemand kommt.“ Sie taten so und er begrub das Kalb; darauf ging ein jeder wieder nach Hause.

Am Morgen kamen die drei zusammen; da erzählte der Hofmeister von dem bösen Stück, das dem Königssohn begegnet wäre, und wie er von ihm gefordert hätte, daß er den Körper des Erschlagenen begraben sollte, und wie er ihm so ablehnend hätte antworten müssen. Der Schreiber und der Kammerdiener sagten darauf, daß er bei ihnen auch gewesen sei; sie hätten auch keinen Anteil daran haben wollen und er hätte ihn allein begraben. Nun beredeten sie sich es dem König anzuzeigen und meinten, der König werde dann den bösen Sohn erschlagen und sie als getreue Diener annehmen. Sie taten also und zeigten es dem Könige an.

Da sprach der König: „Bei meiner Krone, wenn mein Sohn das getan hat, so soll es ihm sein Leben kosten!“ Er ließ nun den Sohn rufen und hielt ihm die Worte alle vor. Aber der Sohn wollte es nicht gestehen.

3.

t

Da sprachen sie zu ihm: „Du hast ihn ja in einen Sack getan und auf dem Begräbnisplatz begraben." Als der König das hörte, sagte er: „Ich will geschwind meine Knechte dorthin schicken; geht ihr auch mit und zeigt ihnen das Grab." Sie taten so und brachten den Sack der mit dem Siegel des Königssohnes versiegelt war, zum Könige. Da sprach der König zu seinem Sohn: „Was sagst du nun dazu?" Da antwortete der Sohn: „Lieber Vater, ich habe ein Kalb zum Opfer geheiligt, und wie ich es geschlachtet habe, da ist es nicht geraten und konnte nicht als Opfer verwendet werden. Es ist aber nicht recht, daß man es auf die Gasse wirft, weil ich es doch geheiligt habe; darum habe ich es in diesem Sack vergraben." Der König befiehlt nun den Sack aufzumachen und alles herauszunehmen. Da brachten sie ein totes Kalb zum Vorschein und die drei Diener standen nun vor dem Königssohn beschämt da. Er befahl, man sollte sie ins Gefängnis setzen, und man tat also.

Danach ließ der König seinen Sohn rufen und sagte zu ihm: „Sieh nun jetzt, ob einer für einen Freund zu halten ist, wenn er nicht erprobt ist." Der Sohn antwortete ihm: „Ich habe fürwahr jetzt mehr Verstand bekommen, als ich in den dreizehn Jahren gelernt habe, und ich habe nicht mehr als einen halben Freund unter meinen Leuten gefunden; das war der Kammerdiener, der mir auf der Schildwacht stand. Nun, mein lieber Vater, gebt mir jetzt einen guten Rat, was ich mit meinen Dienern machen soll." Da sagte der König: „Ich weiß keinen anderen Rat, als daß du alle deine Diener erschlagen sollst, damit dein Kammerdiener, der dir wenigstens Schildwacht gestanden hat, nicht die Untreue von ihnen lerne." Da sprach der Sohn: „Wie sollte ich nun so viele Menschen wegen eines [einzigen] erschlagen?" Darauf sagte der König: „Wenn ein Weiser unter tausend Narren gefangen wäre und es wäre kein Rat, wie man den Weisen von den Narren sollte entrinnen lassen, so riete ich alle tausend Narren zu erschlagen, damit dem Weisen geholfen werden könnte. So ist es auch besser, daß du alle deine ungetreuen Diener erschlägst, damit dein Kammerdiener aus einem halben Freund dir ein ganzer Freund werde." Der Königssohn tat also und sein Kammerdiener wurde ihm ein ganzer Freund. Der Königssohn sah nun ein, daß keinem Freunde zu trauen ist, man habe ihn denn erprobt.

3.

Von frommen Werken.

(S. 264—267 der Kaufmannschen Ausgabe.)

Hierher paßt, was ich in dem Buche Jesch Nochalin[1]) mit den Anmerkungen des gelehrten Rabbi Jesaia [Hur-

---

[1]) Testament des Abraham ben Sabbatai Hurwitz (Prag 1615), das von seinem Sohn Jacob Hurwitz mit Anmerkungen begleitet wurde. Siehe Güdemann, Quellenschriften zur Geschichte des Unterrichts usw., S. 104, 117 ff. Daß Jakobs berühmterer Bruder Rabbi Jesaia Hurwitz Anmerkungen zum Testamente des Vaters herausgegeben habe, beruht wohl nur auf einem Irrtum unserer Verfasserin, die das hebräische Werk, wie sie selbst sagt, nicht eingesehen hat. Uebrigens ist die ganze obige Erzählung in dem Original des zitierten Werkes nicht zu finden. Siehe Landau, Die Sprache der Memoiren Glückels, S. 26—28.

witz] gefunden habe, welches man mir auf deutsch vorgelesen hat. Es heißt dort: Etwas Schlimmes an dem
Menschen habe ich unter der Sonne gesehen. Wenn
Gott einem Menschen großen Reichtum, viele Güter und
Grundstücke gegeben hat, so wird er von all dieser
Güte nicht satt. Das heißt, wenn der Mensch sterben
soll und den Tod nahe vor sich sieht und er hinterläßt
anderen Leuten oder seinen Kindern ein großes Vermögen, so ist ihm dies Vermögen noch lieber als seine
verschnittene Seele und er denkt nicht daran ihr das zu
geben, was ihr fehlt; denn er vergibt von seinem Vermögen nichts für Wohltätigkeitswerke und fromme Stif-
tungen und sonstige Gaben für Arme und Dürftige. Nach
seiner Stärke lädt man dem Kamel seine Last auf[2]), das
heißt: [der Mensch soll Wohltun üben] nach seinem
Vermögen, auf daß die Mildtätigkeit vor ihm her-
gehe und ihm auf seinem Wege vor allen Scharen böser
Engel behüte, die in der Luft sind, von der Erde bis zum
Himmel, und zwischen denen seine Seele hindurchgehen
muß. Sie begegnen ihm und hindern ihn auf dem
Wege und bedrängen ihn mit allen Qualen und
Schmerzen. Wenn er aber Almosen gibt, dann geht die
Frömmigkeit vor ihm her um ihn auf seinem Wege zu
behüten und bringt ihn ohne Qual und Schmerzen an
den Ort, der ihn bereitet ist.

Nun nehmen sich die meisten Menschen dies leider
nicht zu Herzen, wenn sie vom Leben scheiden. Bist
du, Mensch, da nicht der größte Tor? Für wen hast du
dich abgemüht und gearbeitet alle Tage deines Lebens?
Für eine Welt, die nicht dein ist. Und jetzt, wo du siehst,

---

[2]) Talmud Ketubot, fol. 67 a: Nach dem Kamel die Last.

daß deine Seele von dir geht und du dir in einer Stunde das ewige Leben kaufen und durch Mildtätigkeit großen Lohn erlangen kannst — da willst du dennoch nichts von deinem Geld abbröckeln, wiewohl du siehst, daß du es fremden Leuten, die sich nicht darum bemüht haben, wider deinen Willen geben mußt und du selbst leer hinweggehst? Wenn du auch denkst, daß du in deinem Leben schon viel Wohltätigkeit geübt hast, so laß diese Gedanken; denn „eine Handvoll macht den Löwen nicht satt"[3]) und sicher reicht dies nicht aus zu dem großen, weiten Weg, den du gehen mußt. So finden wir dies auch im Talmud-Traktat Ketubot[4]) von dem großen Mischnalehrer Mar Ukbah, der, wie jedem bekannt ist, in seinem Leben sehr viel Gutes getan hat. Dennoch sagte er in seiner Todesstunde: „Was für einen weiten Weg habe ich zu gehen und wie wenig Zehrung habe ich mitzunehmen!" Da stand er auf und gab die Hälfte von allem, was er hatte, für Gaben der Mildtätigkeit her. Wenn auch unsere Weisen sagen: Man soll nicht mehr als ein Fünftel von seinem Vermögen weggeben, so gilt dies nur, so lange der Mensch am Leben und frisch und gesund ist. Aber in seiner Todesstunde mag er sogar alles, was er hat, weggeben. Denn jeder ist sich selbst der nächste. Nun war der Mar Ukbah einer von den stärksten Tannenbäumen in unserer heiligen Lehre und er hat also getan; was sollen nun in unserer jetzigen Zeit gewöhnliche Menschen tun? Darum soll jeder ein kluger und beson-

---

[3]) Talmud Berachot, fol. 3 b.
[4]) Fol. 67 b (einziges Talmud-Zitat bei Glückel mit Angabe des Traktates). Die Bezeichnung „Mischnalehrer" ist ungenau.

nener Mensch sein und sich einen guten Anteil für sich und seine Seele wählen. Denn was hilft und nützt es der betrübten Seele, wenn er alles Seinige seinen Kindern hinterläßt, um das er sich lange gemüht und gearbeitet hat, und er wird in die Grube geworfen und sein Glanz wird in Verderben umgewandelt? Seine Erben bleiben in seinen schönen Häusern und Palästen und sitzen geräumig und singen Lieder und Lobgesänge; er aber sitzt allein mit Wehklagen in der traurigen Grube. Seine Erben essen von seinem Vermögen lauter Leckerbissen und seine Speise ist lauter Erde! Darum soll derjenige, dem der hochgepriesene Gott Weisheit und Verstand gegeben hat, sich alles zu Herzen nehmen; denn wenn er nicht selbst auf sein Wohl bedacht ist, wer soll denn darauf bedacht sein, und wenn nicht jetzt, wann denn?

Wenn auch der große Weise (Rabbi Abraham Hurwitz) noch viel mehr Mahnungen und andere Sachen schreibt, die so süß schmecken wie Honig, so will ich es doch bei dem Gesagten bewenden lassen; wer noch Weiteres davon wissen will, mag es in dem erwähnten Buche nachlesen. Liebe Kinder, um Gottes willen, seid gottesfürchtig [und hänget euer Herz nicht an irdisches Gut]; was ihr in dieser Welt nicht habt, das wird euch Gott in der künftigen Welt doppelt geben, wenn ihr ihm mit eurem ganzen Herzen und eurer ganzen Seele dient.

Register.

319

324

Berichtigungen und Ergänzungen.

Anmerkung zu S. 33, Z. 1. Gemeint ist Juda Loeb Rothschild, ver-
heiratet mit Elkele, einer Tochter des Jacob Ree und
Enkelin der Mate Mehlreich. (Siehe Stammbaum A im
Anhang).

Anmerkung zu S. 116, Z. 12. Kossmann Gomperz lebte nach seiner
Vermählung teils in der kleinen holländischen Stadt
Zalt-Bommel, teils in Amsterdam, wo er eine berühmte
hebräische Druckerei errichtete, später lange Jahre in
Prossnitz in Mähren. (Siehe Kaufmann Freudenthal,
Familie Gomperz, S. 330 ff.).

STAMM-

Nathan Mehlreich aus Detmold ⌣

Mordechai, mit seiner Frau Hanna 1638 an der Pest gest.	Glück, gest. 1675, verh. mit Jakob Ree	Ulk (Ulrike), verh. mit Elia Cohen, gest. 1653, Sohn d. Rabb. David Cohen-Hanau in Altona

	1. Reize, verh. mit Feibusch Cohen	2. Bela, gest. 1696, verh. mit Bär Cohen (Berend Salomon) in Hamburg	3. Elkele, verh. mit Juda Loeb Rothschild	Mordechai Cohen in Hamburg	Sara, Frau des 1683 ermordeten Abraham Metz in Altona

Glückchen, verh. mit einem Sohn von Jost Liebmann in Berlin	Selig Cohen in Hannover	Ruben Roth-schild	Mate, gest. 1712, verh. mit Anschel Wimpfen, gest. 1697	Man in Fürth

STAMM-

Samuel Stuckert (= Stuttgart) in Witzenhausen, Vorsteher der (kur)hessischen Judenschaft

Moses Kramer in Stadthagen, gest. 1670	Josef Hameln in Hannover, gest. 1677 ⌣

Abraham Stadthagen in Emden	1. Moses Hameln, als Bräutigam ermordet	2. Abraham Hameln, verh. m. Sulka, Tochter des Chaim Boas in Posen	3. Jente, verh. mit a) Salomon Gans aus Minden, b) Liepmann Cohen (Leffmann Behrens) in Hannover

	Sara	Samuel Hameln, verh. mit Hanna, Glückels Tochter	Moses Jakob Cohen, verh. mit Süsse, Tochter des Josef Elias Cleve-Gomperz	Genendel, verh. mit dem Rabb. David Oppenheimer in Prag

Chajim Hameln ⌣

1. Zipora, verh. mit Kossmann Gomperz in Amsterdam	2. Nathan, verh. mit Mirjam, Tochter des Elia Ballin in Hamburg	3. Mate, als Kind gestorben	4. Esther, verh. mit Moses Krumbach, Schwab in Metz	5. Hanna, verh. mit Samuel, dem Sohne des Abraham Hameln, in Hameln	6. Mordechai, verh. mit einer Tochter des Moses ben Nathan in Hamburg	7. Loeb, gest. 1701, verh mit einer Tochter des Hirschel Ries in Berlin

326

BAUM A.

Mate, gest. 1656

Bela, verh. mit Loeb Pinkerle

1. Hendele, verh. mit einem Sohn von Mordechai Gumpel in Cleve	2. Elkele, verh. mit Josef סג"ל in Hamburg	3. Glückel, verh. a) mit Chajim Hameln in Hamburg, gest. 1689, b) mit Hirz Levy in Metz gest. 1712	4. Mate, verh. mit Elia Ries in Hamburg	5. Wolf P., verh. mit einer Tochter des Jakob Lichtenstadt in Prag	6. Rebekka, verh. mit Samuel Bonn

BAUM B.

Nathan Spanier aus Stadthagen, gest. 1647 in Altona

Freudchen, gest. 1679   Esther ⌣ Loeb Hildesheim in Altona

4. Samuel Hameln, Rabb. in Hildesheim, gest. 1687, verh. mit einer Tochter des Rabbiners Scholem in Lemberg	5. Isaak Hameln in Frankfurt a. M., verh. mit Hendele, Tochter des Loeb Oppenheimer	6. Esther, verh. mit Loeb Hannover	7. Loeb Hameln in Bonn	8. Hanna, verh. mit Jakob Speyer	9. Chajim Hameln, siehe unten
Malke, verh. mit Juda Berlin (Jost Liebmann)	Samuel Hameln in Wesel		Samuel Bonn, verh. mit Rebekka, Glückels Schwester		

Glückel (siehe Stammbaum A)

8. Hendele, verh. mit einem Sohn des Benedict Veit in Berlin	9. Josef, verh. mit einer Tochter des Meïr Stadthagen in Kopenhagen	10. Samuel, gest. 1702, verh. mit einer Tochter des Moses Brilin in Bamberg	11. Moses, verh. mit einer Tochter des Samson Baiersdorf	12. Freudchen, verh. mit Mordechai, dem Sohne des Moses ben Loeb in Altona, später in London	13. Mirjam, verh. mit Moses, dem Sohne des Isai Willstadt in Metz

327

Zusammenhang der Familie Gomperz mit Glückel Hameln.

Mordechai Gumpel,
Landesrabbiner und Gemeindevorsteher des Herzogtums Cleve,
gest. 1664, begraben in Emmerich

Sohn, verh. mit Glückels Schwester Hendele	Josef Elias Cleve-Gomperz, gest. 1689 in Cleve ⌣ Sara Mirjam, gest. 1691

Zipora Hameln, ⌣ Kossmann Gomperz in Amsterdam, Glückels älteste Tochter	Jachet (Agathe), gest. 1709, verh. m. Abraham Krumbach-Schwab in Metz	Süsse Cleve-Gomperz, verh. mit Jakob Cohen, dem Sohne d. Leffmann Behrens in Hannover

Esther Hameln, ⌣ Moses Krumbach-Schwab in Metz
Glückels Tochter

Elia Krumbach-Schwab

Zusammenhang der ehemaligen Wiener, späteren Berliner Familien Ries, Mirels und Veit mit Glückel Hameln.

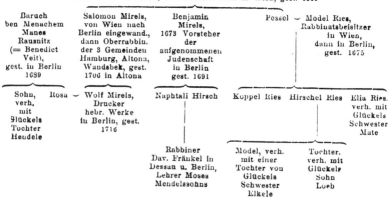

Jacob David Neumark, Gemeindevorsteher in Wien, gest. 1660

Baruch ben Menachem Manes Rausnitz (= Benedict Veit), gest. in Berlin 1689	Salomon Mirels, von Wien nach Berlin eingewand., dann Oberrabbin. der 3 Gemeinden Hamburg, Altona, Wandsbek, gest. 1700 in Altona	Benjamin Mirels, 1673 Vorsteher der aufgenommenen Judenschaft in Berlin gest. 1691	Pessel ⌣ Model Ries, Rabbinatsbeisitzer in Wien, dann in Berlin, gest. 1675

Sohn, Rosa ⌣ Wolf Mirels, Drucker hebr. Werke in Berlin, gest. 1716 verh. mit Glückels Tochter Hendele	Naphtali Hirsch	Koppel Ries	Hirschel Ries	Elia Ries, verh. mit Glückels Schwester Mate

Rabbiner Dav. Fränkel in Dessau u. Berlin, Lehrer Moses Mendelssohns

Model, verh. mit einer Tochter von Glückels Schwester Elkele

Tochter, verh. mit Glückels Sohn Loeb

328

Anmerkungen zu den Bildbeigaben

Ausgewählt und zusammengestellt von

Erich Toeplitz

Die „Denkwürdigkeiten der Glückel von Hameln" schildern das Leben einer deutschen Jüdin mit allen täglichen Sorgen, Leiden und Freuden. Die politischen Geschehnisse der Zeit sind in dem Rahmen, in dem sich dieses Einzelschicksal abspielt, geschildert. Feiertage, Familien-, Freuden- und Trauertage werden von der Glückel als selbstverständliche Unterbrechungen der Alltäglichkeit nur kurz erwähnt. Unsere Abbildungen nach zeitgenössischen Stichen sollen den Text ergänzen. Es wäre wünschenswert gewesen, Porträts der Glückel und der von ihr erwähnten Angehörigen zu bringen, doch haben sich solche, wenn sie überhaupt vorhanden waren, nicht erhalten. Dagegen konnten einige Porträts berühmter, in den „Denkwürdigkeiten" genannter Persönlichkeiten jener Zeit beschafft werden. Auch Abbildungen von Synagogen der bedeutendsten Gemeinden, die von der Glückel erwähnt werden, befinden sich unter den Reproduktionen der Stiche. Aus Hamburg war ein Synagogenbild nicht zu erlangen, weil dort, wie die Glückel erwähnt, nur Betstuben, aber keine eigentlichen Synagogen erlaubt waren. Von der Altonaer Synagoge ist infolge der dort herrschenden schlechten Beleuchtung eine gute photographische Wiedergabe leider nicht möglich. Dagegen konnten die Abbildungen zweier Grabsteine vom Friedhof in Altona beigefügt werden: der von Glückels erstem Gatten und der ihrer Mutter. Über den Grabstein der Glückel selbst war infolge der politischen Verhältnisse aus Metz keine nähere Auskunft zu erhalten.

1. Bild (zwischen Seite 8 und 9) N e u j a h r s f e s t. Innenansicht der (Amsterdamer sephardischen) Synagoge, auf deren mittlerer Estrade ein Schofarbläser steht.

2. Bild (zwischen Seite 16 und 17) V e r s ö h n u n g s t a g. Innenansicht der (Amsterdamer aschkenasischen) Synagoge mit Ansicht des Thoraschreins und mit betenden Juden. *Stich, unterzeichnet: Dessiné d'après nature et gravé par B. Picart, 1725 (Aus: Picard, Cérémonies et Coutumes Réligieuses de Tous les Peuples du Monde I, S. 117).*

3. Bild (zwischen Seite 32 und 33) O s t e r f e s t [I]. Das Aufsuchen und Wegbringen des Gesäuerten am Abend vor Erew-Pessach.

4. Bild (zwischen Seite 48 und 49) O s t e r f e s t [II]. Der Seder bei den portugiesischen Juden. Die Familie am festlich gedeckten Tisch, auf dem die symbolischen Speisen stehen. *Stich, unterzeichnet: Dessiné d'après nature et gravé par B. Picart, 1725. (Aus: Picard, Cérémonies . . . I, S. 120.)*

5. Bild (zwischen Seite 64 und 65) W o c h e n f e s t. Die Gemeinde in einer mit Laubbäumen geschmückten Synagoge. (Fürth?) *Stich, unterzeichnet: H. Pusch(ner) sc.(ulpit). (Aus: Kirchner, Jüdisches Ceremoniell, Nürnberg 1724, S. 101.)*

6. Bild (zwischen Seite 80 und 81) L a u b h ü t t e n f e s t [I]. Innenansicht der (Amsterdamer sephardischen) Synagoge, auf deren mittlerer Estrade sieben Männer mit Thorarollen stehen. Um die Estrade findet der Rundgang mit dem Feststrauß (Lulew) statt.

7. Bild (zwischen Seite 96 und 97) L a u b h ü t t e n f e s t [II].
Mahlzeit in der Laubhütte. *(Stich, unterzeichnet: B. Picart delincavit 1724. (Aus: Picard, Cérémonies . . . I, S. 123.)*

8. Bild (zwischen Seite 104 und 105) G e s e t z e s f r e u d e.
Innenansicht der Amsterdamer sephardischen Synagoge, auf deren mittlerer Estrade zahlreiche Thorarollen in kostbarem Schmuck von Gemeindemitgliedern gehalten werden. — Die Angabe auf dem Stich, daß es sich um den Versöhnungstag handelt, ist ein Irrtum. *Stich, unterzeichnet: A. Kulk Pietersz ad viv. del. 1782. A. Kulk Jacobsz sculpsit 1783.*

9. Bild (zwischen Seite 112 und 113) P u r i m. Maskenball am Purim, der bei den sephardischen Juden mit besonderem Pomp gefeiert wurde. *Stich, unterzeichnet: P. Wagenaar jun. inv. et del. 1780. C. Philips Jacobz fecit.*

10. Bild (zwischen Seite 128 und 129) S a b b a t h. Hauptbild: Sabbathgottesdienst in der Synagoge. Mittelbild unten: Sabbathmahlzeit, Lichtsegen und „Kiddusch" im Hause. Seitenbilder unten: links „Kiddusch" in der Synagoge, rechts „Hawdalah" in der Synagoge. *Stich, unterzeichnet: G. Eichler inv. et del. G. P. Nusbiegel sculp. (Aus: Bodenschatz, Kirchliche Verfassung der heutigen Juden. II. S. 157, Fig. 5.)*

11. Bild (zwischen Seite 114 und 145) G e b r ä u c h e b e i d e r G e b u r t: a) Gebetsversammlung bei einer Wöchnerin; b) Wachnacht bei einer Wöchnerin. *Stich, unterzeichnet: I. C. Müller inv. et sculpsit. (Aus: Bodenschatz, Kirchliche Verfassung . . . IV, S. 61, Fig. 5.)*

12. Bild (zwischen Seite 160 und 161) B e s c h n e i d u n g. Der Gevatter hält das Kind, davor kniet der „Mohel" und vollzieht die Beschneidung. *Stich, unterzeichnet: Gravelotte inv. (1699—1773) G. Scotin scu. (1698—1744).*

13. Bild (zwischen Seite 176 und 177) H o c h z e i t b e i d e n s e p h a r d i s c h e n J u d e n. Die verschleierte Braut sitzt unter einem Baldachin, zu jeder Seite eine Begleiterin. Da-

vor steht der Bräutigam, im Begriff, ein Glas zu zertreten. Dies Symbol soll besagen, daß es ebenso unmöglich sei, die Scherben zusammenzufügen, wie den Ehebund zu zerbrechen. Die übrigen Personen sind der Rabbiner, der Begleiter des Bräutigams, Gäste und Spielleute. Die Zeremonie findet im Gegensatz zu den aschkenasischen Hochzeiten im Zimmer statt.

14. Bild (zwischen Seite 184 und 185) H o c h z e i t b e i d e n a s c h k e n a s i s c h e n J u d e n. Braut und Bräutigam sind beide von einem Gebetmantel bedeckt, an ihrer Seite je zwei Begleiter bzw. Begleiterinnen. Vor dem Paar steht der Rabbiner, dahinter erblickt man die Spielleute, gegenüber die Gäste. Die Trauung findet im Freien hinter der Synagoge statt. *Stich, unterzeichnet: B. Picart delincavit 1722. (Aus: Picard, Cérémonies . . . I, S. 143.)*

15. Bild (zwischen Seite 192 und 193) H o c h z e i t s z u g. Festzug bei einer jüdischen Hochzeit. Die Synagoge im Hintergrund wahrscheinlich die Fürther, ca. 1700. Gleichzeitiger nicht unterzeichneter Stich.

16. Bild (zwischen Seite 208 und 209) S t e r b e g e b r ä u c h e: a) ein Kranker spricht das Sündenbekenntnis; b) ein Sterbender; c) ein aufgebahrter Toter, bei dem seine Freunde Wache halten; d) ein Leichenzug. *Stich, unterzeichnet: P(uschner). (Aus: Kirchner, Jüdisches Ceremoniell . . . S. 207, 13. Kupfer.)*

17. Bild (zwischen Seite 224 und 225) S a b b a t a i Z e w i. (Geboren 1626, gestorben 1676.) Der falsche Messias im Alter von 40 Jahren. *Stich, unterzeichnet: Cornelis Meyssens sculpsit. Joannes Meyssens excudit.*

18. Bild (zwischen Seite 240 und 241) C h a c h a m Z e w i. (Geboren 1658, gestorben 1718.) Rabbi Zewi Aschkenasi, genannt Chacham Zewi, dargestellt zu der Zeit, als er Rabbiner der aschkenasischen Gemeinde in Amsterdam war. *Tuschzeichnung, unterzeichnet: An Isroel Stezoos (?). Ff. 1781 (?).*

19. Bild (zwischen 256 und 257) Samuel Oppenheimer.
(Geboren 1630 Heidelberg (?), gestorben 1703 Wien.)
Kupferstich von Pfeffel und Engelbrecht. (Aus: Max Grun-
wald, Geschichte der Juden in Wien 1625—1740. Wien 1913,
Tafel II.) Original im Besitz des jüdischen Museums in
Wien.

20. Bild (zwischen Seite 272 und 273) Simson Wertheimer. (Geboren zu Worms, gestorben 1724 zu Wien.)
Nach einem zeitgenössischen Ölgemälde. (Aus: Max Grun-
wald, Geschichte der Juden in Wien 1625—1740. Wien
1913. Tafel II.) Original im Besitze des Herrn Emanuel
Wertheimber in Wien.

21. Bild (zwischen Seite 280 und 281) Grabstein der
Mate Mehlreich, Großmutter der Glückel.
(Gestorben am 14. Tamus 5416.) Der Grabstein (Nr. 1089)
befindet sich auf dem alten jüdischen Friedhof an der König-
straße in Altona. Das Ornament gehört dem etwas steifen
Hamburgischen Barock an. Über der oberen Randleiste
dürften eine oder mehrere Kugeln zu ergänzen sein. *(Aus:*
Geschichte der Beerdigungs-Brüderschaft der Deutsch-Israe-
litischen Gemeinde in Hamburg. 1912, Tafel III.)
Grabstein des Chajim Hameln, des ersten
Mannes der Glückel. (Begraben am 24. Tebet 5449.)
Der Grabstein (Nr. 870) befindet sich auf demselben Friedhof wie der vorerwähnte. Die Kugeln über der Randleiste
sind hier ebenfalls zu ergänzen. Das Waschgefäß im oberen
Zwickel des Steines macht den Verstorbenen als Leviten
kenntlich.

22. Bild (zwischen Seite 288 und 289) Amsterdamer Synagoge. Innenansicht der sephardischen Synagoge, erbaut 1675 (5435). Im Zwickel oben links der Grundriß,
rechts die Außenansicht. Die Synagoge gehört zu dem noch
nicht vollentwickelten sephardischen Typ, weil die mittlere
Estrade erst wenig nach der Westwand verschoben ist. Dort
steht sie bei den sephardischen Synagogen (z. B. in Italien),
während die aschkenasischen Bauten bis zur Emanzipa-

tionszeit immer an der Mittelstellung der Estrade festhielten und sie nachher oft mit dem Vorbeterpult vereinten. Der Thoraschrein ist in den sephardischen Synagogen (auch auf diesem Bild) dreiteilig, in den aschkenasischen einteilig. *Stich, unterzeichnet: Anctore Romano de Hooghe 1675.*

23. Bild (zwischen Seite 304 und 305) B e r l i n e r   S y n a - g o g e. Innenansicht der alten Synagoge in der Heidereuter- gasse, erbaut 1712—1714. Später mehrmals verändert, er- halten sind nur noch einige Teile des großen Thoraschreins. *Stich, unterzeichnet: A. B. Gobelin sculp. A. M. Wernerin delin. (1714.)*

24. Bild (vor dem Titel) J ü d i s c h e s   E h e p a a r. Der Stich stellt einen Juden und eine Jüdin in einer für die deutschen Juden zu Beginn des 18. Jahrhunderts charakteristischen Tracht dar. *Stich, unterzeichnet: C. Weigel (um 1700).*

25. Bild (zwischen Seite 312 und 313) D a s   r i t u e l l e   B a d: a) rechts das Reinigungsbad; b) links das Tauchbad. *Stich, unterzeichnet: C. C. (Aus: Kirchner, Jüdisches Ceremoniell . . . S. 205. 24. Kupfer.)*

Heinrich Heine
Prinzessin Sabbat
Über Juden und Judentum

herausgegeben von Paul Peters
1997; 697 Seiten; gebunden mit Schutzumschlag
ISBN 3-8257-0035-6

„Was Reich-Ranicki unter stringenten Formeln als Problem eher verbirgt denn ausarbeitet, hat Paul Peters zum Gegenstand einer grandiosen Text-Anthologie gemacht: *Heinrich Heine: Prinzessin Sabbat. Über Juden und Judentum.*"

Harro Zimmermann, *Frankfurter Rundschau*

„Wer hingegen erst einmal wissen und erfahren möchte, was Heine wo und wann „über Juden und Judentum" geschrieben, wie ihn dieses Lebensthema begleitet hat, der lese in dem Buch nach, das von Paul Peters zusammengetragen wurde ..."

Benedict Erenz, *Die Zeit*

„... das schönste Buch, das ich zuletzt in der Hand hatte."

Jost Nolte, *Die Welt*

„Das umfangreiche Werk versammelt alle Texte, in denen der Bezug zum Jüdischen explizit ist; durch die Montage spricht ein Heine zu uns, wie er selbst nie über sein Judentum zu sprechen gewagt hat."

Börsenblatt für den deutschen Buchhandel

„Die Spannung zwischen dem Deutschen und dem Jüdischen läßt sich in der sorgfältig edierten und kommentierten Sammlung „Prinzessin Sabbat", die Heines Texte zum Judentum zusammenfaßt, nachempfinden. Die äußere Unterwerfung unter das christliche Gesetz macht bei Heine die Energie frei, sich auf die jüdische Geschichte einzulassen."

Ulrike Baureithel, *tageszeitung*

Menora
Jahrbuch für deutsch-jüdische
Geschichte
Band 8
Herausgegeben vom
Moses Mendelssohn Zentrum
für europäisch-jüdische Studien
1997, 416 Seiten., brosch.
ISBN 3-8257-0048-8

Der achte Band des Jahrbuches enthält
u.a. folgende Beiträge:
Vom „Henker" zum „Wunderheiler" -
Gerechtigkeit für Goldhagen?; Exil,
Entfremdung und „gelobte Länder".
Marx, Freud und Herzl; Der israelische
Humor von seinen Anfängen bis zum
Sechstagekrieg; Sephardische Bücher
und Bibliotheken in Hamburg; Rassen-
wahn und Rassenstolz. Sephardische
Reaktionen auf die Judenverfolgung;
Der Jude Gundolf und der „Fall" Heine;
Kafka, Homosexualität und die Ästhetik
der „männlichen Kultur"; Abschied
vom Zionismus. Der „Held" in der
modernen israelischen Literatur.

Der Schwerpunkt jüdischer Lokal- und
Regionalgeschichte behandelt 1997 das
Land Niedersachsen.

Menora
Jahrbuch für deutsch-jüdische
Geschichte
Band 7
Herausgegeben vom
Moses Mendelssohn Zentrum
europäisch-jüdische Studien
1996. 380 S., brosch.
ISBN 3-8257-0030-5

Beiträge sind u.a.:
Judaistik ohne Juden: Zwischen Sym-
biotik und Holocaustismus; Die jüdische
Presse Ende des 19. Jahrhunderts; Die
Polliakov-Affäre.
Der in jedem Band vorgesehene
Schwerpunkt jüdischer Lokal- und Re-
gionalgeschichte behandelt 1996 das
Land Hessen. Die Aufsätze behandeln
u.a. folgende Themen:
Strukturen jüdischer Bevölkerung in
Oberhessen im 17. Jahrhundert; Zum
Umgang mit jüdischer Armut im 18.
Jahrhundert am Beispiel Friedbergs –
Wege der Tradition und Wege der
Aufklärung; Der Ba'al Schem von
Michelstadt und die Frankfurter Kab-
balisten; Zwischen Reform und
Orthodoxie – Jüdische Gemeinden in
Hessen 1830-1880.

PHILO-Atlas
Handbuch für die jüdische
Auswanderung
Kommentierter Reprint der Ausgabe
von 1938.
220 Seiten, 19 farbige Landkarten, 800
Stichworte, zahlreiche Tabellen, geb.,
ISBN 3-8257-0086-0

Der PHILO Atlas ist ein einzigartiges
historisches Dokument. Als dritter Band
der sog. PHILO-Lexika war er das letzte
Buch, das in einem jüdischen Verlag in
Nazideutschland erscheinen konnte.
Nach dem Schock der „Reichskristall-
nacht" unterstützte das Buch die Aus-
wanderungsbestrebungen der deutschen Juden. Mit Stichwörtern von *A*
wie *Abmeldung, polizeiliche* über *D,
Durchreisevisum, S* für *Singapur* oder *T*
wie *Tel Aviv* bis *Z* für *Zollverschluß* sollten die für eine Ausreise wichtigen
Fragen beantwortet werden.

Der PHILO-Atlas ist nicht zuletzt auch
ein Beleg gegen den Mythos, daß die
deutschen Juden passiv die Aus-
grenzung und Verfolgung über sich
ergehen ließen.

Julius H. Schoeps
Deutsch-jüdische Symbiose
oder
Die mißglückte Emanzipation
1996. 420 S., geb. mit SU.,
ISBN 3-8357-0031-1

„Ungemein lehrreich und geradezu
spannend zu lesen ...
Nach dem heftigen Goldhagenfieber
des vergangenen Jahres, der großen
Abwehrschlacht der deutschen Histo-
rikerzunft und der namhaftesten Presse-
organe dürfte dem verstörten Leser das
wesentlich sanftere Buch von Julius H.
Schoeps von nicht geringer Hilfe sein.
Eines der wichtigsten ist zweifellos das
zentrale Kapitel über die christlichen
Wurzeln des modernen Antisemitismus
..."

Nürnberger Zeitung

„Auch wer mit der einschlägigen
Literatur über Juden, Judentum und
Antisemitismus vertraut ist, gewinnt
durch die Lektüre dieses vielseitigen und
anregenden Bandes Zugang zu neuen,
oft viel zu wenig beachteten
Aspekten."

Ursula Homann in *Das Parlament*